Doris Dörrie

Samsara

Erzählungen

Diogenes

Umschlagillustration:
Henri Matisse,
›Lorette sur fond noir, robe verte‹, 1916 – 1917
Sammlung Jacques und Natasha Gelman

Fotografie von Malcolm Varon

Für Helge

400/96/44/1
ISBN 3 257 06110 2

Ruhe in großem, natürlichem Frieden
Diesen erschöpften Geist
Hilflos geschlagen von Karma
und neurotischen Gedanken,
Gleich dem unbarmherzigen Toben
der wütenden Wogen
Im unendlichen Ozean von Samsara.

Nyoshul Khen Rinpoche

Inhalt

Palast der Mühen

Du darfst dir nicht die Schuld geben, sagt meine Freundin Clara und zerteilt mit einem mächtigen Hieb das noch halb gefrorene Huhn, das ist das Wichtigste, du darfst dir nicht die Schuld geben an dem Charakter deiner Tochter.

Clara hat keine Kinder und meistens auch keinen Mann.

Wir sind gleich alt, aber sie sieht jünger aus als ich. Ihre Figur ist besser als meine, und ihre Haut ebenfalls. Sie hat nicht unbedingt weniger Fältchen als ich (noch sind es keine Falten, nein, wirklich nicht), aber ihre Haut wirkt insgesamt straffer, wie aufgepumpt. Xaver behauptet, sie wirke so, als bekäme man fettige Finger, wenn man sie anfaßt. Ich weiß, was er meint, es ist diese unentwegte, sorgfältige Pflege, die sie ihrer Haut angedeihen läßt, obwohl es meiner Meinung nach gleichgültig ist, ob man sich Schweineschmalz ins Gesicht schmiert oder sündhaft teure Cremes, wirklich entscheidend ist etwas anderes: Sie durfte die letzten fünfzehn Jahre jede Nacht mindestens acht Stunden schlafen, und wenn sie Lust hatte, die Wochenenden im Bett verbringen. Ich nicht.

Ich warte auf den Augenblick, wo Claras Kinderlosigkeit sie ein wenig vertrocknet aussehen lassen wird, unerfüllt um die Augen herum, ihr einen bitteren Zug um den

Mund geben wird, wo sie an eine Heuschrecke erinnern wird und ich an ein glückliches Schwein.

Das Schwein ist mein chinesisches Himmelszeichen, deshalb schenkt Clara mir zu jedem Geburtstag seit über fünfundzwanzig Jahren ein Schwein.

Ein viereckiger, ziemlich großer Karton in Geschenkpapier steht auf dem Kühlschrank, sie wird mich heute mit einem besonders großen Schwein überraschen. Ich habe es nie übers Herz gebracht, ihr zu sagen, daß ich Schweine eigentlich gar nicht mag. Ich mag ihre wasserblauen Äuglein nicht, mit denen sie einen so vertrauensselig anblinzeln, ihre Menschenähnlichkeit mit ihren schlechten Nerven, ihrem hysterischen Gekreisch, ihrem suchtartigen, alles verschlingenden Freßverhalten.

Claras Schweine waren Annas erstes Spielzeug. Meine Weine, rief sie und ließ die Schweine auf dem Teppich auf und ab wandern. Sie bekamen Cornflakes und Honigpops zu fressen.

Ich weiß nicht, ob es eine Frage des Charakters ist, wenn man sich zu Tode hungert, sage ich. Clara gibt mir Knoblauch zum Wiegen auf einem rotkarierten Frühstücksbrettchen.

Bestehst du immer noch auf der Milieutheorie? fragt sie. Damit bist du hoffnungslos altmodisch, weißt du das nicht? Selbst Alkoholismus wird vererbt...

Also ist doch alles meine Schuld, sage ich.

Clara sieht mich nachdenklich an, dann wird ihr Ausdruck verträumt. Ich weiß, was jetzt kommt, ich könnte Geld drauf wetten. Sie kann es nicht lassen.

Vielleicht war sie in einem anderen Leben zu fett, viel-

zurück, atmet die Bilder von der Leinwand ein wie Parfüm und die stickige Luft seiner Alltagswelt aus.

Meine Träume machten mich glücklich. Alpträume kannte ich nicht – bis Anna kam.

Sie kam mit wilder Entschlossenheit auf die Welt, mit geballter, hochgereckter Faust und wütendem Gebrüll. Ich erschrak vor ihr und bewunderte ihre so vollkommen klar wirkende Persönlichkeit in diesem winzigen Körper. Sie sah mich blinzelnd und etwas mißtrauisch aus noch verklebten Augen an, und mit diesem ersten Blick war es um mich geschehen: Ich gehörte ihr. Nach diesem Blick hätte ich sie unter allen Neugeborenen dieser Welt erkannt, sie war Anna und sonst niemand.

In dieser Nacht, hellwach von der Geburt, fühlte ich mich zum ersten Mal in meinem Leben auf erhebende und zugleich angsterregende Weise mit dem gesamten Kosmos verbunden: Ich sah mich als winzigen schwarzen Punkt unter Millionen Punkten, eine riesige Wolke aus allen Menschen, die je gelebt hatten und je leben würden, wie ein gigantischer Mückenschwarm bewegte sie sich durch das All, und ich war mittendrin. Ich war Teil der Menschheitsgeschichte geworden.

Als Xaver uns aus der Klinik abholte, hielt ich Anna wie ein warmes Brot im Arm, mein Körper schwach vor Glück. Im Fahrstuhl standen wir zusammen mit einer alten, weinenden Frau, die gerade ihren Mann verloren hatte. Sie sah unsere Freude, und wir sahen ihr Leid, und es gab nichts zu sagen.

Xaver stand anfangs nachts mit mir auf, eine Woche lang

etwa – so erinnere ich mich, er behauptet, die ganzen ersten Monate –, um zwei, um fünf, um sieben Uhr, jede Nacht. Bestürzt und verwirrt beugten wir uns über diesen schreienden Säugling, der wütend mit den Händchen fuchtelte, und konnten uns in unseren schlaftrunkenen Köpfen nicht gleich erinnern, woher er so plötzlich gekommen war. Zehn Minuten rechte Brust, zehn Minuten die linke. Nach der Eieruhr, denn ich verlor in der Nacht jedes Gefühl für Zeit. Während ich Anna wickelte, fielen mir oft die Augen zu, meine Glieder wurden tonnenschwer, die Knie knickten ein, und ich mußte mich gewaltsam daran hindern, mich nicht einfach auf den Boden zu legen und weiterzuschlafen.

Anfangs wehrte sich mein Schlaf noch dagegen, abrupt nach nur drei Stunden beendet zu werden. Kurze Zeit später beschloß er den Boykott gegen mich, von da an bis heute durfte ich nie mehr auf ihn zählen.

Ich begann, nur noch vor mich hinzudämmern und voller Furcht und mit klopfendem Herzen auf die spitzen Schreie meiner Tochter zu warten, die mir in den Magen fuhren wie ein Dolch und die Milch aus meinen Brüsten spritzen ließen. Neben mir schnarchte Xaver leise vor sich hin. Er ging ins Bett, schaffte es gerade noch, meine Hand zu drücken oder den Arm nach mir auszustrecken, schon war er eingeschlafen. Ich habe ihn dafür nicht nur beneidet, sondern oft genug gehaßt.

In meinem Dämmerschlaf klangen alle anderen Kinder, aber auch Hunde, das Bremsen der Straßenbahnen und das Motorengeräusch bestimmter LKWs wie das Weinen meines Kindes, und sofort verkrampfte sich mein Magen zu einer harten Kugel, schlug mir das Herz bis in den Hals, begannen meine Muskeln zu zittern.

Ich kann bis heute nicht verstehen, warum mein Körper mit allen Zeichen der Furcht auf dieses winzige, hilflose Wesen reagierte. (Babys nennt man immer hilflos. Ich habe Anna nie für hilflos gehalten. Sie war immer mächtiger als ich. Sie konnte mich Dinge tun lassen, die ich nicht wollte, aber ich sie nicht. Niemals.)

Nach nur wenigen Wochen schlief Anna nachts durch, und dennoch hörte ich sie weinen, leise wimmern, jedes noch so weit entfernte Geräusch verstand mein Körper als Alarmsignal, er wurde von Adrenalin durchflutet, verkrampfte sich, und ich war hellwach. Manchmal klang sogar mein eigener Atem wie Annas Weinen.

Ich lauschte der alten, blinden Frau, die damals noch über uns wohnte und die nachts mit schweren Schritten durch ihre Wohnung wanderte, Türen zuknallte, Stühle herumrückte. Und immer wieder gab es einen schweren, dumpfen Knall, der unsere Decke erzittern ließ und den ich mir nicht erklären konnte, Nacht für Nacht, als fiele ein Medizinball auf die Erde. Sie sei früher Primaballerina am Staatsballett gewesen, erzählte mir die Hausmeisterin. Eine schlanke dunkle Schönheit, nicht mehr wiederzuentdecken in der dicken kleinen Person mit schneeweißen, schlecht geschnittenen Haaren, die ich tagsüber oft auf ihrem Balkon auf und ab gehen sah, an regnerischen Tagen in Ölzeug, mit einem Südwester auf dem Kopf, im Winter in einem Persianer mit passendem Hut, hin und her und hin und her, fast eine Stunde lang.

Nachts löschte sie um Punkt zwölf das Licht, eine Weile war es dann still, dann stand sie wieder auf und ging herum, vom Schlafzimmer direkt über uns in die Küche, das Wohnzimmer, ins Bad und wieder zurück. Und dann gab es den dumpfen Knall. Jede Nacht.

Lange hatten wir einen großen dunklen Wasserfleck an der Decke in unserem Badezimmer, weil sie eines Nachts die Badewanne hatte überlaufen lassen. Nur weil ich wachgelegen und das Tropfen im Badezimmer gehört hatte, wurde eine größere Katastrophe vermieden. Sie ließ mich nicht gleich hinein, ängstlich öffnete sie ihre Tür nur einen Spalt, hinter ihr war es dunkel, sie sah mich mit ihren blinden Augen an wie ein aufgeschrecktes Tier im Wald.

In ihrer Wohnung hatte sich der Dreck aus Jahrzehnten angesammelt. Das gesamte Badezimmer hatte Schimmel an den Wänden, die Badewanne war schwarz verkrustet. Ich watete durch eine braune Brühe und stellte das Wasser ab. Als ich mich aufrichtete, sah ich, daß ihre Zahnbürste, die Zahnpaste, Seife und Waschlappen mit Bindfäden an Haken befestigt waren, wohl damit sie sie besser finden und nicht verlegen konnte.

Sie saß in ihrem Persianermantel überm Nachthemd in der Küche an einem Tisch mit einer verklebten Plastiktischdecke und aß Knäckebrot, auf das sie ein paar Tropfen Maggi träufelte. Ich sah, daß die Maggiflasche, ein Messer, einige Becher, Salz und Pfeffer, eine Senftube und ein völlig verdrecktes Handtuch ebenfalls mit Bindfäden befestigt waren, manche Fäden waren ineinander verknäult, wie ein großes Spinnennetz liefen sie quer durch die Küche.

Mittendrin saß sie und mümmelte an ihrem Knäckebrot. Über ihr hing eine nackte Glühbirne. Der Linoleumboden zu ihren Füßen war mit Flecken von Verschüttetem übersät, daß man kaum noch sein Muster erkennen konnte. In einer Ecke häuften sich leere Verpackungen zu einem riesigen Berg. Es roch nach Schimmel und Tomatenketchup.

Sie sah vage in meine Richtung. Sie stören mich, sagte sie.

Es stellte sich heraus, daß sie keinerlei Versicherung besaß. Um sie nicht in Schwierigkeiten zu bringen, verschwiegen wir der Hausverwaltung den Wasserschaden, und jahrelang hatten wir den Fleck an der Decke.

Ich hätte sie fragen sollen, was der dumpfe Knall jede Nacht zu bedeuten hatte. Ich habe es nie herausgefunden.

Ich sah sie jetzt Nacht für Nacht vor mir, wie sie durch ihre dunkle, verdreckte Wohnung ging, und ich wünschte, ich wäre nie zu ihr hinaufgegangen. Als sie starb, brauchten sie allein drei Wochen, um die Wohnung auszuräumen. Eine elegante Dame im Pelzmantel mit sorgfältig frisierten platinblonden Haaren und Chanel-Handtasche überwachte die Arbeiten. Ihr Mercedes, mit Stuttgarter Kennzeichen, stand auf dem Gehweg direkt vor unserer Haustür. Sie sei die Tochter der alten Primaballerina, erzählte mir die Hausmeisterin, fast zwanzig Jahre lang habe sie ihre Mutter nicht mehr gesehen, und als sie verständigt wurde und man sie fragte, ob sie die Mutter noch einmal auf ihrem Totenbett sehen wolle, habe sie geantwortet: Um Gottes Willen, bloß nicht. Während mir die Hausmeisterin diese Schauergeschichte erzählte, trug ich Anna auf dem Arm und vergrub meine Nase in der kleinen, warmen Kuhle ihres Nackens.

In meinen schlaflosen Nächten wurde ich von Ängsten überfallen, wie ich sie vor Annas Geburt nicht gekannt hatte. Der Alltag als einzige Todesfalle für mein Kind, dieses so frische, völlig unverletzte Leben, an einem Wäschebändchen erhängt, von großen Messern durchbohrt, vergiftet, mit gebrochenem Genick auf der untersten Treppenstufe, im Kindersitz in einem zerquetschten Auto mit laut grölendem Radio, Bilder von Krieg jagten mich, von Hungersnöten und Verwüstungen, die uns alle vernichteten. Ich hörte auf, die Nachrichten im Fernsehen zu sehen, bald konnte ich sie noch nicht einmal mehr lesen.

Durch mein Kind bekam ich Angst vor dem Leben, und das war das endgültige Ende meiner Jugend, denn ich erinnerte mich genau, was ich als junger Mensch an den Erwachsenen so verachtenswert gefunden hatte: ihren notorisch mißtrauischen Blick, ihre lächerliche Angst und ihre ständigen Warnungen vor dem Leben.

Xaver schenkte mir zu meinem ersten Geburtstag als Mutter die Teilnahme an einem Autosuggestionskurs. Dort verglich ein dünner, müde aussehender Mann in blütenweißen Jeans und weißem T-Shirt die Vorstellungskraft mit einem Wildbach, der einen mitreißen und verschlucken kann, und in zwölf Wochenstunden wollte er uns beibringen, das Wildwasser in ein friedliches Rinnsal in einem ordentlich befestigten Bett zu verwandeln. Schon der Gedanke gefiel mir nicht recht.

In der ersten Stunde lernten wir einen Satz, mit dem wir unserem panischen Ich bei jeder Gelegenheit das Maul stopfen sollten: ES GEHT MIR MIT JEDEM TAG IN JEDER HINSICHT IMMER BESSER UND BESSER.

Mein Ich lachte über diesen Satz.

Ich ging nie wieder hin.

Statt dessen begann ich in meinen angsterfüllten Nächten mein Leben zu organisieren. In Gedanken packte ich die Koffer für unseren Urlaub im nächsten Jahr, ich studierte Reisekataloge und verglich die Angebote, ich plante Annas erste, zweite, dritte Geburtstagsparty, ich arrangierte komplizierte Babysitterabmachungen für den Fall, daß ich krank werden sollte, ich räumte in Gedanken die Wohnung um, suchte neue Farben für die Tapeten aus, ich versuchte mich an jedes Kleidungsstück zu erinnern, das ich besaß, und sortierte meinen Kleiderschrank, ich füllte unsere Steuererklärung aus, rechnete nächtelang herum, und als auch das geschafft war ohne darüber einzuschlafen, erfand ich, ohne es damals zu wissen, meinen neuen Beruf.

Oft bekam ich nämlich in all meiner schlaflosen Angst Hunger, aber ich war zu faul, in die Küche zu gehen, wollte nicht hinaus in die Kälte, also stellte ich mir den Inhalt des Kühlschranks vor und bereitete in Gedanken die kompliziertesten Gerichte zu.

Ich sah mir zu wie einem Fernsehkoch, der minuziös einen Arbeitsgang nach dem anderen erledigt, und hoffte, durch schiere Langeweile darüber einzuschlafen, aber oft genug war ich mit der gesamten Zubereitung fertig und hatte immer noch nicht in den Schlaf gefunden, also deckte ich in Gedanken den Tisch, entwarf kunstvolle, farbige Dekorationen auf meinem imaginären Teller aus Salatblättern, Früchten und Lachs, aus Gemüse, Terrinen in Aspik, geschmorten, gebratenen, fritierten Delikatessen. Ich versuchte mich an einem japanischen Design für bayerische Schmankerln, an Mondrian ähnlichen Anordnungen von Gemüseplatten, an von Matisse inspirierten Salattellern mit blau gefärbten Lollo-Rosso-Blättern, ich arrangierte verschiedenfarbige Sülzen in Quadraten nach den Bildern von Mark Rothko und schrieb einen Satz Rothkos, den ich einmal auf einer Postkarte gefunden hatte, in goldenen Lettern aufs Damasttischtuch: LASST UNS DAS GROSSE SCHWEIGEN DURCHBRECHEN, DIE EINSAMKEIT ÜBERWINDEN. WIR MÜSSEN WIEDER LERNEN, FREI ZU ATMEN, WIR MÜSSEN DIE ARME HEBEN UND UNSERE ERSTARRUNG LÖSEN.

Meine eigene Erstarrung bestand nicht in Schweigen und Einsamkeit – im Gegenteil, ich war durch Anna ja nie mehr allein –, sondern in meiner ständigen Müdigkeit, die mich die Welt nur noch wie durch einen Schleier wahrnehmen ließ. Ich war zu jedem Gefühl zu müde, zur Liebe sowieso.

Clara schickte mich zu ihrem Akupresseur, einem sanften jungen Mann mit langen Haaren, der zu leise sprach. Er behandelte in seinem Wohnzimmer, in dem es nach Zitronengrastee roch und Zimbelmusik lief, auf dem Boden lag ein Flokatiteppich, in den Ikearegalen neben dem Massagetisch stand Rimbaud neben Fritjof Capra und den Fünf Tibetern. Er massierte meine Meridianpunkte und flüsterte ihre Bezeichnungen: KS4 – Grenztor, KS8 – Palast der Mühen, H3 – Geringes Meer, H7 – Göttliches Tor, K15 – Taubenschwanz, M45 – Grausame Bezahlung.

Er verlangte über zweihundert Mark, und schlafen konnte ich dennoch nicht.

Xaver besorgte mir ein Massagebett. Es schüttelte und rüttelte, weckte mich auf, anstatt mich einzuschläfern, ich stellte es sofort aus, nachdem Xaver eingeschlafen war, und dann kochte ich in Gedanken wieder vor mich hin, oft bis zum Morgengrauen.

Als ich später anfing, Gerichte wie gemalte Bilder zu fotogafieren, hatte ich alle meine Arrangements bereits im Kopf, mein gesamtes Konzept, ich mußte nichts mehr ausprobieren, nichts verwerfen, alles, alles hatte ich bereits in meinen schlaflosen Nächten bis ins kleinste Detail vorbereitet.

Annas Therapeut habe ich nie gestanden, daß ich dem seltsamen Beruf des Food Photographer nachgehe, Fotografin mußte ihm reichen, ich wollte das Aha in seinem Blick nicht sehen, seine blöde psychologische Logik, die keinerlei Sinn für Humor hat.

Niemals würde ich diesem Menschen erzählen, wie Anna mit zwei Jahren, wenn sie ihre Köttelchen ins Klo gemacht hatte, in die Schüssel starrte, draufzeigte, zum größten ›Papa‹ sagte, zu einem kleineren ›Mama‹, dann verkündete ›Arbeiten gehen‹ und die Spülung zog.

Wie sie mit fünf behauptete, ein Mädchen namens Silvia Goldschmidt zu sein, und mich monatelang siezte.

Wie sie mit sechs plötzlich nur noch ganz langsam aß, Bissen für Bissen sorgfältig kaute und auf die Frage, warum sie denn so fürchterlich mähre beim Essen, antwortete: Wer langsam ißt, ist gut in der Liebe.

Nichts von Anna werde ich diesem Therapeuten verraten, nichts von der Anna, die ich kenne, die ich wirklich mehr geliebt habe als jeden anderen Menschen und immer noch liebe in den wenigen Momenten, die ich sie in dieser jungen, haßerfüllten Frau wiedererkenne, die bei mir lebt.

Heute kann ich kaum verstehen, warum ich manchmal so böse wurde, so furchtbar böse, als Anna kam und mir meinen Schlaf wegnahm. (Oh, das ist nicht schwer zu verstehen, du warst immer schon eine hoffnungslose Egoistin, höre ich meine Mutter sagen.)

Ich habe meinen Alltag mit Anna geplant, organisiert und kontrolliert wie eine Schlacht gegen mich selbst. Manchmal, wenn ich das Glück hatte, einzuschlafen, hörte ich wenige Minuten später, so schien es mir, Anna rufen ›Mama! Mama!‹, tief wie eine Schiffssirene durch dicken Nebel, und es war bereits sieben Uhr, manchmal, wenn sie gnädig mit mir war, auch halb acht, aber immer war es viel zu früh, ich war müde, hatte Kopfschmerzen und rote Augen, war gereizt, ungeduldig, bösartig.

Jeden Morgen lag der Tag vor mir wie ein unüberquerbarer Ozean. Um nicht in seinen Fluten unterzugehen, nicht verrückt zu werden, galt es, ihn genaustens zu organisieren. Männer verstehen nicht, daß Organisation Abwehr von Psychosen ist. Für sie ist es das Gegenteil.

Xaver hält mich für neurotisch, weil ich jeden Tag wissen möchte, was mit mir geschieht. (Wie störend ich es doch früher empfand, daß meine Mutter ständig etwas mit uns vorhatte! Ihre dauernden kleinen Ausflüge und Projekte! Ihre Unfähigkeit, einfach nur zu Hause zu bleiben und gar nichts zu tun. Heute verstehe ich, daß sie ihren Alltag mit uns organisierte, um nicht unsere Gefangene zu werden.)

Ich wollte nie abhängig sein von den Plänen anderer, selbst nicht von den Plänen eines Kleinkindes.

In den ersten zwei Jahren mit Anna wurde ihr Mittagsschlaf für mich zur wichtigsten Stunde des Tages, denn tagsüber konnte ich seltsamerweise schlafen.

Ich zählte die Stunden und Minuten bis ein Uhr. Fünf Stunden von Annas Aufwachen in der Früh bis zum Mittagsschlaf. Waschen und Frühstücken eine Stunde. Einkaufen eineinhalb Stunden. Noch zweieinhalb Stunden bis zum Mittagsschlaf. Dreißig Minuten Spielen, eine Stunde aufräumen, Essen kochen, essen, geschafft.

Ich verdunkelte ihr Zimmer, so daß sie oft glaubte, es sei bereits Nacht, hastig zog ich sie aus, schlug ihr eine Windel um, stopfte sie in ihren Schlafsack, atemlos vor Vorfreude auf meinen eigenen Schlaf.

Kaum hatte ich Annas Tür hinter mir zugezogen, fiel ich um wie ein gefällter Baum und tauchte in einen traumlosen Schlaf wie in einen schwarzen, tiefen See. Wenn ich aus ihm wiederauftauchte, war ich eine andere Person: nicht nur hübsch, charmant und selbstsicher, sondern auch glücklich, geduldig, friedfertig. Eine gute Mutter. Nachmittags liebte ich meine Tochter am meisten, und ich schämte mich, daß ich jemals ungeduldig die Minuten mit ihr gezählt hatte. An diesen glücklichen Nachmittagen wollte ich, daß die Zeit stehenbliebe.

Wenn sie rot und heiß vom Schlaf erwachte und die Sonne in ihr Zimmer schien, ließ ich den Reflex von meiner Uhr über die Wand neben ihrem Bett wandern, und sie jagte kichernd den Sonnenfleck, streichelte und küßte ihn und nannte ihn ›Wiwi‹.

Wir gingen spazieren, fütterten die Enten, schaukelten stundenlang, bohrten mit Ästen in Gullis, balancierten auf Mäuerchen, backten Sandkuchen, erkletterten hundertmal die Rutsche.

Ihr erstes Wort war nicht Mama.

Eines Tages, an einem kristallklaren, sonnigen Herbsttag lehnte sie den Kopf in den Nacken und sagte langsam und genüßlich: Himmel. Sie lächelte. Himmel. Himmel. Himmel, sagte sie. Ich liebte sie zum Zerplatzen.

Und dann eines Tages, aus heiterem Himmel, verkündete sie: Anna nicht müde, Anna nicht Bett. Ihr kleiner Körper straffte sich, ihre Augen glänzten hellwach. Wir starrten uns an. Ich zitterte vor Erschöpfung, wie fast immer um diese Zeit nach fast zwanzig Stunden ohne Schlaf. Panik schoß hell und heiß in meinen Kopf. Kein Mittagsschlaf? Noch weitere siebeneinhalb Stunden bis zum Abend?

Behutsam, um ihren Widerstand nicht herauszufordern, nahm ich sie auf den Arm. Sie bäumte sich auf und schrie. Ich flüsterte ihr Beschwörungen ins Ohr, versprach ihr zwei Geschichten statt einer, ich versuchte sie mit Gummibären zu bestechen, erfolglos. Sie hatte sich entschieden. Keine Minute würde sie schlafen. Das war *ihr* Plan.

Ich hatte mich den ganzen Tag auf diese Stunde Schlaf gefreut, nur eine einzige Stunde, ich würde schlafen, das war *mein* Plan.

Anna tobte. Sie schrie mir so laut ins Ohr, daß ein scharfer Schmerz meinen Kopf spaltete wie ein Axthieb. Meine Nerven fühlten sich an, als lägen sie über der Haut, nicht darunter. Ich atmete durch den Mund tief ein und durch die Nase aus, wie Clara es auf ihren Yogawochenenden im Zillertal gelernt und mir gezeigt hatte.

Ich bot drei Geschichten an. Anna schrie. Ich versprach, nach dem Mittagsschlaf mit ihr in den Zoo zu gehen. Sie holte aus und schlug mich ins Gesicht. Jetzt packte ich sie und legte sie so unsanft in ihr Bett, daß sie sich den Kopf stieß. Ihr Brüllen verwandelte sich in Weinen. Ich pustete, streichelte, tröstete, tief über ihr Bett gebeugt, daß mir das Blut in den Schläfen pochte. Ihr Weinen verebbte, sie verstummte schließlich ganz.

Als ich mich schließlich aufrichtete, glaubte ich, ohnmächtig zu werden. Sie verlangte einen weiteren Kuß, dann griff sie nach ihrem Schwan und rieb seinen Schnabel an ihrer Nase. Auf Zehenspitzen schlich ich aus dem Zimmer und die Treppe hinunter.

Auf der letzten Treppenstufe erwischte mich ihr Schrei wie ein Messer zwischen die Schulterblätter. Der Schwan war aus dem Bett gefallen. Ich gab ihr den Schwan.

Beim zweiten Mal hatte sie Durst. Ich brachte ihr Wasser.

Beim dritten Mal wollte sie noch einen Kuß. Sie bekam einen Kuß.

Beim vierten Mal war wieder der Schwan aus dem Bett gefallen. Bevor ich die Tür aufmachte, atmete ich mehrmals tief ein und aus.

Beim fünften Mal taten ihr auf unerklärliche Weise die Haare weh. Ich strich ihr über den Kopf, Ungeduld in meiner Stimme, die von Mal zu Mal härter klang. Und jetzt wird geschlafen, oder willst du, daß ich böse werde? Man stellt seinen Kindern die idiotischsten Fragen. All die

Sätze, von denen man sich nie vorstellen konnte, daß man sie jemals sagen würde, sie schlummern in einem und warten nur auf die passende Gelegenheit, um einem aus dem Mund zu springen wie der Teufel aus der Kiste.

Willst du, daß ich richtig böse werde? wiederholte ich. Sie sah mich mit blanken Augen an. Ja, sagte sie. Wir schwiegen, dann ging ich aus dem Zimmer.

Ich hatte noch nicht die Tür geschlossen, da brüllte sie schon los. Ich legte mich auf die Couch, schloß die Augen. Hellorange Blitze zitterten hinter meinen Augenlidern, ich sah mein vor Wut wallendes Blut vor mir, wie einen roten See, über den der Wind peitscht. ES GEHT MIR MIT JEDEM TAG IN JEDER HINSICHT IMMER BESSER UND BESSER. Sie trampelte mit den Füßen gegen die Wand, ihr Gebrüll steigerte sich zu einem langgezogenen, gellenden Schrei.

Ich sprang von der Couch, nahm zwei Stufen auf einmal, riß ihre Tür auf. Was willst du? schrie ich.

Sie stand am Geländer ihres Bettes und hatte den Mund so weit aufgerissen, daß ich ihre Augen nicht mehr sah.

Und dann geschah, wovor ich mich seither fürchte, weil es nicht nur einmal geschah, so sehr ich mir auch vornahm, nie, nie wieder: Meine Wut schoß als heiße Flamme durch meinen Körper, meine Hände glühten, und mein Kopf wurde ganz weiß, daß ich nichts mehr denken konnte. Ich riß Anna aus dem Bett, aus dem Schlafsack, ich zerrte ihr die Windel herunter und brüllte: Du willst nicht schlafen? Dann nicht! Dann eben nicht!!! Nackt ließ ich sie im Zimmer stehen, rannte hinaus und knallte die Tür hinter mir zu.

Kreischend hängte sie sich an die Türklinke, öffnete mit

Mühe die Tür und rannte hinter mir her. Nackt, winzig, weinend. Sie verkrallte sich in meinen Rock, ich schüttelte sie ab. Wie ein kleiner Hund lief sie hinter mir her. Immer wieder griff sie nach mir, und immer wieder wehrte ich sie ab. Da schlug sie nach meinen Beinen. Ich drehte mich zu ihr um. Ich hob die Hand. Ich war drauf und dran, sie zu schlagen. Ein entsetzlicher, langer, hoher Schrei kam aus meinem Mund, wie ich ihn noch nie von mir gehört hatte. Keinen Menschen habe ich je so angeschrien wie mein Kind.

Anna verstummte und riß die Augen auf. Ich ging die Treppe hinunter, sie lief wimmernd hinter mir her. Ich warf mich auf die Couch, schloß die Augen. Anna stand vor mir, am ganzen Körper von Schluchzern geschüttelt, sie zerrte an meinem Arm.

Geh weg, schrie ich, ich bin müde, ich will schlafen! Geh weg!

Mit ihren kleinen Fingern versuchte sie, mir die Augenlider hochzuschieben. Ich drehte mich auf den Bauch.

Mama! schrie sie.

Geh weg! antwortete ich.

Mama! schluchzte sie.

Geh weg!!! schrie ich.

Und dann ging sie weg. Sie legte sich auf den Teppich, splitterfasernackt, krümmte sich und weinte leise. Ich sah sie an, und plötzlich verließ mich meine weiße Wut, wie eine Decke, die von mir gezogen wurde. Ich erschrak. Ich ging zu ihr, nahm sie auf den Arm, ihr zitternder Körper preßte sich gegen meinen, sie schlang ihre Arme um meinen Hals. Meine Tränen liefen über ihre Schulter auf ihren Rücken.

Ich schäme mich bis heute.

Ich ging mit ihr auf dem Arm zum Fenster. Ein kleiner Fetzen Hellblau hing über den Dächern. Sie bog den Kopf nach hinten. Himmel, sagte sie, dann sah sie mich an und lächelte. Himmel, wiederholte sie.

Unter uns ging die blinde Primaballerina auf ihrem Balkon auf und ab. Sie trug trotz des schönen Wetters ihren Persianermantel und einen gelben Südwester auf dem Kopf, der leuchtete wie die Sonne. Drei Schritte hin, drei Schritte her.

Clara stellt ihr Geschenk vor mich auf den Tisch.

Soll ich raten?

Pack's aus, sagt sie.

Vorsichtig versuche ich, den Tesafilm vom teuren Geschenkpapier zu lösen, Clara benutzt immer besonders ausgefallenes Geschenkpapier, wohingegen ich, glaube ich, in meinem ganzen Leben noch nie Geschenkpapier gekauft habe. Ich sammle das alte und verwende es wieder, manchmal bekommen die Leute wahrscheinlich von mir Geschenke in ihrem eigenen Geschenkpapier zurück, unordentlich eingeschlagen, die Ecken verwurstelt, zerknittert, kreuz und quer mit Tesafilm befestigt. Ich bin zu ungeduldig, um Geschenke hübsch zu verpacken.

Es ist ein Radio mit einer großen Digitalanzeige.

Kein Schwein? sage ich und bin fast ein bißchen enttäuscht.

Nein, sagt Clara, ausnahmsweise nicht. Das ist ein *White-Noise-Maker,* ich habe ihn aus Amerika mitgebracht. Du wirst schlafen wie noch nie. Sie steckt den

Stecker in den Trafo und dann in die Büchse, dreht an ein paar Knöpfen, und es ertönt ein Rauschen, sonst nichts.

Das ist leichter Regen, erklärt sie mir begeistert, es gibt schweren Regen, leichten Regen, Wasserfall und Brandung. Sie dreht den Knopf, das Rauschen wird rhythmisch unterbrochen. Du kannst sogar einstellen, ob du lange oder kurze Brandung haben willst, und alle anderen Geräusche werden einfach übertönt.

Sie drückt mir die Bedienungsanleitung in die Hand. Ein Mann im Bett ist dort abgebildet, auf seinem Nachttisch der *White-Noise-Maker*, der Mann schläft, aus seinem Mund kommt eine Blase, in der steht ›rzzzz, rzzzz‹. Ein bellender Hund, ein Lastwagen und ein weinendes Kind sind mit einem großen roten Kreuz durchgestrichen.

Clara dreht den Knopf zurück auf Regen. Es rauscht. Clara sieht mich an. Draußen scheint die Sonne. Wir lauschen dem Regen. Danke, sage ich. Sie hört mich nicht.

Die Weihnachtsgans

Ein dürrer Weihnachtsbaum steht vor der Station. Die Krankenschwester, die mich zu meinem Zimmer führt, trägt schwarze Strümpfe und weiße, orthopädische Sandalen. Sie öffnet wortlos die Tür, mein Vater geht als erster hinein, stellt sich ans Fenster, schiebt den Vorhang zur Seite und starrt aus dem Fenster, während ich mich ausziehe. Seine Brille hängt schief auf seiner Nase, ich habe sie ihm zerbrochen, als sie mich ins Auto geschleppt haben. Seine dünnen, langen Haare hängen schlapp und müde über seinen Mantelkragen. Ich flehe ihn an, sie sich endlich abzuschneiden, er sähe mit kurzen Haaren so viel besser aus.

Meine Mutter gibt mir mein Nachthemd. Zwei Zimmer weiter hat Imo gelegen, sagt sie zu niemand Bestimmtem, warum bricht das alles über uns herein? Warum? Kann mir das mal jemand sagen?

Mein Vater antwortet nicht. Er tritt in seinen Cowboystiefeln von einem Bein aufs andere.

Mir ist kalt. Mir ist jetzt immer so kalt. Ich steige ins Bett unter die Decke und lege meine Hände in meine Bauchkuhle wie in eine Schublade. Sie wollen, daß ich einen Bauch bekomme. Sie wollen nichts mehr, als daß ich einen fetten, schwabbeligen Bauch bekomme. Meine Mutter hängt meine Jeans und meinen Pullover über einen Stuhl. Die Hosenbeine sind kaum breiter als die Ärmel. Darauf bin ich stolz. Das werden sie nie kapieren. Sie wollen, daß ich niemals wieder in diese Jeans passe.

Meine Mutter legt meinem Vater die Hand auf die Schulter. Mensch, sagt er zum Fenster hinaus, soweit sind wir jetzt schon.

Die Schwester schiebt den Tropf ins Zimmer. Meine Mutter nimmt ihren Mantel und ihre Handtasche. Sie beugt sich über mein Bett. Sie riecht nach Chanel No 19. An ihrem Hals ist ein Pickel. In ihren Augen stehen Tränen. Sie überlegt es sich anders und küßt mich nicht.

Sorry, sage ich zu meinem Vater und deute auf seine Brille.

Brillen kann man ersetzen, sagt er. Seine Stimme klingt belegt. Er räuspert sich.

Die Schwester steht neben dem Tropf und wartet. Meine Eltern nicken ihr zu, dann gehen sie.

Die Schwester rollt den Tropf mit der Nährlösung an mein Bett und nimmt meinen Arm wie einen Stock in die Hand. Und das an Weihnachten, sagt sie kopfschüttelnd, wo es so gute Sachen zu essen gibt.

Wenn mir meine Jeans nicht mehr passen, nehme ich mir das Leben.

Von der Weihnachtsgans mochte ich immer am liebsten das Füllsel: Äpfel mit Nüssen und Rosinen, sie dampften noch, wenn Imo sie aus der Gans herausholte wie aus einer großen Schüssel. Meine Großmutter wurde von allen Imo genannt, seit ich als kleines Kind Omi in Imo verdrehte.

Als kleines Kind. Das ist so weit weg wie der Mond. Als kleines Kind warst du so süß, sagt meine Mutter oft, und dann könnte ich ihr glatt die Fresse polieren.

Die letzte Weihnachtsgans gab es vor zwei Jahren. Danach war nichts mehr wie vorher. Meine Mutter glaubt, daß ich seit Imos Tod nichts mehr esse.

Am Weihnachtsmorgen vor zwei Jahren weckte Imo mich um sieben Uhr früh. Sie trug noch ihr Nachthemd, ein enges, langes mit Sonnenblumen bedrucktes T-Shirt. Ihr Körper war weich und rund unter dem Stoff, in Imos Umarmungen sank man wie in ein großes Kissen.

Du brauchst nicht aufzustehen, Anna, flüsterte sie.

Ich will aber, sagte ich.

Sie drückte mich, und ich roch den schwachen Lavendelduft ihres Nachthemds. Nichts sträubte sich in mir, wie bei meiner Mutter. Warum? Ich weiß noch, wie ich dachte, warum ertrage ich es nicht, wenn Wally mich umarmt? Warum wird mein Körper unwillkürlich steif wie ein Brett? Warum ertrage ich ihre Haut nicht, ihren Atem, ihr Fleisch? Manchmal gebe ich mir wirklich Mühe, weil ich sehe, wie sehr sie sich danach sehnt, aber es geht nicht. Es geht einfach nicht.

Imo verließ das Zimmer, ich stand auf und stellte mich auf die Waage, noch halb im Schlaf. Ich wog achtzig Gramm weniger als am Vortag. Dieser Tag fing gut an, ohne Schuldgefühle und schlechtes Gewissen. Ich hatte meine eigene Waage mitgebracht, fremden Waagen traue ich nicht. Ich weiß noch genau, wieviel ich wog an dem Tag, an dem Imo mich zum letzten Mal umarmte.

Ich wiege mich jeden Tag. Wenn ich nicht zugenommen habe, trinke ich 0,2 l Milch, exakt abgewogen, mit einem Teelöffel, Schlückchen für Schlückchen. Feste Nahrung esse ich nur noch mit chinesischen Stäbchen, die ich immer dabeihabe, auch hier im Krankenhaus. Ich finde es, ehrlich gesagt, ganz schön, in Lebensgefahr zu sein. Ich fühle mich leicht und elegant. Ich bin zu dünn für diese Welt, ich brauche mich nicht mit ihr abzugeben.

Schämst du dich nicht? fragt mich Ma. Schämst du dich nicht, dich absichtlich zu Tode zu hungern, wenn anderswo die Menschen verhungern?

Ich sehe zu Boden und frage mich, warum sie sich angesichts all des Elends dieser Welt nicht schämt zu essen. Warum schämen sie sich nicht, mir diese Fragen zu stellen?

Ich gehöre schon lange nicht mehr zu ihnen, ich mache sie nur unglücklich.

Wir alle dachten, Imo mache es glücklich, wenn wir Weihnachten bei ihr verbrächten. Wir dachten, wir tun es ihr zuliebe.

Als wir vor zwei Jahren an Heiligabend bei meinen Großeltern eintrafen, saßen alle schon in der Küche und sangen Weihnachtslieder, meine Tante Charlotte, mein Onkel Robert, meine kleinen Vettern, selbst meine Kusine Lena.

Damals hatte Lena noch ihre Glatze. Sie schimmerte weiß in der dunklen Küche. Auf den Hinterkopf hatte sie sich eine Spinne tätowieren lassen. Sie verdrehte die Augen, als ich hereinkam und sang *Vom Himmel hoch, da komm ich her.*

Als ich klein war, konnte man kurz vor der Bescherung aus dem Küchenfenster den Weihnachtsmann hinten durch den Garten auf einem Esel davonreiten sehen. Knecht Ruprecht führte den Esel, der Weihnachtsmann hatte einen spitzen Hut auf und hielt einen großen leuchtenden Stern in der Hand. Er sah, wenn ich es genau bedenke, eigentlich eher aus wie Nikolaus, aber ich konnte die beiden sowieso nie recht auseinanderhalten.

Ich muß fünf oder sechs gewesen sein, da fand ich im Badezimmer ein wenig Watte unterm Waschbecken, und auf dem Beckenrand lag eine offene Tube Uhu. Ich dachte mir nichts dabei, aber dann, während wir in der Küche die Weihnachtslieder sangen, fiel mir auf, daß Onkel Robert und Alfred, der Bruder von Imo, plötzlich nicht mehr in der Küche waren. Ich erschrak. Ein großes schwarzes Loch tat sich vor mir auf und drohte mich zu verschlucken. Ganz allein auf der Welt war ich mit einem Mal; da nahm Imo Lena und mich an der Hand und führte uns zum Fenster. Mal sehen, sagte sie wie jedes Jahr, ob wir zufällig den Weihnachtsmann entdecken.

Als er dann pünktlich wie immer vorbeikam, sah ich nicht zu ihm, sondern auf Imo. Sie sah aus dem Fenster, die Falten in ihrer Haut sahen aus wie Schlittenspuren im Schnee. Zum ersten Mal in meinem Leben fand ich sie alt.

Oh, sagte ich aus meinem schwarzen Loch heraus zu ihr, da! Guck doch! Der Weihnachtsmann! Und ich sah, wie ein Lächeln über das Gesicht meiner Großmutter wanderte wie ein Lichtstrahl. Sie drückte Lena und mich an sich.

Ja, flüsterte sie, da haben wir aber Glück gehabt. Wir haben ihn tatsächlich gesehen!

Keiner außer Imo hat damals irgendeine Veränderung an mir bemerkt. Ma behauptete später, sie habe alles genau registriert, habe aber nicht mit mir darüber sprechen wollen, um es nicht noch schlimmer zu machen.

An diesem Weihnachten, vor zwei Jahren, bekam ich von ihr einen grünen Angorapullover, und da ich ihr eine Freude machen wollte, zog ich ihn sofort an. Er kratzte. Ich weiß noch, wie ich dort in der Küche saß und mir nicht wohl war in meiner Haut, wie ich mich zwar wunderbar dünn fühlte, stark und schön, aber auch einsam, weit entfernt von allen anderen, selbst von Imo. Meine ganze Familie saß dort, winzig klein, weit weit weg in der Küche, wie in einem Gehäuse aus Glas. Ich hätte das Gehäuse mit meiner ganzen Familie darin in die Hand nehmen können, um es zu schütteln, und es hätte darin geschneit.

Ich fror, wie ich jetzt immer fror, seit ich kaum noch was aß, und der Angorapullover schabte auf meiner Haut, als sei er aus Roßhaar.

Ich weiß noch, daß meine Großmutter ein elegantes, kaffeebraunes Kleid trug und eine zweireihige Perlenkette, sie hatte sich zur Feier des Tages geschminkt und sah besser aus alle anderen. Sie wirkte vollkommen eins mit sich, während wir anderen mit dem einen oder anderen Makel behaftet waren. Meine Mutter hatte einen großen roten Pickel am Hals, der sich beim Singen bewegte, direkt über dem Kragen ihres teuren Kostüms. Sie hatte jetzt öfter Pickel durch die Hormonumstellung. Sie erklärte mir, was in ihrem Körper vor sich ging, sie sagte: Für dich fängt jetzt all das an, was für mich aufhört.

Tante Charlotte war zu fett, wie immer. Sie trug ein lila Kostüm, das ihr zu eng war, und eine geblümte Bluse und sang voller Inbrunst. Lena findet sie unmöglich, aber wenn es nach mir ginge, könnten wir gern die Mütter tauschen. Charlotte ist vielleicht spießig, aber friedfertig. Sie paßt überhaupt nicht zu ihrem Mann Robert, der für teure Anzüge schwärmt und immer, wenn ich ihn sehe, seinen Walkman dabeihat und altmodischen Kram hört, die Rolling Stones oder Bob Dylan oder so. Wie mein Vater. Selbst er quält sich an Weihnachten in einen Anzug, trägt aber Cowboystiefel dazu und keinen Schlips.

Seine dünnen langen Haare hatte er ordentlich zurückgebürstet, ich stand hinter ihm und konnte sie riechen. Die Männer sangen bei den Weihnachtsliedern nie mit, sie grinsten verschämt vor sich hin und starrten auf ihre Schuhspitzen. Imo ging an ihnen vorbei und tätschelte beiden die Wange. Sie lächelte vielleicht auffällig viel an diesem Abend, ich weiß es nicht. Später hat Ma behauptet, Imos gekünstelte Fröhlichkeit sei ihr gleich aufgefallen. Ich fand, alle waren gekünstelt an diesem Abend außer Imo.

Sie freute sich wirklich über den Lavendelbadeschaum, den ich ihr schenkte, das konnte ich sehen. Und sie schenkte mir, was ich mir gewünscht hatte: *Das große Dr. Oetker-Schulkochbuch.* Dann bekoch uns mal schön, sagte sie zu mir, und plötzlich kniff sie mir in die Rippen, daß ich einen kleinen Luftsprung machte vor Schmerz, aber denk dran, Anna: Nur eine dicke Köchin ist eine gute Köchin. Sie lachte. Ihr Lachen klang ganz normal. Wie immer.

Wenn erst die Geschenke ausgepackt sind, fühlt man sich, als hätte man sich überfressen. Man ist immer noch hungrig, obwohl der Bauch voll ist.

In der Küche war es kalt. Imo gab mir eine Tasse Tee. Wir tranken schweigend. Die beiden nackten Gänse lagen in ihrem Blut auf den Tellern, schwarze Löcher zwischen den Beinen.

Imo sah mich an. In ihrem Nachthemd, die grauen Haare noch nicht aufgesteckt, sondern lang herunterhängend, wirkte ihr altes Gesicht wie ein Versehen. Ich sah sie plötzlich, wie sie gewesen sein mußte, als sie jung war. Es schien nicht so lang her, wie ich immer geglaubt hatte. Das machte mir Angst.

Sie stellte ihre Tasse ab. O Gott, sagte sie leise, ich habe keine Lust. Ich habe einfach keine Lust mehr. Jedes Jahr dasselbe. Alles wiederholen. Immer wieder und wieder. Als ginge es nur noch um die Wiederholung. Als wüßten wir nicht, daß sich alles verändert.

Sie sah mich scharf an. Dir kann ich das ja sagen, nicht?

Ich nickte und fühlte mich geehrt.

Ich hasse Wiederholungen, flüsterte sie. Ganz langsam verzog sich ihr Gesicht zu einem müden Lächeln. Na dann, sagte sie laut und stand auf.

Draußen wurde der Himmel stahlgrau.

Energisch fuhren ihre Hände in die Gänse und kamen wie mit roten Handschuhen überzogen wieder heraus. Ich hielt ihr einen kleinen Teller hin, und sie legte das Herz und die Leber darauf. Das Gänseherz hatte wirklich eine gleichmäßige Herzform und war blaßrosa. Es sah hübsch aus, wie ein Anhänger.

Um Punkt zehn Uhr würde ich es in Butter braten und zusammen mit der Leber meinem Großvater als Weihnachtsfrühstück ans Bett bringen.

Er würde sich lächelnd aufsetzen, wie er es immer tat, wenn er mich mit dem Teller neben seinem Bett stehen sah, er würde sich die spärlichen weißen Haare aus der Stirn streichen und mir ›Schöne Weihnachten‹ wünschen.

Was würde er tun, wenn es keine Wiederholung mehr gäbe?

Ich gab ihm das Tablett. Er lächelte mich an. Seine Schlafanzugjacke stand offen. Seine Brusthaare waren weiß und gekräuselt wie bei einem Lamm. Er soll früher ein Frauenheld gewesen sein. Ich stellte mir Frauenhände in seinem Lammfell vor.

Er stach die Gabel in das Gänseherz. In der Butter schwammen kleine Blutstropfen.

Ma kam in die Küche geschlurft. Sie sah verquollen aus, die Augen so schmal wie Schlitze. Ihr Hintern bewegte sich wie eine große Glocke unter dem dünnen Nachthemd. Sie haßt ihren Hintern, sie behauptet, daß sie ihn von Imo hat.

Jeder in der Familie kennt die Geschichte, wie mein Vater ihr, als sie noch nicht verheiratet waren, ein Abendkleid geschenkt hat; nachtblau mit meergrünen Pailletten, ein Kleid wie aus dem Märchen, und wie er einen Tisch in einem sündhaft teuren Restaurant reserviert hatte, um dort mit meiner Mutter in dem neuen Kleid essen zu gehen. Aber sie kam nicht. Sie kam den ganzen Abend nicht, und er meinte, sie habe es sich vielleicht anders überlegt und wolle ihn nie wieder sehen.

Aber meine Mutter saß heulend zu Hause, weil sie nicht in das Kleid paßte. Ihr Hintern war zu fett.

Ma schenkte sich einen Kaffee ein und sah auf die beiden bleichen Gänse. Meinst du, die werden rechtzeitig gar, Imo? Sie ließ sich schwer auf einen Stuhl fallen.

Natürlich, erwiderte Imo und drehte mir den Rücken zu. Einen Moment lang war es still.

Ma legte das Gesicht in die Hände. Ich habe fast überhaupt nicht geschlafen, sagte sie. Das sagt sie fast jeden Morgen. Seit meiner Geburt hat sie Schlafstörungen, sie war deshalb schon einmal in einer Schlafklinik, aber es hat nichts genützt.

Ich schnitt die Äpfel klein und gestattete mir selbst eine hauchdünne Scheibe. Der Geschmack überwältigte mich fast, ich bekam weiche Knie, so süß war dieser Apfel. Du mußt höllisch aufpassen, wenn dir das passiert. Sekunden später siehst du dir zu, wie du dir alles in den Mund stopfst wie im Rausch, und wenn du dich dann nicht erbrechen kannst, weil sie dich beobachten, ist das wie Folter. Ich fühle mich gut und stark, wenn ich fast nichts esse. Gelangt auch nur eine Kalorie zuviel in meinen Körper, gerate ich in Panik, überfällt mich beinahe Todesangst, als hätte ich Gift geschluckt, versagt, alles verloren. Mein Fleisch fühlt sich dann fett und quallig an, es verrät mich, es tut, was es will, ein Haufen dummes, fettes Fleisch. Jeder Tag ist ein neuer Kampf gegen diesen Quallenkörper. Er hat immer Hunger.

Ich betrüge ihn, indem ich von morgens bis abends Tee trinke. Aber er revanchiert sich. In schwachen Momenten gaukelt er mir vor, daß er mein bester Freund ist.

In Gedanken notierte ich zehn Kalorien für diese Apfelscheibe. Ich vermischte die Äpfel mit Rosinen, streute Zucker und Zimt über sie und stopfte sie in die Gänse. Es ist erstaunlich, wieviel in so eine Gans hineinpaßt. Imo gab mir eine dicke Nadel und Faden und zeigte mir, wie man die Gänse zunäht.

Ich stach in das weiße Fett unter ihrer kalten, pickligen Haut. Bei jedem Stich gab es einen kleinen schmatzenden Ton. Ich möchte, daß meine Haut sich wie Stoff über meine Knochen spannt, ohne ekelerregendes Fett, ohne diese wabbelige, willenlose Masse.

Meine Mutter redete mit Imo über Charlotte. Charlotte fällt doch auf jeden Käse rein, sagte Ma, sie sieht keinen Millimeter dünner aus.

Aber sie hat keine Kopfschmerzen mehr, sagte meine Großmutter. Sie breitete Zeitungspapier auf dem Tisch aus und gab mir ein Messer zum Gemüseputzen. Die reine Beschäftigungstherapie, sagt meine Mutter, mit gesunder Ernährung hat das nichts zu tun.

Es ist nicht so schwierig, wie es klingt, erklärte Imo, man gewöhnt sich dran. Du trennst Eiweiße von Kohlehydraten, du ißt eben kein Fleisch mehr mit Kartoffeln, kein Müsli mit Milch, kein Wurstbrot...

Und keine Weihnachtsgans mit Knödeln, unterbrach meine Mutter.

Es gibt dieses Jahr keine Knödel, sagte Imo kühl, sondern Reis.

Keine Knödel? Meine Mutter war fassungslos. Imo, das kannst du uns nicht antun! Das ist doch gar keine richtige Weihnachtsgans ohne Knödel. Mit Reis! Das paßt doch gar nicht, Reis zur Weihnachtsgans.

Charlotte hat sich's so gewünscht. Sie ißt dann eben nur den Reis.

Wegen ihrer blöden Trennkost sollen wir alle Reis essen?

Imo antwortete nicht.

Ich weiß nicht, sagte meine Mutter mit ihrem eifersüchtigen Herzen, könnte meine Schwester sich vielleicht mal mit etwas Vernünftigerem beschäftigen als mit ihrer Gesundheit?

Oh, sagte Imo, sie zieht ihre Kinder groß.

O Gott, stöhnte meine Mutter, jetzt geht das wieder los.

Imo stand wortlos auf und legte die zugenähten Gänse auf ein Blech.

Meine Mutter rührte in ihrem Kaffee. Sie lachte auf. Wie du das sagst: Sie zieht ihre Kinder groß. Warum werde ich seit über vierzig Jahren das Gefühl nicht los, daß du alles, was Charlotte tut, automatisch gut findest, und alles, was ich tue, automatisch schlecht.

Imo schob das Blech mit den Gänsen in den Ofen. Als sie sich aufrichtete, zitterten die Sonnenblumen auf ihrem T-Shirt. Sie ließ die Arme hängen und sah meine Mutter an. Ich weiß es nicht, sagte sie leise. Ich weiß es einfach nicht. Ich habe mich immer bemüht, euch beide genau gleich zu lieben.

Meine Mutter schwieg einen Moment, dann sagte sie: Darf Charlotte vom Füllsel essen?

Ja, erwiderte meine Großmutter, das ist ja kein Eiweiß.

Schade, sagte meine Mutter, vom Füllsel ist immer zu wenig da.

Charlotte kam in die Küche. Sie trug Imos Bademantel, ihre Haare waren noch naß. Sie nahm sich eine geschälte Karotte und streute ein wenig Salz drauf. Schöne Weihnachten, sagte sie.

Du könntest schon mal das Silberbesteck zum Putzen holen, sagte Imo zu meiner Mutter.

Na, sagte Charlotte, über wen habt ihr gerade gelästert?

Über dich, sagte Ma und aß jetzt auch eine Karotte, über dich und deine Trennkostdiät.

Du solltest sie ausprobieren, grinste Charlotte, sie hilft gegen Schlaflosigkeit. Und Depressionen.

Meine Mutter sah meine Großmutter erstaunt an. Imo zuckte die Schultern, sammelte die Karotten ein und haute Charlotte, die nach einer weiteren Karotte griff, auf die Finger.

Ich bin froh, daß ihr alle da seid, sagte sie.

An dieses Wort erinnere ich mich genau: Depressionen. Es klingt nicht wie das, was es bedeutet. Es klingt scharf und schnell, wie etwas, das vorbeifliegt. Wenn ich heute an diesen Tag zurückdenke, kommt es mir vor, als sähe ich durch ein langes dunkles Rohr. Ganz am Ende ein Lichtfleck, in dem sitzen meine Mutter und meine Tante, und neben ihnen steht Imo. Alles ist gut.

Du hast Depressionen? fragt meine Mutter meine Tante.

Ja, sagt Charlotte, stell dir vor.

Sie zieht eine Schachtel Zigaretten aus der Bademanteltasche und zündet sich eine an.

Wenn ihr rauchen wollt, geht raus, sagt Imo.

Meine Mutter nimmt sich ebenfalls eine Zigarette. Charlotte bietet mir eine an.

Anna! sagt meine Mutter.

Es ist schließlich Weihnachten, sagt Charlotte.

Ich rauche mit den beiden. Ich bin wie sie. Ich möchte sein wie sie, aber ich möchte nie werden wie sie. Diese beiden Gefühle schmecken wie Zucker und Salz gleichzeitig auf der Zunge.

Ich habe mich nicht mehr aus dem Haus getraut. Ich kam mir häßlich vor, unnütz und alt, sagt Charlotte und grinst verlegen. Ich hatte Angst. Einfach so. Ohne jeden Grund.

Blödsinn, sagt meine Mutter, ich könnte dir tausend Gründe nennen, warum ich an deiner Stelle deprimiert wäre.

Das kann ich mir denken, sagt Charlotte, du glaubst, ich hätte als Hausfrau mein Leben verpfuscht.

Imo steht mit dem Rücken zu uns an der Arbeitsplatte und schneidet die Karotten in hauchdünne Scheiben.

Ich war bei einer Kinesiologin, fährt Charlotte fort, sie lacht auf, die legte Farbtafeln auf dem Boden aus, und ich sollte auf die Farbe treten, die mein Gefühl am besten beschreibt. Sie macht eine Pause.

Welche war das? frage ich. Sie sehen mich an, als hätten sie vergessen, wer ich bin.

Oh, sagt Charlotte, schwarz. Sie lacht. Ich wollte die Kinesiologin nicht enttäuschen. Sie kostet viel Geld und reibt sich die Hände mit teurer Creme ein, während man ihr was von seinen Problemchen erzählt.

Was hast du ihr denn erzählt? fragt meine Mutter.

Charlotte zuckt die Schultern. Ich weiß nicht mehr. – Ich glaube, wir erzählen alle dasselbe… von unseren kleinen, langweiligen Leben. In ihrem Wartezimmer habe ich von dieser Trennkostdiät gelesen, und seit ich sie mache, habe ich keine Depressionen mehr. So einfach ist das. Sie drückt die Zigarette aus.

Imo geht aus der Küche. Wir sehen ihr nach. Weißt du, was mir gerade einfällt, sagt meine Mutter und steckt sich eine neue Zigarette an, als Imo damals ins Krankenhaus mußte und wir bei Lilli an der Ostsee waren, hat sie mir einen Brief geschrieben. *Du bist mein Lieblingskind,* hat sie geschrieben. Ich wollte dir das eigentlich nie sagen…

Charlotte lächelt. Ich dir auch nicht, sagt sie, dasselbe hat sie mir nämlich auch geschrieben.

An Imos silberne Kuchenlöffel mit ihrem Monogramm erinnere ich mich. An den beißenden Geruch des Silberputzmittels. An die zu Schwänen gefalteten weißen Servietten und das weiße Tischtuch. Die roten Weihnachtssterne als Tischdekoration. Die Kerzenleuchter. Die verschieden geformten Löffel für die Soße, das Füllsel, die Knödel. Die immer gleiche Sitzordnung. Die Ungeduld, wann wird endlich gegessen?

Imo zog sich immer erst um, wenn alles vorbereitet war. Dann lief sie ins Badezimmer, und manchmal folgte ich ihr. Im Badezimmer war es ruhig, eine kleine Oase, warm und dampfig feucht von all denen, die bereits geduscht hatten. Ich sah ihr von einem kleinen Hocker aus zu, wie sie ihr Nachthemd auszog, ihre Haut wie ein zerknittertes Tuch, zart und empfindlich, ihr Körper alt, aber nicht abstoßend. Sie wusch sich mit zwei verschiedenfarbigen Waschlappen, einem für oben und einem für unten. Ihre Seife bestand immer aus zusammengeklebten Seifenresten, in die ein rundes Stück Metall gedrückt war, an dem die Seife an einem Magnet neben dem Waschbecken hing. Sie trocknete sich mit wenigen, sehr exakten Bewegungen ab, dann bürstete sie ihr langes, graues Haar und schlang es kunstvoll zu einer Rolle, die sie mit Haarnadeln auf ihrem Hinterkopf festpinnte. Sie fuhr sich mit dem Deostift unter die Achseln, stieg in ihren Unterrock, und dann durfte ich ihr vom Hocker aus das Kleid zuknöpfen. Zum Abschluß schminkte sie sich die Lippen, preßte sie aufeinander, um die Farbe besser zu verteilen, legte ihre Perlenkette um, dann war sie fertig.

All ihre Bewegungen in diesem Badezimmer liefen mit der Präzision und der Eleganz von Ballettübungen ab, nichts war zufällig, fahrig, unkonzentriert wie bei meiner Mutter, die in einem fort flucht, sich über ihr Aussehen beschwert, fortlaufend Dinge sucht, sich stößt, verbrüht, schneidet, die mit sich selbst und der Welt auf Kriegsfuß steht.

Bei ihr hätte ich es verstanden. Niemals bei Imo. So wie Imo, dachte ich immer, so will ich mal sein.

An diesem letzten Weihnachten kam ich nicht mit ins Badezimmer, aus Gewohnheit trottete ich hinter ihr her, und erst kurz vor der Tür drehte ich plötzlich ab. Ich war plötzlich zu alt geworden, um meine Großmutter nackt zu sehen.

Ich half ihr, das Essen hereinzutragen. Alle saßen schon,

mein Großvater schenkte den Wein ein, die Kinder hatten noch blütenweiße Kragen, Lena gähnte, ohne sich die Hand vor den Mund zu halten, sie sah ungewaschen aus, Robert und Charlotte wandten gleichzeitig den Blick von ihr ab.

Ma trug ein rotes Strickkleid, das weiß ich noch. Ich weiß auch noch, wie ich mit den Reisschüsseln ins Zimmer kam und erstaunt war, wie hübsch meine Mutter aussah, ihr Gesicht rosig, lächelnd. Sie legte ihre Hand auf die Hand meines Vaters auf dem weißen Tischtuch.

In der Küche streiften Imo und ich den Gänsen die weißen Papiergamaschen über die braungebratenen Beine. Ich sah Schweißtropfen auf Imos Stirn, rote Flecken an ihrem Hals. Sie sah auf die Uhr. Geschafft, sagte sie. Es war nur wenige Minuten nach eins. Über die Uhrzeit wurde später viel gesprochen.

Geh du voran, sagte sie zu mir. Sie ging dicht hinter mir. Ich spürte ihren Atem im Nacken. Alle klatschten beim Anblick der Gänse.

Vogel piep, sagte der kleine Jakob, und alles lachte.

Ich saß neben Lena. Sie roch nach Schweiß und trug ein unförmiges schwarzes T-Shirt über ihren dicken Brüsten. Ihre Glatze glänzte. Ich arrangierte in Gedanken meinen Teller. Zwei Löffel Reis und drei Karotten würde ich essen, vom Fleisch würde ich mir zwar nehmen, um blöde Fragen zu vermeiden, aber essen würde ich es auf gar keinen Fall. Ich legte meine Stäbchen neben meinen Teller.

Imo tranchierte die Gans.

Alle – außer Lena – versuchten anfangs noch, sich zu beherrschen, Manieren zu zeigen. Aber als dann die

Fleischplatte herumging, und das dampfende Füllsel, luden sie sich die Teller voll, als hätten sie wochenlang gehungert. Sie widerten mich an mit ihrer Gier. Ich betrachtete sie angeekelt und spürte gleichzeitig entsetzt, daß mein Körper immer mehr Macht über mich gewann, mich schließlich überwältigte.

Das letzte, was ich sah, war der erstaunte Blick meiner Eltern, weil ich ausnahmsweise ohne Stäbchen aß. Danach nahm ich nichts mehr wahr. Keinen mehr von ihnen. Ich aß. Ich hörte ihre dummen Geschichten von ihren Reisen und Berufen und Problemen mit ihren Häusern und Kindern nicht mehr. Ich aß. Ich fraß.

Imo tranchierte die zweite Gans. Sie saß immer auf dem Platz neben der Tür. Selbst aß sie kaum etwas, weil sie keine Zeit dazu hatte. Dauernd war sie auf dem Sprung. Mehr Reis. Mehr Soße. Mehr Gans. Mehr Weihnachten.

Keiner vermißte sie. Ich erinnere mich an die Farben auf meinem Teller, an das strahlende Weiß vom Reis, die orangeroten Möhren, die hellgrünen Erbsen, das dunkelbraune Gänsefleisch, wie eins von diesen Küchenfotos meiner Mutter.

Manchmal stelle ich mir vor, wie verhungernde Kinder in Afrika ein altes Heft von *Schöner Essen* aus dem Mülleimer eines Hotels ziehen und sich die Fotos meiner Mutter ansehen, und dann wird mir sofort übel. Ich werde nie verstehen, wie meine Mutter es schafft, drei Viertel dieser Welt ständig zu verdrängen. Vielleicht ist es einfach zu viel für ihr armes Gehirn. Alles ist zu viel für sie. Manchmal finde ich sie deshalb richtig süß und manchmal einfach zum Kotzen.

Keiner konnte sich mehr bewegen, so viel hatten wir gegessen. Lena hatte ihre Hose aufgeknöpft. Alle können sich noch daran erinnern, daß Jakob hereingewackelt kam und rief: Imo sssläft! Und daß wir alle lachten. Mit meinem dicken Bauch, schläfrig, vollgefressen, ein bißchen betrunken, mochte ich meine Familie sogar. Sie fühlte sich jetzt an wie ein großes Wasserbett.

Endlich, als alle von der Tafel aufbrachen, um sich ins Wohnzimmer zu setzen und einen Kognak zu trinken, ging ich die Treppe hinauf in den ersten Stock. Ich schloß mich im Badezimmer ein, löste ein wenig Seife im Wasserglas auf, trank es, legte mir ein Handtuch schalldämmend über den Kopf und beugte mich über die Kloschüssel. Ich versuchte, so leise wie möglich zu sein. Mein Körper zuckte wie unter Stromschlägen, als ich mich erbrach.

Es tat mir leid um die Gans, um all die Arbeit von Imo und von mir, aber es machte mich glücklich, meinen Körper auszuleeren wie ein Faß. Danach fühlte ich mich leer, leicht und frisch, wie ein besserer Mensch, ich hatte alles wieder unter Kontrolle.

Mit ein wenig Zahnpasta spülte ich mir den Mund aus, kämmte mir die Haare. Ich sah mein gelblich fahles Gesicht im Spiegel. Die Angst macht mich müde. Angst vor dem Dickerwerden, Angst vor dem Hunger, Angst vor der Gier.

Mir wurde plötzlich so schwindlig, daß ich in die Knie ging.

Auf allen Vieren kroch ich den Flur entlang zum Schlafzimmer meiner Großeltern. Die Tür war nur leicht angelehnt. Die Vorhänge waren zugezogen, es brannte kein

Licht. Imo lag auf dem breiten Ehebett, die Hände auf dem Bauch gefaltet, die Augen geschlossen. Ich kletterte hinein, legte mich dicht neben sie und schlief mit ihrem Lavendelduft in meiner Nase sofort ein.

Ich träumte, ich sei in Italien in einer Kirche. Ich sollte heiraten, aber wußte nicht wen. Ich trug ein schwarzes Kleid und ging langsam zu wunderschöner Musik auf den Altar zu. Der Pfarrer hielt eine Hostie in der Hand. Ich machte den Mund auf.

Hast du deine Stäbchen dabei? fragte er mich. Ich klappte meine Handtasche auf, dort lagen sie, weiß und unschuldig. Du hast das falsche Kleid an, flüsterte er. Ich wurde in eine Zelle geführt, und dort auf dem Bett lag ein Abendkleid, nachtblau, mit meergrünen Pailletten. Ich zog mich aus, und als ich nackt war, sah ich an mir herunter, und mein Körper war riesengroß und fett. Meine Brüste hingen wie große Säcke bis zum Bauchnabel, mein Bauch war so dick, daß ich mich vorbeugen mußte, um meine Füße zu sehen. Ich fing an zu weinen.

Ich wachte auf, das Gesicht an den Arm meiner Großmutter gepreßt. Ein wenig Spucke war aus meinem Mund auf ihren Arm getröpfelt. Ich wischte sie ab, da fiel mir erst auf, wie kalt ihre Haut war. Eiskalt.

Ich weiß noch, wie ich gezögert habe, die anderen zu rufen. Sie wirkte so glücklich.

Als ich sie im Krankenhaus wiedersah, kamen Schläuche überall aus ihrem Körper wie die Arme einer Krake, die von ihr Besitz ergriffen hatte. Meine Mutter saß neben ihrem Bett und hatte den Kopf auf die Decke gelegt.

Charlotte legte Weintrauben auf den Nachttisch. Die Männer standen herum und schuffelten unruhig mit den Füßen.

Warum? fragte meine Mutter wie ein kleines Kind, warum tut sie uns das an?

Anna 1564

Siebzehn spitze Steine im rechten Schuh und sechzehn im linken, dreiunddreißig zusammen, für jedes Jahr Seines Lebens einen. Anna hat versucht, dreiunddreißig Steine in jedem Schuh unterzubringen, sie hat es wirklich versucht, aber ist dann einfach nicht mehr mit dem Fuß hineingekommen, obwohl es ihre alten, ausgetretenen Stiefel sind und nicht etwa die himmelblauen Rindslederstiefeletten, diese wunderschönen samtweichen Schuhe, mit denen jetzt irgendein Bettler herumläuft. Es ist noch dunkel. Müde stolpert sie über die Abfallhaufen vor den Haustüren, bis sich ihre Augen an die Dunkelheit gewöhnt haben, sie biegt um drei Ecken, aber der bestialische Gestank der väterlichen Gerberei verfolgt sie noch lange Zeit, und erst als sie ihn ganz und gar aus der Nase verloren hat, fühlt sie, daß sie richtig weg ist von zu Hause. Weit weg.

So sehr sie ihren Vater liebt, so sehr verabscheut sie seinen Beruf; das laute Gehämmer der Walkmühlen, den ständigen Geruch nach Fäulnis und Verwesung, nach Urin, in die die Häute zum Enthaaren gelegt werden, nach Fischtran zum Einfetten des Leders. An dieser Geruchsmischung erkennt man die ganze Familie Pirelli, und obwohl Anna regelmäßig Orangenschalen ins Waschwasser legt und sich mit Zitronenscheiben einreibt, hilft alles nichts.

Sie stinkt. Ihre Freundin Giuliana ärgert sie jedesmal: Oh, Anna, ich wußte, daß du kommst, ich habe dich schon lange gerochen.

Es ist noch niemand unterwegs in den Gassen von Vellano, außer den Katzen, die ihr um die Beine streichen, und den Bettlern, die müde blinzeln und dann träge und eigentlich ohne jede Erwartung die Hand nach ihr ausstrecken. Aber Anna hat nicht nur einen ganzen Beutel Brotstücke für sie, die sie bei Tisch gehamstert hat, indem sie tagelang immer nur ein Krümelchen Brot gegessen hat, und den Rest in ihren Rock hat fallen lassen. Nicht einmal ihre Mutter Midea hat es gesehen, die sonst alles sieht. Nein, für drei der armseligen Bettler hat Anna weiße Hemden aus feinstem Leinen dabei, die sie eigenhändig genäht hat. Das hat sie Ihm versprochen: Drei Bettler werde ich weiß kleiden wie drei Engel, und in der Höhle werde ich auf Dich warten, bis Du kommst.

Sie starrt auf die wunden bloßen Füße der Bettler, vielleicht trägt ja doch einer mit besonders kleinen Füßen ihre hellblauen Stiefeletten, nein, natürlich nicht, das wäre zuviel des Triumphs. Stolz drückt sie den Bettlern die Hemden in die Hand, die nicht einmal sonderlich beeindruckt sind. Sie nicken bloß brummend mit dem Kopf, keine Ahnung haben sie, daß sie die Hemden nicht nur für sie genäht, sondern das Leinen auch noch ihrer Familie buchstäblich unter dem Hintern weggeklaut hat, Stück für Stück.

Ihre Brüder haben sich nur grunzend und ohne aufzuwachen im Bett auf die andere Seite gedreht, während sie mit dem Messer an ihren Laken zugange war. Das war ganz einfach, aber der Stoff reichte höchstens für zwei Hemden, und drei waren versprochen.

Auf Zehenspitzen hat sich Anna dem Bett ihrer Eltern genähert, ihre Mutter Midea lag halbnackt auf dem Rücken und schnarchte leise, ihre großen Brüste hingen an ihr herunter wie zwei leere Wasserbeutel. Neben ihr sah Anna den Rücken ihres Vaters aufragen wie die Abruzzen. Sie war überzeugt, ihr wild pochendes Herz müsse die Eltern jeden Augenblick wecken, und so wartete sie halb versteckt hinter der Tür, und als nichts geschah, schlich sie sich vorsichtig wie eine Katze auf Beutefang an das Bett der Mutter heran, so nah, bis sie ihren leicht fauligen Atem riechen konnte, ihren von Schlaf und Schweiß getränkten schlaffen Körper; langsam, langsam senkte sie das Messer auf den Stoff, hätte die Mutter jetzt die Augen aufgeschlagen, wäre sie bis zu ihrem Tod davon überzeugt gewesen, ihre Tochter habe sie umbringen wollen, und Anna hätte sie niemals vom Gegenteil überzeugen können. Ihre Mutter glaubt ja sowieso, ihre Tochter liebt sie nicht, sie will nicht verstehen, daß Anna nur nicht so leben will wie sie. Mit kleinen Schnitten schnitt sie das Laken rund um das massige, von vielen Schwangerschaften zerrissene Fleisch der Mutter ein, während sie dachte: Ihre Haut sieht nicht viel anders aus als eine abgezogene Schweinehaut.

Wie eine Schlange zischte das Leinen, als sie es kurzentschlossen in einem breiten Streifen abriß. Der Atem der Mutter stockte, Anna schoß das Blut ins Gesicht, mit einem Satz war sie an der Tür, über Mideas Körper wanderte ein Zucken wie über ein Pferd, das Fliegen abwehrt, aber dann rasselte Mideas Atem wieder gleichmäßig weiter, und Anna schlich auf die andere Seite des Betts.

Sie kniete nieder und sah ihrem Vater ins Gesicht. Francesco war leichenblaß, wie es alle Gerber sind. Seine von den giftigen Dämpfen angegriffene Lunge summte leise beim Ein- und Ausatmen wie ein großes Insekt. Er hatte sein Laken unter sich so zerwühlt, daß kein noch so kleiner Fetzen Stoff über den Rand hing, den Anna hätte abschneiden können. Sie küßte seine herabhängende grün verfärbte, von Schnitten, Rissen und Blattern bedeckte Hand und verließ auf Zehenspitzen das Zimmer.

Drei weiße Engel für Dich. Ich habe es Dir versprochen, ich habe es getan. Es wird langsam hell, die Mauern werden grau. Sie springt mit beiden Füßen über einen Abfallhaufen, und die Steine bohren sich in ihre Fußsohlen. Der Schmerz läßt sie einen winzigen Moment lang erschauern. Nur ein kleiner Schmerz, die alten Stiefel sind groß und ausgelatscht, sie lassen ihre Füße aussehen wie platte Gänsefüße, an die hellblauen Stiefeletten aus feinstem Rindsleder mit richtigem Absatz, die ihr Vater ihr aus Florenz mitgebracht hatte, darf sie gar nicht denken. Schuhe, zum Weinen schön.

Midea hat nur langsam den Kopf geschüttelt, als sie diese Schuhe sah, wie sie nur den Kopf schüttelt, wenn ihr etwas zu gut gefällt; wie zwei kleine Tierchen hat sie Annas neue Schuhe gestreichelt, gelächelt und seltsam milde gesagt: »Ich denke, es wird Zeit für mein kleines Mädchen, eine Dame zu werden. Und mit deinen Haaren muß jetzt auch was geschehen; du darfst nicht mehr den ganzen Tag draußen herumlaufen, es verdirbt dir auf ewig deine zarte Haut und deinen weißen Hals, und kein Mann schaut dich mehr an.

Anna erschrak fast zu Tode, ganz blaß wurde sie, so daß Francesco lachte und glaubte, sie sei schwach geworden vor lauter Freude über die Schuhe.

Nein, dachte Anna, nein, nein, nein, niemals will ich so werden wie du. Mit den Schuhen fängt es also an. Eine Nacht nur hat sie sie besessen, sie hat sie nicht ausgezogen, ist heimlich mit ihnen ins Bett gekrochen. Im Dunkeln hat sie sie an ihren Füßen gespürt wie ein süßes Versprechen auf ein anderes, neues Leben, ein Leben mit frisierten Haaren und in schönen Kleidern, von allen bewundert und beneidet. Komplimente haben ihr die hellblauen Dämonen an ihren Füßen ins Ohr geflüstert, daß ihr Herz anschwoll vor lauter Stolz und Eitelkeit.

Oh, wie sehr ihr das gefallen hat, und wie sehr sie sich hat durchringen müssen, dagegen anzukämpfen, und wie schwer sie zu beeindrucken waren, die Dämonen. Aus großen, weichen, hellblauen Mündern säuselten sie: Möchtest du denn nicht schön sein?

Nein, rief sie so laut, daß Stefano, ihr Bruder sich aus tiefem Schlaf aufrichtete, sie kurz mit aufgerissenen Augen anstarrte, bevor er wieder auf sein Bett zurückfiel. Nein, flüsterte sie, mit den Schuhen fängt alles an. Und ich will nicht, daß es anfängt, denn ich weiß, wie es aufhört.

Wie hört es denn auf? fragten sanft die Dämonen.

Anna schwieg lange, dann sagte sie ganz, ganz leise, so daß es die Dämonen eigentlich gar nicht hören konnten: Damit, daß ich werde wie Midea, so hört es auf.

Aber liebst du denn deine Mutter nicht? fragten die Dämonen prompt.

Doch, stotterte sie, natürlich, es wäre ja eine Sünde, wenn ich es nicht täte, aber… aber…

Aber was? fragten die Dämonen.

Sie wußte keine Antwort, sie warf sich im Bett hin und her, aber was? Aber was? fragten sie, aber was? Und erst im Morgengrauen fiel ihr die Antwort ein. Aber ich liebe *Ihn* mehr als meine Mutter, sagte sie klar und deutlich. Und ich gehorche nur Ihm und sonst niemandem. Da waren die Dämonen mit einem Schlag still, und Anna sprang aus dem Bett, zerrte die himmelblauen Stiefeletten von ihren Füßen, stieg auf die Wäschetruhe und warf sie aus dem Fenster, einem Bettler direkt in die Arme.

Midea glaubte, sie mache Scherze, dann suchte sie die ganze Straße ab nach den teuren funkelnagelneuen Schuhen. Später stieß sie Anna vor sich her, ins elterliche Schlafzimmer, schloß die Tür und schubste sie aufs Bett. Was geht nur vor in deinem Kopf? schrie sie. Was? Sag mir das!

Aber Anna lächelte nur müde und zufrieden in sich hinein und schwieg.

Midea nahm mit einer heftigen Bewegung Annas Hand und drückte sie wütend auf den Bettpfosten, auf die kleinen, weißen Einkerbungen im dunklen Holz, die wie winzige Narben aussahen.

Hier habe ich reingebissen vor Schmerzen, um dich auf die Welt zu bringen, fast krepiert bin ich dabei! schrie ihre Mutter, und wofür das alles? Wofür? Ich versteh dich nicht mehr! Ich erkenne dich nicht wieder! Ich kenne meine eigene Tochter nicht mehr!

Anna stellte sich ihre Mutter vor, wie sie in den Bettpfosten biß wie in eine Wurst, und mußte grinsen, da spürte sie bereits den Windhauch der Ohrfeige, die auf sie zukam wie ein großer Schatten. Der Schlag trieb ihr Tränen in die Augen. Sie senkte den Kopf und hörte, wie ihr Vater vom Ankleiden zurück ins Zimmer kam. Sie sah seine dunklen Strümpfe und seine tiefgrün gefärbten Hände, die neben seinen Beinen baumelten, als hingen sie an Fäden.

Ich weiß mit dem Kind nicht mehr weiter, stöhnte Midea, red du mit ihr. Mit wütenden Schritten verließ sie das Zimmer, ihr Rock klatschte heftig gegen ihre dicken, weißen Beine. Als junges Mädchen habe sie so schlanke Fesseln gehabt, daß sie Ringfinger und Daumen um sie habe schließen können, erzählte Midea immer, und dann seien ihr von jeder Schwangerschaft die Füße größer und die Beine dicker geworden.

Anna streckte die Hand aus und legte sie in die große, grüne Hand ihres Vaters. Er setzte sich neben sie und bettete seine Hand mit ihrer darin vorsichtig in seine Lederschürze.

Es waren wirklich die schönsten Schuhe, die ich je gesehen habe, sagte Anna, wirklich. Aber sie wollten mich zum Hochmut verführen… Sie sah ihrem Vater in das blaubleiche Gesicht und wartete.

Es dauerte eine ganze Weile, bis ihr Vater den Mund aufmachte, aber es kam nichts heraus. Er schloß ihn wieder, lächelte ein wenig, dann legte er seine grünen Finger fest um Annas Hand. Stumm saßen sie nebeneinander und starrten auf die kleinen weißen Punkte, den Abdruck von Mideas Zähnen im Bettpfosten.

Oft hatte Francesco Anna erzählt, wie am Abend des Heiligen Sebastian die Hebamme mehrmals aus dem Zimmer gekommen war, um Francesco darauf vorzubereiten, daß Midea dieses Kind nicht überleben werde. Ihre Schreie hatten schlimmer geklungen als bei jeder anderen Geburt. Auf Knien hatte Francesco Gott um Hilfe angefleht, und kurz darauf wurde Anna geboren, so klein wie ein junges Kaninchen, und wenige Minuten später ein zweites Kind, Annas Zwillingsschwester. Es war tot und bekam nie einen Namen. In einem Traum hatte Anna ihre Schwester einmal gesehen, ihr Gesicht, Annas eigenem so ähnlich wie ihr Spiegelbild, war von einer milchig weißen Haut bedeckt. Mach mir Platz, laß mir doch auch ein bißchen Platz, hatte sie gewimmert, und dann hatte Anna gesehen, wie winzige, weiße Hände sich um den Hals der Schwester gelegt und ihr die Luft abgedrückt hatten, bis sie nicht mehr atmete. Erst dann ließen die Händchen los, und Anna erkannte sie voller Entsetzen als ihre eigenen.

Dreiunddreißig Steine für Seine dreiunddreißig Jahre als Mensch unter Menschen. Anna kann sich nicht vorstellen, jemals so alt zu werden. Der Himmel verliert bereits seine blaue Morgenfarbe, wird blaß und heiß.

Sie hat Vellano hinter sich gelassen und geht jetzt an den kleinen aufgehäuften Steinmauern entlang, quer durch die Gemüsegärten, in denen Lauch, Sellerie und Kohl wachsen, aber grünes Gemüse kommt bei den Pirellis nicht auf den Tisch, es verursacht Melancholie.

Noch niemals in ihrem neunjährigen Leben ist Anna

weiter gegangen als bis hierhin, zu den Gärten. Sie zittert vor Aufregung, als sie die Terrassenfelder, die sich an die Gemüsefelder anschließen, hinabklettert, die Steine in den Schuhen scheinen größer geworden zu sein, sie zwicken jetzt wie Zangen, aber das vergißt sie in diesem Moment, in dem sie über die letzte Steinmauer steigt und plötzlich die Ebene sieht.

Fassungslos starrt sie auf das Muster aus silbriggrünen Olivenbäumen und dunkelgrünen Kastanien, das sich unter ihr ausbreitet. Alles ist grün! Bitter enttäuscht steht sie da, sie war felsenfest davon überzeugt, gleich hinter den Gemüsefeldern fange die Wüste an.

Sie hat sie doch genau gesehen, Abend für Abend, wenn sie sich vor ihr Bett kniet und betet und die Augen schließt, sieht sie ganz genau die Gärten und dahinter wie ein großes, gelbes Tuch die Wüste, wo sie Ihn treffen wird. Enttäuscht kneift sie die Augen zu, mit geschlossenen Augen geht sie weiter, stolpert über eine Wurzel und fällt der Länge nach hin. Die Erde unter ihr ist noch kühl.

Ein kleiner Laib Brot, den sie unter ihrem Kleid versteckt gehalten hat, rollt heraus und den Hügel hinunter. Sie will schon aufstehen, ihm hinterherlaufen und ihn aufheben, da begreift sie. Laut sagt sie: Die Wüste wird in mir sein. Nichts werde ich essen, nichts trinken, bis Du kommst. Nichts als Staub werde ich essen, schau, ich esse Staub.

Sie streckt die Zunge aus und leckt über die staubige Erde. Der Sand knirscht zwischen ihren Zähnen. Sie leckt über einen Stein, über einen Käfer, dann eine Spinne. Die Spinne bleibt an ihrer Zunge haften. Vorsichtig schließt

Anna den Mund. Die Beine der Spinne krabbeln über ihren Gaumen. Ein starker Brechreiz läßt sie würgen. Ich schlucke sie runter, für Dich. Die Spinne krabbelt auf ihren Schlund zu. Sie schluckt, aber muß jetzt so stark würgen, daß ihr Mund auffliegt, ohne daß sie es verhindern kann, sie spuckt Sand, die Spinne liegt in einer kleinen Speichelpfütze, auf drei Beinen rappelt sie sich auf und kriecht eilig davon.

Anna ist heiß, ihr Rachen trocken, ihr Mund voll Sand, ihr Herz enttäuscht. Wenn sie noch nicht einmal eine kleine Spinne hinunterschlucken kann, wie soll sie es dann in der Höhle aushalten?

Ob es wirklich stimmt, daß ihre Freundin Giuliana einen ganzen Tag und eine ganze Nacht dort verbracht hat? Und daß ein Engel ihr erschienen ist und sie mit Honig gefüttert hat? Giuliana ist ihr weit voraus, aber sie ist auch schon elf und kann ganze Nächte mit ausgestreckten Armen auf den Knien verbringen, sie trägt heimlich Brennesseln unter ihren Kleidern und geißelt sich regelmäßig.

Sie hat Anna gezeigt, wie man es macht, mit geknoteten Schürzenbändern, die man sich auf den Rücken schlägt. Sie treffen sich fast jeden Nachmittag in dem kleinen Kastanienhain gleich hinter der Schmiede. Voller Bewunderung beobachtet Anna Giuliana dabei, wie sie sich mit aller Kraft den Knoten auf den bereits mit grünen und blauen Flecken übersäten Rücken schlägt, dazu keucht sie ganz schrecklich. Anna hat das Keuchen schnell raus, aber sie schlägt nicht richtig zu, auf jeden Fall tut es nicht besonders weh, was wohl bedeutet, daß sie schwach ist.

Zum Ausgleich kniet sie von da an auf jeder Treppenstufe nieder und betet auf jeder, die sie hinaufgeht, fünf *Ave Maria* und auf jeder, die sie herunterkommt, fünf *Vaterunser*. Auf diese Art vermeidet sie fast jede Hausarbeit, denn immer, wenn Midea sie ruft, um ihr zur Hand zu gehen, dauert es so lange, bis sie die Treppe hinauf- oder herunterkommt, daß die Mutter meist schon allein fertig geworden war. Und schimpfen kann Midea auch nicht, denn etwas Unrechtes tut Anna ja nicht.

Sie schimpft trotzdem. Sie tobt.

Francesco versucht, seiner Frau klarzumachen, daß Anna etwas Besonderes ist.

Sie ist nichts Besonderes, sondern du sorgst dafür, daß sie sich besonders vorkommt, schreit Midea, und das hast du schon immer getan!

Damit hat sie recht. Sie hat nie verstanden, warum Francesco darauf bestanden hat, daß sie Anna als einziges ihrer vierzehn Kinder selbst gestillt hat. Eine Amme wie für all die anderen Kinder kam für dieses Kind nicht in Frage. Francesco hatte die Befürchtung, daß der womöglich schlechte Charakter einer Amme durch die Milch auf seine Tochter abfärben könne, was Anna so versteht, daß ihre Geschwister gar nicht in Gefahr waren, ungünstig beeinflußt zu werden. Sie waren stark, Anna schwach. Schon immer.

Fast zwei Jahre lang hat Midea Anna an ihrem Busen gehabt, und abgesehen davon, daß ihr Mann sie die ganze Zeit lang nicht angerührt hat, um mit seinem Fleisch die Milch nicht zu verderben, und sie so zum ersten Mal mehr als ein Jahr Abstand bis zur Geburt des nächsten Kindes hatte, war das Stillen von Anna kein Vergnügen.

Eine schlechte Esserin war sie schon immer. Abgewendet hatte sie sich manchmal von der Brust, als sei sie vergiftet. Sich gewunden, gebogen, geschrien wie am Spieß. Sie hatte Midea, die sich bis dahin für eine erfahrene Mutter gehalten hatte, so zur Verzweiflung gebracht, daß sie oft hilflos und weinend dagesessen hat, das brüllende, sich aufbäumende Kind im Schoß, und die kostbare Milch ist ihr in Rinnsalen über die Arme und den Bauch geflossen.

Francesco, der nun einmal an diesem Kind von Anfang an seinen Narren gefressen hat, glaubt bis heute allen Ernstes, die kleine Anna habe sich nur an den Fastentagen geweigert, von der Brust zu trinken, aber das hält Midea für puren Unsinn, da kennt sie ihre Tochter besser als er.

Aber nur weil du sie selbst gestillt hast, hat sie überlebt, darauf besteht Francesco. Das hat sie mir wenig gedankt, erwidert Midea.

Alle Töchter außer Anna, drei vor ihr und zwei nach ihr, sind vor ihrem zweiten Lebensjahr gestorben. Aber als Anna mit drei Jahren vom Balkon fiel, weil ihr Bruder Stefano sie geschubst hatte, kam just in diesem Augenblick eine Frau vorbei, eine besonders schöne Frau mit dickem, goldgelben Haar, wie Francesco immer betont, und fing Anna auf wie ein großes Brot. Und da war es, laut Francesco nur natürlich, daß bei so viel erwiesener Gunst Gottes bald darauf, mitten in der Nacht, Malatasca auftauchte, der Kinder in seinen Sack steckt und mit sich nimmt. Er kam in der Gestalt eines großen, schwarzen Hundes und zerrte an dem Hemdchen des Kindes, um es mit sich wegzuschleifen. Mitten in der Nacht hatte Anna geschrien wie am Spieß, und als ihr Vater in ihr Zimmer gestürzt kam, hat sie unter Schluchzen immer nur ›wuf-wuf‹ gestammelt, und ein bestialischer Gestank nach Schwefel ist im Zimmer gewesen. Daran hat Francesco sofort erkannt, daß der Teufel seine Finger im Spiel hatte.

Erzähl dem Kind nicht dauernd diese Geschichten, sagt Midea, sie bildet sich noch was drauf ein. Anna ist zwar geschmeichelt, aber sie hat ihre Zweifel. Ihr Vater, das ist offensichtlich, weiß nichts vom allabendlichen Wettfurzen ihrer Brüder.

Ihre Zunge fühlt sich an wie ein dicker, trockener Lappen. Ihr Bauch kneift vor Hunger. Ihre Füße schmerzen dumpf, vorsichtig sieht sie nach, sie sind von Blasen übersät, aber bluten leider nicht. Bei Giuliana führen schon ein paar Kichererbsen in den Schuhen dazu, daß das Blut ihre weißen Strümpfe purpurrot färbt.

Anna ist zu nichts imstande, nie wird Er an ihr Gefallen finden. Sie möchte nach Hause. Sie legt sich auf die Erde und fängt an zu weinen. Die Tränen tropfen auf ihre Lippen, sie leckt sie vorsichtig ab, und je mehr sie weint, um so mehr fühlt sich ihre Zunge wieder an wie eine Zunge, und das Stechen in ihrer Kehle läßt langsam nach. Sie setzt sich auf und findet unter ihren Beinen ein wenig Minze. Sie pflückt ein paar Blätter ab, kaut sie, und jetzt geht es ihr schon besser, sie steht auf und wischt sich die Tränen aus dem Gesicht. Vorsichtig setzt sie einen Fuß vor den anderen. Sie spürt die einzelnen Steine nicht mehr, nur noch einen flammenden Schmerz, der ihr die Beine hochzüngelt bis in den Bauch. Nach ein paar Schritten hat sie das Gefühl, nicht mehr auf der Erde zu gehen, sondern zu schweben. In ihrem Kopf pocht das Blut, es verschattet ihren Blick. Sie geht weiter. Sie lächelt. Siehst Du, sagt sie, ich kann es doch.

Sie erreicht die kleine Höhle kurz nach Mittag. Der Schweiß läuft ihr in Strömen über den Körper, sie stürzt in die kühle, schwarze Höhle wie in einen tiefen See. Aber kaum ist sie hineingekrochen, zittert sie schon vor Kälte. Die Höhle ist größer, als der Eingang vermuten läßt, sie kriecht auf allen vieren in die Tiefe, befühlt die hintere schorfige Wand, den nassen, kalten Boden. Sie dreht sich um. Das weiße Licht und grüne Unkraut vor der Höhle wirken plötzlich sehr weit weg, und je länger sie hinschaut, desto weiter scheint sich alles zu entfernen. Um sie herum wird es schwärzer und dumpfer. Ihr Herz schrumpft. Vor Schreck hält sie den Atem an, kriecht auf allen vieren so schnell sie kann zum Eingang der Höhle zurück, steckt den Kopf raus.

Die Sonne trifft sie wie ein heißer, silberner Pfeil.

Vorsichtig pellt sie ihre Schuhe von den geschwollenen Füßen. Immer noch kein Blut, nur häßliche, unförmige Fleischklumpen. Sie stellt die Füße auf die kalte Erde in der Höhle und legt sich mit dem Oberkörper in die Sonne. Die anfängliche Kälte an ihren Fußsohlen verwandelt sich in Hitze, ihre Füße brennen jetzt wie Feuer, gleichzeitig steigt ihr in der heißen Sonne außerhalb der Höhle der kalte Schweiß auf die Stirn. Verwundert bemerkt sie die Umkehr ihrer Sinne, faßt sich mehrmals an die kalte Stirn, befühlt ihre heißen Füße in der kühlen Höhlenluft, dann versteht sie: Die Höhle wird warm sein, wenn sie bei Ihm ist, so wie die Sonne kalt sein wird, wenn sie ohne Ihn ist.

Wie lange sie schon in der Höhle kniet und betet, weiß sie nicht mehr. Ihre Haare sind feucht geworden und liegen wie kleine, kalte Schlangen auf ihrem Rücken, ihre Füße spürt sie schon lange nicht mehr, ihr Herz fühlt sich an wie eine zusammengeschrumpelte kleine Pflaume. Und Er kommt nicht. Er kommt nicht. Er läßt sie allein. Hunger durchbohrt sie mit tausend kleinen Messern. Der Teufel schickt ihr Bilder von allerlei schönen Speisen, und als sie allem widersteht, nur lächelt über seine Einfallslosigkeit, zeigt er ihr Niccolo, den Sohn des Apothekers Gambacorti, der im letzten Jahr häufig ins Haus kam, um Annas Vater gegen Stockungen in der Milz und Appetitlosigkeit zu behandeln. Nichts mehr mochte Francesco anrühren, noch nicht einmal Mus von gebackenen Birnen mit Koriander und Honig oder seine geliebten Hanfküchlein mit Rosinen, nichts. Also kam Gambacorti, um ihm die Milz zu öffnen, damit die schwarze Galle wieder fließen und sein Appetit und seine Laune sich wieder erholen könne. Und immer brachte er seinen Sohn Niccolo mit, der dem Vater die Tasche trug und im Vorraum wartete.

Jeden Tag brachte Anna ihm Zitronenwasser und Honiggebäck. Niccolo hatte goldene Augen. Nie zuvor hatte Anna solche Augen gesehen, man konnte in ihnen versinken wie in einem goldenen Kelch ohne Boden, und obwohl sie sich vornahm, keusch die Augen niederzuschlagen, wenn sie ihm sein Zitronenwasser reichte, geschah es doch, ganz ohne ihr Zutun, daß ihre Augen Niccolos Blick suchten wie Motten das Licht.

Und als Midea dann vorschlug, sie solle ihr Haar in Kamille baden und mit Zitrone beträufeln, um ihm einen kupfernen Schimmer zu geben, tat sie das zu Mideas großem Erstaunen sofort. Ihr Haar glänzte daraufhin wie von der Sonne beschienen. Aber am nächsten Tag ging es dem Vater plötzlich besser, und Gambacorti und Niccolo kamen nicht mehr.

Einmal sah sie ihn zufällig, er stand mit seinen Freunden vor Giulianas Haus. Sie verglichen ihre Holzschwerter und Schilde. Anna kam mit Giuliana am Arm vorbei, sie mußte die Freundin führen, weil sie sich seit neustem beharrlich weigerte, jemals den Blick zu heben, um nicht aus Versehen einen Mann zu sehen und so ihre Unschuld zu verlieren. Auch das kann Giuliana also besser als Anna.

Anna sah Niccolo im Vorbeigehen nur aus den Augenwinkeln an, aber da waren sie wieder, diese goldenen Augen.

Und die sieht sie auch jetzt, der Teufel quält sie mit den Augen von Niccolo.

Sie betet laut. Ihre Stimme klingt seltsam, wie unter einer Glocke, außerhalb von ihr. Sie verstummt. Sie spürt, wie ihr ganzer Körper zittert. Jetzt hört sie auch ihre Zähne klappern. Vielleicht wird sie sterben in der Höhle, ihr Fleisch wird verfaulen, ihre weißen Knöchelchen werden nie gefunden werden. Sie sieht ihre tote Zwillingsschwester, eingesponnen in die weiße Haut der Fruchtblase wie in einen Kokon. Ihre beiden kleineren Geschwister in ihren Kindersärgen. Nach ihr hat kein Kind mehr überlebt. Ich bringe sie alle um, ich bin schuld daran.

Sie reißt die Augen auf, aber sie gehen nicht mehr auf. Alles ist schwarz. Sie hebt die Hand und fährt sich über die Augen. Sie kann nichts mehr sehen! Sie schreit, springt auf, stürzt, ihre Beine tragen sie nicht mehr. Wie zwei leblose Holzscheite liegen sie unter ihr, sie betastet sie, fühlt sie nicht, sie weiß nicht, wo ihre Beine sind, sie hört sich keuchen, sie nimmt ihr linkes Bein in die Hand, versucht es zu bewegen, aber es gehört nicht mehr zu ihr, es rührt sich nicht vom Fleck, es liegt da wie abgetrennt.

Sie ist blind, sie ist gelähmt, sie wirft sich auf den Boden und ruft Ihn schreiend vor Angst um Hilfe. Die Kälte der Erde kriecht in sie hinein wie ein Tier, das sie von innen her verschlingt, selbst ihr Atem ist jetzt kalt, kalt auch ihre tropfenden Tränen. Sie verdient alle Schmerzen, das weiß sie, nichtswürdig wie sie ist, aber trotzdem... sie hat doch schon so viel getan für Ihn. Trotzdem, das Wort darf sie nicht denken, dankbar muß sie sein für alle Schmerzen, die sie Ihm näherbringen, aber trotzdem...

Sie hat aufgehört zu beten, sie wimmert wie ein Baby, sie weiß nicht mehr, wo ihr Körper anfängt und aufhört, sie ist nur noch ein Haufen Lehm und Angst, sie will nach Hause.

Es kommt ihr vor, als sei sie eingeschlafen, als träume sie, aber gleichzeitig war sie noch nie so wach. Sie hat plötzlich das Gefühl, als entferne sich ihr Körper von dem kalten Boden, und dann spürt sie, daß sie unter der Decke der Höhle hängt, ganz frei in der Luft, von nichts gehalten. Sie wendet den Kopf, und jetzt sieht sie aus der Höhe auch den Ausgang der Höhle, lilaschwarz.

Und da steht Er, draußen vor der Höhle, in die dunkellila Luft eingehüllt wie in ein samtenes Tuch, weit, weit weg, aber sie kann Ihn klar erkennen, ganz nah hört sie Seine Stimme: Anna, sagt Er zu ihr, Anna, meine Kleine, mein Liebling, hör mir zu, damit du mich verstehst, denn ich verstehe dich: Du befindest dich unter Feinden, in einer furchtbaren Schlacht. Verhalte dich so, als wärst du ganz allein und als müßtest du ein feindliches und grausames Land durchqueren. Sieh dich gut um, leg deine Waffen nie ab, schlaf nicht ein und traue niemandem, bis du das Freundesland erreicht hast.

Ihre Augen brennen, so genau will sie sich seine Erscheinung einprägen, seine ganze Figur, von Kopf bis Fuß. Sie hebt die Hand, will Ihm winken, außer sich vor Glück, da fällt sie aus der Höhe der Höhle platt auf die Erde wie ein Frosch. Bewegungslos liegt sie da, sie fühlt keinen Schmerz mehr, nur ihr Schädel brummt ein wenig. Er ist gekommen, sie lächelt und rührt sich nicht, bis sie die Kälte der Erde wieder zu spüren beginnt, dann kriecht sie vorsichtig aus der Höhle heraus, und draußen ist die Nacht weich und süß.

Sie hat das Gefühl zu leuchten wie ein Glühwürmchen, sie fliegt mehr nach Hause, als daß sie geht, ihre wunden Füße fühlt sie nicht mehr.

Mit Herzklopfen kommt sie ins Haus, sie wird nichts erzählen, gar nichts, sie wird ihr großes Geheimnis nicht preisgeben, die ganze Familie sitzt in der Küche, Stefano und Giacomo streiten, Francesco erzählt von einem dummen Lehrling, Midea lacht, keiner beachtet Anna, keiner fragt, wo sie den ganzen Tag gesteckt hat, keiner wundert sich über ihre verdreckte Kleidung, nur die Hausmagd Bonaventura fährt ihr über den Kopf und zieht ihr lächelnd Blätter und Ästchen aus dem Haar.

Sie setzt sich an den Tisch. Als die Schalen mit Hammelfleisch und Kichererbsen herumgehen, reicht Midea sie an ihrer Nase vorbei einfach weiter, desgleichen das Mangoldmus, und zu trinken bekommt sie auch nichts, und keiner sieht sie an, auch Francesco nicht, der starrt auf den Tisch, als gäbe es dort geheime Inschriften zu entziffern.

Anna nimmt ihren Löffel und zieht einen Topf zu sich heran, aber Midea nimmt ihn ihr aus der Hand. Sie sieht sie nicht an, als sie sagt: Wer funkelnagelneue Schuhe aus dem Fenster wirft und mit Absicht seine Aussteuer zerstört, der braucht nicht mehr an diesem Tisch zu essen.

Es war nicht meine Aussteuer, es waren ziemlich alte Laken, und manche waren mehr als einmal gestopft, denkt Anna. Sie sucht den Blick ihres Vaters, aber der starrt beharrlich auf den Tisch und rührt in seinem Essen.

Die Brüder scharren mit den Füßen und löffeln in sich hinein. Midea atmet hörbar ein, dann lächelt sie Stefano und Giacomo zu und fordert sie auf, ihr doch etwas zu erzählen. Die beiden klappen die Münder auf und zu wie die Fische.

Laut und langsam sagt Anna: Es tut mir leid, wenn ich euch Kummer bereite, aber ich bin nicht mehr eure Tochter. Ich gehorche nicht mehr den Menschen, sondern nur Ihm, Ihm allein.

Aha, sagt Midea, und dann sind alle ganz still, so still, daß man nur noch den summenden Atem von Francesco hört, aber vielleicht ist es doch nur eine Fliege.

Chi'i

Schnell noch ein wenig Aftershave ins Gesicht, bevor ich Frau Fu die Tür öffne. Man kann nie wissen.

Ihr Gesicht ist rund und glatt wie ein Teller, ihre Augen wie mit dunkler Tinte auf die helle Haut gemalt, die dicken schwarzen Haare liegen schwer auf ihren schmalen Schultern, sie trägt ein enges hellblaues Kostüm.

Bildhübsch, wie eine chinesische Stewardess, höre ich dich.

Herr Wels? flüstert sie. Ich starre sie an wie ein Trottel, steif strecke ich ihr die Hand entgegen, die sie flüchtig entgegennimmt wie einen etwas lästigen Gegenstand. Kurz spüre ich ihre feinen Knochen in meiner Hand.

Ich komme mir vor, als müsse ich ein akrobatisches Kunststück vollbringen, das ich ewig nicht mehr geübt habe: eine Frau in die Wohnung bitten.

Frau Fu lächelt mit perfekt geschminkten Lippen, noch auf der Schwelle zieht sie die schwarzen Pumps aus und geht auf Nylonstrümpfen in den Flur.

Ich kann mir nicht helfen, im Schließen der Tür schiele ich in ihre Schuhe, ›Robert Clergerie‹ steht dort in leicht verblaßten goldenen Lettern. Um die sechshundert Mark zahlt man dafür, durch dich bin ich zum Experten geworden. Meine kleine Imelda habe ich dich genannt, nach

Imelda Marcos und ihrem legendären Schuhtick, ich fand's komisch, du nicht.

Frau Fu starrt auf meine Birkenstocksandalen, reflexartig ziehe ich sie ebenfalls aus, das Parkett ist warm und klebt an meinen nackten Füßen. Ich höre ihre Nylonstrümpfe aneinanderreiben, sie bleibt vor dem Garderobenspiegel stehen und sieht mich erwartungsvoll an.

Bitte kommen Sie.

Ich gehe dicht an ihr vorbei, streife sie fast in dem engen, schlauchartigen Flur. Frau Fu ist nur wenig kleiner als du. Mein Blick wandert über ihre schwarzen Haare wie durch tiefste Nacht. Die nächste Tür wäre die Tür zum Schlafzimmer, aber die öffne ich nicht, noch nicht.

Ich führe sie zunächst in die Küche, die ich so gründlich aufgeräumt habe, daß sie mir selbst fast unheimlich vorkommt. Es macht mir übrigens wenig aus, daß du die Geschirrspülmaschine mitgenommen hast, ich esse fast nie zu Hause, und wenn, dann im Stehen vorm Kühlschrank. Der Inhalt des Kühlschranks ist neuerdings wunderbar übersichtlich: keine angebrochenen Magermilchjoghurts mehr, keine Halbfettmargarine, keine ›Du darfst‹-Scheibletten, kein angeschimmelter Tofu und der ganze Mist. Ein paar Flaschen Bier, eine Dauerwurst, Butter, eine große Ecke Gouda, alles, was ein Mann braucht.

Frau Fu zieht einen Kompaß und einen Schreibblock aus ihrer Tasche. Wie geht es Ihnen in diesem Raum? fragt sie wie ein Arzt bei der Anamnese.

Och… ganz gut eigentlich.

Sie sieht mich abwartend an mit Augen, dunkelbraun wie Sojasauce.

Ich… ich habe früher ganz gern gekocht, füge ich hinzu und lache blöd, am liebsten chinesisch.

Frau Fu geht nicht darauf ein. Sie haben sich öfter in diesem Raum verletzt. Keine Frage, eine Feststellung.

Beim Kochen, meinen Sie?

Überhaupt.

Ich schlage die Arme unter, wippe ein wenig auf den Zehenspitzen. Warum fragen Sie das?

Oh, sagt Frau Fu sachlich, Ihre Wohnung ist eine Li-Wohnung, nach Süden orientiert, Ihre Küche befindet sich im Nordosten und ist damit ein Ort der Unfälle und des Mißgeschicks. Hier sollte nur ein Minimum an Aktivitäten stattfinden. Für eine Küche vollkommen ungeeignet. Sie können von Glück sagen, wenn Sie bisher mit dem Leben davongekommen sind. Sie lächelt und tippt auf ihren Kompaß. Ich gerate ins Schwanken. Was haben Sie denn? fragt sie sanft, da gehe ich bereits wie unter Hypnose geradewegs auf sie zu, schiebe mir die Haare hinters Ohr, drehe den Kopf und präsentiere ihr wie ein Hund sein Stöckchen die immer noch häßlich rote Narbe kurz über meiner Schläfe. Eine Untertasse, erkläre ich.

Frau Fu beugt sich vor und betrachtet die Narbe interessiert. Frau Fu riecht seltsam, ein wenig modrig, feucht, nach Urwald und Schlingpflanzen, so wie eine frischgeöffnete Büchse mit Bambussprossen. Ihr blaues Kostüm hebt und senkt sich dicht vor meinen Augen wie das chinesische Meer, mit einem blütenzarten Finger fährt sie die Narbe ab, weder zu fest noch zu sanft. Seit sechs Monaten hat mich kein Mensch mehr berührt. Nochmal, möchte ich sagen, bitte, machen Sie das nochmal.

Das überrascht mich gar nicht, sagt Frau Fu, läßt ihre Hand sinken, entfernt sich ein wenig und lehnt sich an den Kühlschrank, den du mir nur deshalb gelassen hast, weil er altersschwach ist und laut wie ein Hornissenschwarm vor sich hinsummt.

Stumm rolle ich meinen Hemdsärmel hoch, gehe ein paar Schritte hinter ihr her und zeige ihr die bläulichblasse Narbe am Oberarm.

Ein Weinglas.

Frau Fu nickt verständnisvoll.

Meine Frau hat gern mit Geschirr um sich geworfen, sage ich grinsend, jetzt weiß ich wenigstens, warum. Alles nur die falsche Umgebung.

Diese Küche ist ein gefährlicher Raum, bestätigt Frau Fu, sehr gefährlich. Wann sind Sie geboren?

Am 7. 7. 59.

Frau Fu lächelt nachsichtig.

Neunundfünfzig, das klingt plötzlich so alt. Nach schwarzen Schallplatten und den Beatles.

Frau Fu setzt sich an den Küchentisch, an deinen Platz. Sie malt blitzschnell ein paar Zeichen auf ihren Block. Ich wünschte, du könntest sie jetzt dort sitzen sehen. Ihre dunklen Haare passen besser zur gelben Tapete. Sie sitzt dort, als würde sie jeden Tag dort sitzen. Wahrscheinlich tränke sie Tee zum Frühstück, statt Kaffee, und ihre Haut sähe am Morgen besser aus als deine, aber was wäre sonst der große Unterschied?

Das frage ich mich wirklich, wenn ich – selten genug – eine Frau sehe, die mir gefallen könnte. Wäre ich mit ihr ein anderer? Oder würde Frau Fu mich auch irgendwann als stumm, stur und egozentrisch beschimpfen und mit Tellern nach mir werfen?

Frau Fus Blick fällt auf meine breiten Hände, die nur wenige Zentimeter entfernt von ihrem Block auf dem Tisch liegen. Sie sind über deine Haut gewandert und früher auch über die Haut etlicher anderer Frauen, aber wirklich süchtig waren sie nur nach deiner. Als du weg warst, haben sie Entzugserscheinungen bekommen. Sie wußten nicht mehr wohin mit sich. Sie fingen an zu zittern. Beruhigungstabletten haben wenig geholfen. Jetzt gehe ich mit meinen Händen zweimal in der Woche mitten in der Nacht auf die Säuglingsintensivstation im Zentralkrankenhaus und lasse sie winzige, zu früh geborene Babys massieren. Man hat herausgefunden, daß regelmäßig massierte Babys doppelt so schnell zunehmen. Durch mein Streicheln helfe ich ihnen zu überleben.

Du wolltest irgendwann nicht mehr von mir angefaßt werden, du wolltest reden. Ich hatte nichts zu reden. Ich war zufrieden.

Mit meinen sorgfältig desinfizierten, angewärmten Händen reiche ich durch die Plastikärmel des Inkubators wie in das Innere eines Körpers. Zuerst streichele ich den Kopf des Babys, sein winziges Gesicht, ganz langsam, sechsmal, wie man es mir beigebracht hat, dann seinen Hals, seine Vogelschultern, den Rücken, seinen Po, kleiner als ein Brötchen, Beine und Arme, zuletzt seinen Bauch. Ganz gleichmäßig und mit leichtem Druck, so als würde ich ein Hemd bügeln. Meine Hände hören auf zu zittern. Ich werde ruhiger. Vermisse dich in diesen Momenten nicht.

Ihre Geburtszahl ist die fünf, Ihr Element die Erde, Ihre

Richtung der Nordosten, sagt Frau Fu und kaut nachdenklich an ihrem Stift.

Dann ist ja die Küche hier im Nordosten mein idealer Aufenthaltsort.

Oh, nein, widerspricht Frau Fu energisch. Ein längerer Aufenthalt in diesem Raum kann Sie schwächen, Sie völlig erschöpfen.

O ja, sage ich und lege den Kopf auf die Tischplatte, ich bin schon völlig erschöpft. Von unten sehe ich einen unregelmäßigen pechschwarzen Leberfleck an ihrem Kinn, wie eine Fliege, die in Milch schwimmt.

Würden Sie auch mit Tellern nach mir werfen? frage ich.

Sie neigt den Kopf und lächelt mich bezaubernd an. Hier in diesem Zimmer könnte das geschehen, sagt sie, ja, durchaus.

Dann sollten wir vielleicht weitergehen, schlage ich vor, bevor ich unwillkürlich die Hand ausstrecke und ihren Leberfleck berühren werde.

Wie zwei Forscher im Dschungel gehen wir hintereinander durch den dunklen Flur, Frau Fu mit ihrem Kompaß vorneweg.

Bevor wir die Wohnzimmertür erreichen, sage ich eilig: Ich habe meine Frau übrigens auch verletzt, mit einem Gemüsemesser in die Hand geschnitten. Und mit einem Besen auf den Kopf gehauen.

In der Küche?

Und hier im Flur.

Der Flur hat keine Fenster, sagt Frau Fu tadelnd, hier kann kein Chi'i frei zirkulieren, es stagniert und stirbt, wenn Sie alle Türen schließen.

Das haben meine Eltern uns als Kinder eingebleut, immer haben sie geschrien: Tüüüüüüür zu! Ich rufe laut, breche dann unvermittelt ab, weil ich das Gefühl habe, zu laut gewesen zu sein für Frau Fus zarte Ohren, aber jetzt grinst sie im dunklen Flur, in dem kein Chi'i fließen kann. Wir stehen da und sehen uns an, ich rieche nach Eau Sauvage und Frau Fu nach Bambuswald, bis ich mich schließlich losreiße und die Tür zum Wohnzimmer öffne.

Es sieht kahl und unbewohnt aus. Juno hat die Ledercouch und die beiden Sessel mitgenommen, in die Bücherregale sind große Lücken gerissen wie in einen Wald nach einem schweren Sturm. Die wenigen zurückgebliebenen Möbel stehen auf blankem Parkett, den Gabeh-Teppich hätte ich wirklich gern behalten, früher hast du dir doch nie etwas aus ihm gemacht. In den letzten Wochen habe ich fast nichts mehr an dir verstanden, dich nicht mehr wiedererkannt. Erst als du weg warst, sah ich dich wieder scharf, da warst du plötzlich überall in der Wohnung, ich hörte dich, roch dich, sah dich aus dem Augenwinkel vorbeihuschen. Ich war kurz davor, verrückt zu werden.

Frau Fu deutet auf die beiden großen, sich gegenüberliegenden Fenster. Auch nicht günstig, sagt sie entschuldigend und macht mit den Armen eine elegante Wellenbewegung von einem Fenster zum anderen, das Chi'i hat keinen Ort, an dem es sich sammeln kann, es fließt durch den großen Raum zu den Fenstern hinaus und macht sie unruhig und nervös.

Können Sie das nochmal machen?

Was?

Diese Bewegung. Ungelenk mache ich sie nach. Sie lacht

verlegen auf. Ein zartrosa Schimmer überzieht ihre Wangen, als hätte ich sie geküßt.

Helfen Sie mir lieber.

Sie zieht ihre Kostümjacke aus und wirft sie über die Couch. Darunter trägt sie eine enge weiße Bluse. Ja, kleine, feste Brüste – ich sehe sie mit deinem Blick, so weit bin ich schon.

Frau Fu hebt das Bücherregal an, wir drehen es zur Mitte des Raums und stellen es ab. Winzige Schweißperlen glänzen auf Frau Fus Stirn, ihre schweren Haare schwingen wie in Zeitlupe hin und her. Schon besser, sagt sie, das Chi'i muß jetzt im Kreis gehen. Bringen Sie mir ein Foto Ihrer verstorbenen Ahnen.

Meine Eltern leben noch, stottere ich.

Dann irgendein Foto von einem anderen, toten Verwandten.

Dies ist ein Raum der fünf Geister, erklärt Frau Fu, es ist absolut notwendig, ein Foto der Ahnen aufzustellen, ihnen einen festen Platz zuzuweisen, sonst spuken sie herum und machen Sie verrückt.

Moment, sage ich, gehe zum Schreibtisch, reiße die Schublade auf und hole, ohne hinzusehen, dein Foto heraus. Deine Haare leuchten wie Gold in der Sonne, deine blauen Augen blitzen, deine Haut ist glatt und braungebrannt, sie riecht nach Meer. Ich streiche dein langes Bein entlang, die Kurve am Hüftknochen, die ich so liebe, in deine weiche Bauchkuhle, zwischen deine Beine.

Meine Großtante, sage ich.

Frau Fu zuckt nicht mit der Wimper. Ist sie tot? fragt sie sachlich.

Ja, sage ich entschlossen, ja.

Gut. Frau Fu sieht auf ihren Kompaß, dann geht sie in die Knie und stellt dich neben die Yuccapalme. Sie wird Sie von jetzt an in Ruhe lassen, sagt sie befriedigt.

Meinen Sie?

Sie wendet sich mir zu und streicht mir unvermutet leicht über den Arm. O ja, Sie werden sehen.

Aus unerklärlichen Gründen kommen mir die Tränen. Geheult habe ich kein einziges Mal, seit du weg bist, nie. Wütend hebe ich die Hand, um mir über die Augen zu wischen.

Nicht! ruft Frau Fu aufgeregt und fällt mir in den Arm. Es wirkt! ruft sie erfreut und drückt mir mit einer Hand energisch auf den Hinterkopf, bis ich den Kopf nach vorn beuge. Dicke Tränen tropfen aufs Parkett.

Tut mir leid, schniefe ich.

Nein, nein, sagt sie, das ist das Chi'i. Das ist gut so, sehr gut. Wasser beeinflußt ihr Element der Erde äußerst günstig. Sie sollten hier ein Goldfischglas aufstellen oder eine Schale Wasser...

Oder heulen, sage ich und versuche zu grinsen.

Frau Fu läßt den Arm sinken. Schmerzlich vermisse ich bereits ihre Hand in meinen Haaren. Sie sammelt Kompaß und Block ein, geht zur Couch, nimmt ihre Kostümjacke und sieht auf die Uhr.

Das Schlafzimmer, wir müssen noch ins Schlafzimmer, sage ich eilig.

Eine Zehntelsekunde lang bin ich überzeugt, daß wir dich im Schlafzimmer überraschen. Du liegst im Bett und schläfst. Schreckst auf, blinzelst, deine Augen schmaler als die von Frau Fu. Entschuldige, Liebling, dies ist Frau Fu, Feng-Shui-Expertin, wir sind gleich wieder draußen. Feng Shui? wiederholst du schläfrig.

Die chinesische Kunst des Wohnens. Frau Fu wird uns zeigen, wie wir in dieser Wohnung wieder glücklich werden.

Oh, oh, sagt Frau Fu und schüttelt den Kopf.

Kein gutes Chi'i? frage ich.

Gar kein Chi'i. Sha.

Sha, wiederhole ich.

Sha. Negative Energie. Frau Fu wirkt bedrückt. Dies ist ein Raum der sechs Flüche.

Ich kichere hysterisch. Raum der Unfälle und des Mißgeschicks, Raum der fünf Geister und der sechs Flüche, ist ja toll.

Ich kann nichts dafür, sagt Frau Fu vorwurfsvoll, Sie haben sich schließlich diese Wohnung ausgesucht.

Nein, meine Frau. Wir schweigen.

Ich schlafe schon lange im Wohnzimmer auf der Couch, sage ich und ziehe die Schlafzimmertür wieder zu, der Flur ist dunkler als zuvor. Ich... meine Frau... ich zucke die Achseln, ich bin seit einem halben Jahr allein...

Es ist schwer, in dieser Wohnung glücklich zu werden, bietet Frau Fu an.

Meinen Sie wirklich, es ist alles nur eine Frage des Chi'i?

Frau Fu lächelt geheimnisvoll, ich spüre ihren Atem wie eine kleine warme Wolke an mir vorüberstreichen.

Glauben Sie tatsächlich, meine Frau wäre noch hier, wenn wir ab und zu eine Tür geöffnet, ein Goldfischglas aufgestellt und die Küche nicht betreten hätten?

Frau Fu antwortet nicht, sie sieht auf ihren Kompaß. Ihr Gesicht scheint wie der Mond im dunklen Flur.

Ich lache. Wissen Sie, was ich jetzt mache? Ich gehe zweimal in der Woche Babys massieren. Zu früh Geborene, auf der Intensivstation. Menschlicher Kontakt erhöht ihre Überlebenschancen.

Das ist nett von Ihnen, sagt Frau Fu.

Ja, nicht? Ziemlich nett von mir…

Es entsteht eine Pause, die sich zwischen uns ausdehnt wie ein riesiger Luftballon und uns an die Wand zu drücken droht.

Aber bei manchen Babys bin ich mir nicht so sicher, ob sie überhaupt hierbleiben wollen, sage ich. Sie kommen mir oft so vor, als kämen sie von sehr weit her aus dem Weltall, als hätten sie uralte Seelen und wüßten mehr als ich. Wenn ich so dasitze und mit meinen großen Händen ihre winzigen Körper massiere, kommt mir das Leben manchmal verdammt rätselhaft vor.

Der Fluß fließt, der Vogel fliegt, die Blume blüht, sagt Frau Fu und zuckt leicht die Achseln.

Tja, sage ich, ich schätze, darauf läuft alles hinaus. Der Fluß fließt, der Vogel fliegt, die Blume blüht. Laotse?

Nein, lacht Frau Fu, von mir. Als Chinese kann man dummes Zeug erzählen, und alle glauben, es wäre von Laotse oder Konfuzius.

Ich grinse blöd. Klingt aber trotzdem gut, sage ich.

Sie hebt das Kinn und sieht mir direkt in die Augen.

Gibt es noch einen Raum in dieser Richtung? Sie deutet den Flur entlang.

Nein. Das Badezimmer ist da drüben. Mit Sicherheit ein Ort der Flüche und des Mißgeschicks.

Nein, nein, ich meine da hinten, zwischen der Küche und dem Wohnzimmer.

Da? Da ist nur eine kleine Abstellkammer.

Unvermittelt packt sie mich am Handgelenk, zieht mich hinter sich her, öffnet die Tür zur Kammer und schiebt mich hinein. Ich stoße mir den Kopf an Junos alten Skistiefeln, die verstaubt im Regal stehen, Frau Fu schließt die Tür hinter sich, es wird rabenschwarze Nacht. Ihre Haare kitzeln mich am Kinn, ihr Körper streift meinen Arm, ihr Geruch erfüllt den Raum.

Dies ist der Raum der himmlischen Monade, flüstert Frau Fu, er neutralisiert bösartige Kräfte und sollte immer dann aufgesucht werden, wenn einem ein Leid zugestoßen ist.

Ich denke, in einem Zimmer ohne Fenster stirbt das Chi'i.

Schscht, sagt Frau Fu, und ihr warmer Atem, der süßlich riecht wie Babyatem, weht mir ins Gesicht. Nicht reden!

Und dann spüre ich ihre Hände auf meiner Haut, ein Bambuswald wächst um uns herum, und irgendwo über mir schwebt mit einem Mal besonders günstiges Chi'i.

Anna 1570

Ich warte auf die Schwestern aus Pescia. Wenn ich nicht zu hübsch bin, haben sie gesagt, werden sie mich nehmen, dann werden sie meine Schwestern sein. Ich bin nicht mehr hübsch.

Riesige Blasen bedecken meinen krebsroten Körper, in großen Lappen hängt meine Haut herunter wie Schlangenhaut. All meinen Mut habe ich zusammengenommen, dann bin ich in das kochendheiße Wasser gesprungen und habe meine Haut abgebrüht wie die eines Schweins.

Seit drei Tagen weint meine Mutter wie ein kleines Kind, dem sein liebstes Spielzeug abhanden gekommen ist. Aber sie hat es eingesehen. Sie hat die Schwestern gerufen.

Einen silbernen Löffel halte ich unter meinem Bett verborgen, in dem betrachte ich mich alle Augenblicke voller Angst, daß mein Gesicht bereits abgeschwollen, die Blasen verschwunden sein könnten.

Wie schwach ist dein Fleisch? werden die Schwestern mich fragen. Und wie kämpfst du gegen die Verführung durch dein Fleisch an?

Ich lege meine Zunge unter einen schweren Stein.

Ich streue Asche in mein Essen, wenn Midea mich zwingt, mit ihnen am Tisch zu sitzen.

Ich schlafe nicht mehr als zwei Stunden am Tag.

Ich trage heimlich Unterwäsche aus Schweinehaut, die mir tief ins Fleisch schneidet, und einen Eisenreif um meine Hüften, den ich niemals erweitern werde, so daß mit der Zeit mein Fleisch verfaulen und in großen Stücken von meinen Knochen fallen wird. Ich kleide mich tagaus, tagein in einen alten Sack. All die seidenen Kleider, die mir mein Vater aus Pescia mitgebracht hat, habe ich den Armen geschenkt.

Ich gebe mir dreimal am Tag hundert Hiebe mit einer Rute vom Dornenstrauch, einmal für meine Sünden, einmal für die der Toten und einmal für die der Lebenden.

Ich habe mir absichtlich von der Sonne die Haut so dunkel brennen lassen, daß sie niemals mehr weiß werden wird.

Ich trinke Essig und bade meine Augen darin, wenn sie sich schließen wollen, um zu schlafen.

Ich habe mir die Haare abgeschnitten, lange, seidenweiche braune Haare, die meine Mutter jede Woche mit Kamille glänzend gewaschen hat, damit sie den Männern gefallen, aber ich will ihnen nicht gefallen, sondern nur Ihm.

Lange hat Er mich davor bewahrt, zu bluten wie die anderen Mädchen, dabei bin ich schon fünfzehn. Meine Mutter hat jeden Morgen meine Laken kontrolliert, ganz verzweifelt war sie, weil doch alle anderen Mädchen in meinem Alter schon verheiratet sind, da hat sie mir Rainfarn, Fieberkraut und Beifuß auf den Nabel gelegt, sie hat meine Arme und meine Beine am Bett festgebunden, weil ich mich gesträubt habe wie eine Katze, einen furchtbaren Sud aus Fenchel, Liebstöckel, Selleriewurzel und Wein hat sie mir in den Mund geschüttet, den sie mir mit einem

Löffel aufgesperrt hat, dazu hat sie unter Tränen geflüstert: Es ist alles nicht so schlimm, wie du denkst.

Dabei weiß sie genausogut wie ich, daß die Berührung mit diesem Blut Samen nicht keimen, Früchte verrotten, Blüten verwelken und Gräser sterben läßt. Eisen rostet, Erz wird schwarz, Hunde bekommen von ihm die Tollwut. Es ist nicht schlimm, du wirst dich dran gewöhnen, flüsterte sie.

Drei Tage später hat mein Körper dann tatsächlich angefangen zu bluten, wie er es jetzt jeden Monat tun wird. Verfluchen wollte ich sie. Verzeih mir. Und verzeih auch meiner Mutter, sie kann nicht anders, sie liebt meinen Körper mehr als meine Seele. Sie will mich mit dem Mann meiner besten Freundin verheiraten.

Giuliana ist vor vier Monaten im Kindsbett gestorben. Sie war nur zwei Jahre älter als ich.

Ewige Treue hatten wir uns geschworen. Nach mir rief sie, in der Nacht als sie starb, und die Hebamme schickte Giulianas ältesten Bruder mitten in der Nacht, um mich zu holen.

Das ganze Zimmer war rot von Blut. Den Bauch hatten sie ihr aufgeschnitten, damit das Kind, wenn es noch am Leben wäre, getauft werden und vorm ewigen Tod gerettet werden könne. Giuliana habe das selbst so gewollt, sagte die Hebamme, das schreiende, blutbeschmierte Kind in den Armen. Giuliana habe es schließlich so gewollt, sie habe nicht gerettet werden wollen, wenn dafür das Kind hätte sterben müssen. Ich muß mich bemühen, dieses Kind nicht zu hassen.

Als ich mich über meine Freundin beugte, um ihr zum

letzten Mal in die grüngesprenkelten Augen zu sehen, da waren es schon nicht mehr ihre Augen, sondern zwei tiefe schwarze Gewässer. In ihnen war alles ruhig und still, es war gar nicht der böse Blick der Toten, wie sie immer sagen, es war im Gegenteil der große Frieden. Ich war kurz davor, mich hineinfallen und in die Tiefe ziehen zu lassen, wenn mich die Hebamme nicht zurückgerissen und Giuliana schnell die Augen geschlossen hätte.

In der nächsten Nacht hatte ich einen Traum: Ich sah, wie Dämonen Giulianas Seele hochhoben, sie zu einem dunklen, tiefen Tal trugen, aus dem Schwefeldampf aufstieg, zu beiden Seiten des Tals stellten sie sich auf und warfen ihre arme Seele hin und her wie bei einem Ballspiel. Mit nadelspitzen Krallenfingern fingen sie die Seele auf, und sie schrie vor Schmerzen. Giulianas Seele sah aus wie ein kugelförmiges Glasgefäß, überall mit Augen versehen, und sie sah alles.

Sie sah den Ehemann von Giuliana, Niccolo, wie er zur gleichen Zeit, als Giuliana starb, bei einer anderen Frau lag und sich von ihr mit einer Schwanenfeder über den Körper streichen ließ. Die Seele jammerte so sehr, als sie dies sah, daß eine himmlische Gestalt erschien und Gottes Befehl überbrachte, Giulianas Seele freizugeben. Die Dämonen verneigten sich und wagten nicht mehr, sie zu berühren.

Die Seele kehrte durch Giulianas offenen Mund zurück in ihren Körper und belebte ihre steifen Glieder. Giuliana stieg von der Bahre und ging direkt zu dem Haus, in dem Niccolo mit seiner Mätresse lag. Laut klopfte sie an die Tür und sagte ihren Namen. Niccolo gefror das Blut.

Und ausgerechnet da weckt mich Midea.

Der Name Niccolo schwirrte seit Giulianas Tod durch unser Haus wie eine Schmeißfliege. Ständig redete Midea von ihm. Wie einsam er jetzt sein müsse, und wie es ihm zu wünschen sei, schnell wieder eine Frau zu finden. Wie günstig es sei, einen Apotheker zum Schwiegervater zu haben (als hätte der Giuliana helfen können!), und wie hübsch Niccolo doch sei mit seinen goldenen Augen, die jetzt so traurig schauten, und mit seinen langen, lockigen Haaren. Und überhaupt: Ob ich mich erinnern könne, wie ich ihm selbst mal schöne Augen gemacht habe, lange bevor Giuliana ihn überhaupt kennengelernt hatte, vor Jahren, als mein Vater an Milzstockung litt und er jeden Tag mit seinem Vater, dem Apotheker Gambacorti zu uns ins Haus kam.

Von Niccolo also träumt Midea als ihrem Schwiegersohn, und als sie dann auch noch eines Morgens die Blutflecke auf meinem Laken fand, stieß sie einen Freudenschrei aus, und ich wußte, ich mußte mich beeilen.

Gleich am nächsten Morgen bin ich in aller Früh mit einem Messer unter meinem Kleid aus Sackleinen in den kleinen Kastanienwald gegangen, an dieselbe Stelle, wo meine Freundin Giuliana mir beigebracht hatte, mich mit geknoteten Schürzenbändern zu geißeln. Wir waren noch so klein, damals.

Meine Haare fielen auf die braune Erde, mit jedem Büschel spürte ich mehr die kühle Morgenluft an meinem Kopf, meine Gedanken flatterten frei herum wie die Vögel, ich begrub meine Haare in einer kleinen Grube und bedeckte sie mit den fingrigen Blättern der Kastanie.

Ein weißes Tuch band ich mir um den Kopf, aber kaum

war ich in unsere stinkende Gerbergasse eingebogen, da kam meine Mutter schon auf die Straße gestürzt, packte mich am Arm und zerrte mich ins Haus. Was denkst du dir eigentlich, mit einem Schleier herumzulaufen, als seist du bereits verheiratet? schrie sie und riß mir das Tuch vom Kopf.

Sie hat mich angestarrt wie eine Maus die Katze, fast furchtsam. Ganz leise, wie es überhaupt nicht ihre Art ist, hat sie dann gesagt: Anna, du mußt verrückt sein! Glaubst du wirklich, du kommst davon, indem du dir die Haare abschneidest? Es wird wieder wachsen, und du wirst heiraten und leben wie alle anderen auch. Du wirst niemals deinen Frieden finden, wenn du nicht gehorchst und tust, was wir sagen.

Was sagst du, Vater? frage ich Francesco. Er sieht alt und krank aus, seine Gerberei bringt ihn um. Er streicht mir mit seinen schorfigen Händen über die Stirn und dann über die Stoppeln auf meinem Kopf, wie über ein frischgemähtes Feld.

Anna, warum machst du es uns so schwer? Was willst du denn bloß? fragt er mich müde.

Daß du eine Zelle für mich bauen läßt, hier im Haus, antworte ich schnell, dort will ich leben, allein mit Ihm und doch bei euch.

Er starrt mich an und schweigt.

Vater, flüstere ich, ich flehe dich an. Ich kann sonst nicht leben.

Er schweigt, wie er immer geschwiegen hat.

Ich esse nichts mehr.

Sie verstehen nicht, wie groß meine Liebe zu Ihm ist.

Hölle ist der siebte Name dieser Liebe. Ich sterbe vor Hunger nach ihr, ich schmecke sie süß wie Honig, und sie füttert mich. Er kommt zu mir und bläst mir Seinen Atem in den Mund, und davon lebe ich. Von Seiner Liebe. Mein Hunger nach ihr wird nie gestillt werden, immer werde ich in Unruhe sein, mir wünschen, daß ich ganz in ihr untergehen darf. Diese Liebe ist furchtbar, sie verschlingt und verbrennt mich, und ich werde immer hungriger nach ihr.

Meine Mutter versteht nicht, daß die Seele dünn wird, wenn der Körper fett ist, daß Du mich nährst, wenn ich nichts esse.

Midea hat mir verboten, mir ein Tuch über den Kopf zu hängen, wenn ich mit ihnen bei Tisch sitzen muß; also schließe ich jetzt die Augen, um nicht in Versuchung zu geraten, wie neulich in der Nacht, als der Teufel mich in die Küche geführt hat und alle Türen aufsprangen und mir die schönsten Speisen entgegenhüpften, bis ich gesottene Zwiebeln mir in den Mund gestopft habe, und ein in Speck gebratenes Entenbein, süßes Mohnmus, Rosinen und weiße Wolfsbohnen in Essig, alles auf einmal.

Mit einem Olivenzweig habe ich mir später die Kehle gekitzelt, bis alles wieder draußen war, geweint habe ich drei Tage und drei Nächte lang über mein schwaches Fleisch, nichts mehr zu mir genommen, noch nicht einmal Wasser, bis ich so schwach war, daß ich im Bett bleiben mußte.

Mein armer Vater hat einen ganzen Tag an meinem Bett zugebracht, um mich zu überreden, ein Ei mit ihm zu teilen. Er hat Angst, ich sterbe, er will nicht verstehen, daß ich nur so leben kann. Er hat mich so gedauert, daß ich ihm erlaubt habe, mir ein Stückchen Ei in den Mund zu schieben, aber ich konnte es nicht bei mir behalten, sosehr ich es auch versucht habe.

Nach einigen Wochen, die ich ohne zu essen und fast ohne zu trinken im Bett verbracht habe, als meine Liebe zu Ihm mein Herz gefoltert hat wie eine offene Wunde, daß es mir so vorkam, als lägen meine Adern offen, als meine Brust brannte und mein Mark schwach wurde, kam eines Morgens ein Engel in mein Zimmer und brachte mir in einer kleinen, schimmernden Vase Himmelshonig. Er fütterte mich mit seinen Fingern, und danach fühlte ich mich stark und wach und habe seitdem, bis ich mir in den heißen Quellen den Leib verbrannte, nie mehr im Bett gelegen.

Das werde ich den Schwestern erzählen, das werde ich ihnen alles erzählen.

Mein Vater baute mir wirklich eine kleine Zelle aus Holz und aufgeschichteten Steinen in der Diele, gleich vor der Küche. Als Preis dafür, daß ich von nun an mit jubelndem Herzen meine Nächte mit Ihm allein verbringen durfte, schickte Midea unsere Hausmagd Bonaventura fort, und ich muß jetzt alle Hausarbeit verrichten, aber ich tue es gern, denn ich tue es nicht für Midea. Ich bin nicht ihre Sklavin, sondern Seine.

Nachts gehe ich durchs Haus und klaube die dreckige Kleidung meiner Brüder und Schwägerinnen, meiner Nichten und Neffen auf, ich wasche sie, während sie schlafen. Ich schrubbe die Treppen und die Böden, und wenn alle wieder erwachen, steht für die Kinder schon süßer Eierbrei auf dem Tisch, und das Brot ist bereits gebacken.

Midea staunt und wundert sich, und nichts gibt es für sie zu sagen, gar nichts, so sehr sie auch einen Fehler sucht. Die Brotkruste ist ihr zu weich, sagt sie, aber mein Vater lächelt mir zu, genau so mag er sein Brot am liebsten.

Ich koche die schwierigsten Gerichte, nur Fleisch rühre ich nicht an, um den Dämonen keine Nahrung zu geben, denn Fleisch mögen sie am allerliebsten. In aller Früh laufe ich schon auf den Markt und kaufe Barsch, Karusche, Schleie, Barbe, Hecht und Karpfen. Ich säubere und hacke sie ganz klein, koche sie mit Nelken, Muskat, Rosinen und Safran, forme kleine fingerlange Würste aus der Masse und siede sie in Wein.

Ich sehe ihnen von meiner Ecke aus zu, in die ich mich zurückziehe, wenn ich das Essen auf den Tisch gestellt habe, ich beobachte sie, wie sie sich über ihre Schüsseln beugen wie hungrige Hunde und sich das Fleisch der Würste in ihren Mündern zu aller Verwunderung in Fisch verwandelt. Sie rufen ›Oh‹ und ›ah‹, ›wie raffiniert, wie außergewöhnlich unsere Anna jetzt kochen kann!‹

Langsam kaue ich meine Kräuter, Salbei, Liebstöckel und Frauenminze, genau drei Löffel Wasser trinke ich dazu. Ich zittere ein wenig vor Kälte, ganz gleich, wie warm es ist, mir ist kalt.

Midea läßt mich nicht aus den Augen. Sie glaubt, der Teufel ernähre mich. Der Malatasca hat mir meine Tochter gestohlen! schreit sie und schlägt mit den Fäusten an die Wand, daß der Kalk abfällt.

Morgens um drei, wenn alle schlafen, esse ich ein wenig rohes Gemüse und ein paar Nüsse, weil Er es mir so befiehlt. Ich mag die Küche am liebsten, wenn ich ganz allein dort sitze am großen Tisch, die Nüsse aufreihe, das Gemüse in hübsche kleine Muster lege und mit jedem kleinen Bissen das Muster verändere.

Brot esse ich auch nicht mehr, seit ich Midea nachts dabei beobachtet habe, wie sie mit dem nackten Hintern den Teig geknetet hat, um mich Bissen für Bissen dazu zu verführen, mich für Männer zu interessieren und ihnen zu Gefallen zu sein.

Das werde ich den Schwestern nicht erzählen.

Auch nicht, daß Midea die Hoden eines Wiesels, eingewickelt in Eselshaut, um die Hüften trägt, um nicht wieder schwanger zu werden. Ich glaube nicht, daß sie mit Malatasca im Bunde ist, sie ist einfach nur dumm und tut, was alle tun.

Und diese verdorbene Person sagt zu mir: Wärst du wirklich so gottesfürchtig, wie du vorgibst, würdest du nicht ständig versuchen, anders zu sein als alle anderen. Sie vergißt meine Zwillingsschwester, die in ihrem Bauch für mich gestorben ist, damit ich Platz hatte, zu wachsen, die war genau wie ich, bevor mein Fleisch sie erdrückt hat. Genau wie ich.

Wenn du weiter nichts ißt, droht Midea, werde ich dich öffentlich wiegen lassen. Hexen sind leichter als Menschen, deshalb können sie fliegen. Der dicken Donatella aus dem Nachbarhaus hat man es aber überhaupt nicht angesehen, nur als sie viel weniger auf die Waage brachte, als man mit dem Auge je geschätzt hätte, war's bewiesen.

Ich habe ihren Hexenkörper brennen sehen. Den Anfang, wenn das Feuer noch schüchtern und niedrig ist, mag ich nicht, aber wenn erst die Flammen hochlodern und alles ganz weiß wird in der Hitze, dann frage ich mich, ob diese Glut einen nicht so süß verzehrt wie meine Liebe zu Ihm.

Du kannst es ja ausprobieren, sagt Midea zu mir, und dann fängt sie an zu weinen. Sie liebt meinen Körper, nicht meine Seele, sie kann den Gedanken nicht ertragen, daß er niemals die abstoßenden Dinge tun wird wie der ihre.

Sie tupft die Brandblasen an meinem Körper mit einem feuchten Lappen ab. Warum kommen die Schwestern nicht? flüstere ich, mein Leib brennt lichterloh.

Warum quälst du dich so? fragt Midea. Ist denn das Leben, was wir führen, so unerträglich für dich?

Ihr Leben ist so fern von mir, ich weiß nicht, wovon sie spricht. Je mehr meine Seele gequält und verwundet wird, um so mehr erneuert und beruhigt sie sich, und das, was sie am tiefsten verwundet, ist das einzige, was sie heilt.

Kind, ich verstehe dich nicht, jammert Midea, ich habe dich nie verstanden. Aber selbst das ist mir jetzt gleichgültig, ich will doch bloß, daß du nicht stirbst.

Laß mich zu den Schwestern, nur dann werde ich nicht sterben, sage ich zum hundertsten Mal. Warum will sie nicht verstehen? Warum ist es schlimmer für sie, mich den Schwestern zu geben als einem Mann?

Sie glaubt, ich liebe sie nicht, aber was ist das für ein verdrehtes Gehirn, das seit Jahren nur daran denkt, wie sie mich herrichten kann wie einen Pfingstochsen, um mich wegzugeben.

Nein, es ist nicht wahr, daß sie ihre Tochter nicht liebt. Die Arme versucht alles, was in ihrer Macht steht, um mich umzustimmen. Wochenlang hat sie mich in ihr Bett gezwungen, weil sie es nicht ertragen kann, daß ich in meiner Zelle auf der blanken Erde schlafe. Sie reißt mich aus meiner dunklen kleinen Höhle, in der ich mit jeder Faser meines Körpers und Geistes meinem Geliebten gehöre, und schleift mich in ihr weiches, großes Bett, obwohl ich gefaucht und gekratzt habe wie eine Katze, und wie ein Baby lag ich dann da, eingeklemmt zwischen dem riesigen Körper meiner Mutter und dem Rücken meines Vaters. Und wäre ich nicht wachsam gewesen, hätte mein demütiges und zerknirschtes Herz sich mit Wonne der Faulheit und dem süßen Schlaf hingegeben und meinen Geliebten ganz und gar vergessen.

Aber ich war gewappnet, heimlich habe ich ein angespitztes Stück Holz ins Bett meiner Mutter geschmuggelt, das habe ich mir tief ins schwache Fleisch gebohrt, während ich neben der schweratmenden, dampfenden Midea lag.

Eines Nachts schreckte sie aus einem Traum auf und erwischte mich. Sie warf das Holz aus dem Fenster, riß mir mein Nachthemd vom Körper und zerrte mich an den Haaren vor ihren Spiegel, den sie in ihrem Schrank versteckt hält, um nicht die Sünde der Eitelkeit zu begehen, wie sie sagt, aber er war glänzend geputzt und hatte keine einzige blinde Stelle. Sie hielt ihn vor mich hin, verfolgte mich mit ihm, als ich mich abwandte und aus ihrem Schlafzimmer laufen wollte, und drängte mich an die Wand. Da, sieh hin, siehst du denn nicht, daß du dich umbringst? Deine Rippen kann ich zählen, dein Bauch berührt bald deine Wirbelsäule, deine Brust sieht aus wie bei einem fünfjährigen Kind!

Vielleicht hätte ich gern gesehen, was sie sah, um ihre Wut und ihren Schmerz zu verstehen, aber mich blickte aus dem Spiegel nur der gierige, schwache Körper einer nichtswürdigen Kreatur an.

Sie haben mir meine Zelle weggenommen. Ich esse nichts. Gar nichts.

Als ich hätte bluten sollen, wie jeden Monat, geschah ein Wunder: Kein Tropfen verließ meinen Körper. Auch im folgenden Monat nicht und im nächsten wieder nicht. Er hat mich davon befreit, Er will nicht, daß ich ein gewöhnliches Leben führe, aber Midea, die jeden Tag meine Wäsche untersuchte, verstand immer noch nicht, statt dessen fuhr sie mit mir zu den Schwefelquellen von Saturnia, um mich zu ›heilen‹.

Bevor ich auch nur einen Fuß in die Kutsche setzte, mußte sie mir versprechen, daß ich nach unserer Rückkehr die Schwestern vom Konvent in Pescia besuchen darf, um sie zu fragen, ob sie mich aufnehmen würden.

Heimlich nahm ich einen kleinen Beutel mit meinen Kräutern mit, meine Dornenrute und meinen Eisenreif hatten sie mir weggenommen. Für die gesamte Reise legte ich ein Schweigegelübde ab.

In der Kutsche nach Saturnia saßen ein pralles, hübsches Mädchen, Ermine mit Namen, und ihre Mutter. Ermine trug ein rubinrotes Kleid mit einem weißen Kaninchenfellbesatz am vollen Busen, ihre Haut war weiß wie Milch, und ihre zartrosa Wangen hatte sie bestimmt mit Rosenpuder gefärbt.

Midea verschlang sie die ganze Fahrt über mit ihren Blicken, während die Mutter von Ermine über ein nässendes Geschwür am Hintern ihrer Tochter redete, für das sie sich Heilung durch das Schwefelwasser von Saturnia erhofften. Auf einem aus Stroh geflochtenen Ring mußte die arme Ermine seit Monaten sitzen, weil nichts ihr Linderung verschaffte. Niemals hätte man unter ihrer hübschen Schale diesen häßlichen Makel vermutet, aber so wehmütig, wie Midea diese Ermine ansah, hatte ich das Gefühl, sie hätte, selbst mit Geschwür, lieber sie zur Tochter gehabt, als mich ohne.

Ermines Mutter schätzte mein Alter auf zwölf, und meine Mutter sagte nichts dazu, zuckte nur die Schultern. Mitleidig und stumm betrachteten Ermine und ihre Mutter mein grobes Gewand aus Sackleinen, meine bloßen Füße in den alten Sandalen und lächelten dann meiner Mutter hilflos zu.

Midea kniff die Lippen zusammen und zuckte abermals die Schultern.

Noch vor Pisa waren Midea und Ermines Mutter bereits die besten Freundinnen. Ermine richtete mehrmals das Wort an mich, aber ich lächelte nur freundlich, erwiderte nichts, und bald ließ sie es bleiben und beschäftigte sich mit einer Miniaturstickerei, die eine Nachtigall neben einer Rose darstellte.

Die Schwefelquellen von Saturnia stanken wie der Teufel persönlich. Genauso hat es gestunken, als der Malatasca in der Gestalt eines großen Hundes in mein Zimmer kam, als ich ein kleines Mädchen war, um mich mit ihm fortzuzerren. Midea behauptet zwar, daß ich viel zu klein gewesen sei, um mich daran überhaupt zu erinnern, und daß ich mir das nur einbilde, weil Francesco diese Geschichte so oft erzählt habe, und der Gestank sehr wohl von meinen furzenden Brüdern hätte stammen können, aber kaum bogen wir in die lange, von Zedern gesäumte Auffahrt von Saturnia, da stach mir die Erinnerung an Malatascas Gestank wie eine spitze Nadel ins Gehirn.

Midea, Ermines Mutter und Ermine lagen den ganzen Tag über in den stinkenden Gewässern, kicherten wie kleine Mädchen, wenn die Badefrauen sie mit Reisigruten peitschten, stöhnten wollüstig, wenn sie ihnen dann den Rücken mit Schwämmen abrieben, kreischten und kicherten, wenn ihnen mit Miesmuschelschalen die Haare vom ganzen Körper rasiert wurden, und schließlich grunzten sie wie die Ferkel, wenn wieder andere Badefrauen, ganz in Weiß gekleidet, sie nach dem Bad mit Rosenwachs massierten.

Midea erlaubte mir nicht, mich auch nur einen winzigen Augenblick von den Quellen zu entfernen. Wenn ich schon nicht ins Wasser wollte, so mußte ich in dem Gestank so lange ausharren, bis sie endlich alle drei fertig waren und sich dann zum Essen begaben, auf das sie sich stürzten wie hungrige Wölfe.

Ermine lief die Soße übers Kinn, mit vollen Backen sagte sie zu mir: Hast du keine Angst, daß du morgen sterben könntest und nie einen Rehbraten in Birnenmus gekostet hättest?

Midea erwiderte trocken: Sie hat ja noch nicht einmal Angst zu sterben, ohne die Liebe eines Mannes kennengelernt zu haben.

Na ja, kicherte Ermines Mutter, das kann ich noch verstehen, da verpaßt man schließlich weniger als bei einem Rehbraten in Birnenmus.

Die Frauen schrien vor Lachen, und bald vergaßen sie mich wieder und erzählten sich Geschichten, die den Männern, hätten sie sie gehört, die Schamröte ins Gesicht getrieben hätte.

Aber hier gab es keine Männer, und wenn ich die Ohren verschloß und ihre aufgetakelte Kleidung und geschminkten Gesichter übersah, konnte ich mir fast vorstellen, bereits bei den Schwestern zu sein.

Nachts, als im Schlafsaal alle schon ruhig atmeten, hörte ich plötzlich Midea neben mir flüstern: Anna, verstehst du denn nicht, ich liebe dich. Ich habe dich immer mehr geliebt als alle meine anderen Kinder, sie kamen gut allein zurecht, sie waren wie junge Katzen oder Hunde. Du warst von Anfang an anders. Aber ich wollte nicht, daß du anders wirst, denn es ist schwer und traurig, anders zu sein als die andern. Ich wollte dich retten. Ist das denn so verwerflich?

Laß mich nach Pescia gehen, flüsterte ich zurück, und dann war es still. Mein Herz schmerzte, als sei es ein Nadelkissen, und ich hatte das mächtige Verlangen, freiwillig zu Midea ins Bett zu kriechen und mich fest an sie zu drücken. Von all meiner Angst hätte ich ihr gern erzählt, von meiner Furcht, getäuscht zu werden. Aber ich konnte mich nicht bewegen, starr und stumm wie ein Stück Holz lag ich da, und von ihr hörte ich noch nicht einmal mehr ihren Atem.

Am nächsten Tag, als ich am Ufer saß und mich auf meine stummen Gebete konzentrierte, schwamm Ermine vorbei und brachte das Wasser in Wallung. Wenn du wirklich Nonne werden willst, hörte ich sie kichern, darfst du aber nicht mehr dein hübsches Gesicht stundenlang im Wasser anschauen.

Ich hob nicht einmal den Blick und wartete geduldig darauf, daß sie verschwinden würde.

Außerdem nehmen sie hübsche Mädchen nicht. Wußtest du das nicht?

Ich kann mich gar nicht daran erinnern, daß ich sofort danach aufgestanden und zu der Stelle gelaufen sein muß, wo die Quellen kochendheiß unter riesigen Dampfwolken aus der Erde sprudeln.

Ich weiß nur noch, wie mein Körper erst bis ins Innerste erschauerte und mir dann so heiß wurde, wie es mir schon lange nicht mehr gewesen ist.

Dann muß ich ohnmächtig geworden sein, für eine lange Zeit, denn an die Rückreise nach Vellano vermag ich mich nicht zu erinnern. Und jetzt liege ich hier im Bett. Ein letztes Mal schaue ich mein verbranntes, verschwollenes Gesicht, das ich kaum noch als das meine erkenne, in dem Silberlöffel an, denn ich höre sie unten an der Türe klopfen, und meine Mutter sagt: Oh, bitte, kommt herein, Schwester Oberin! Meine Tochter liegt oben und erwartet Euch.

Samsara

Vielleicht hättest du noch einmal von deiner Couch aufstehen und mich zum Abschied ins Ohr beißen sollen. Mir sagen sollen, daß die Zeiten zwar hart, aber nicht hoffnungslos sind.

Ich habe mich noch einmal in der Tür umgedreht, so wie es alle amerikanischen Schauspieler tun, bevor sie endgültig gehen, auf irgendein Zeichen von dir habe ich gewartet, aber du hast nur dagesessen, die Fernbedienung in der Hand, und das letzte, was ich hörte, war das Umschalten auf den Sportkanal.

Am Flughafen habe ich noch geheult, ab Frankfurt ging es mir schon besser, und als die Drinks und die gerösteten Nüsse kamen, hatte ich dich fast schon vergessen, was nach fünf Jahren Ehe vielleicht seltsam ist.

Die meiste Zeit sah ich aus dem Fenster. Je länger wir flogen, um so mehr kam es mir so vor, als hätte ich bereits meinen Körper verlassen, als schwebe meine Seele da draußen über die Watteberge. Ich erinnerte mich überhaupt nicht mehr an unsere schlechten Zeiten, nur daran, wie verliebt wir mal waren.

Prompt kamen mir die Tränen, und ein junger amerikanischer Geschäftsmann legte mir die Hand aufs Knie.

Nie würde ich dich betrügen.

Nach sechsundzwanzig Stunden war ich da, und ich schwöre dir, Neuschwanstein flog vorbei, eine rote Neonreklame auf den Zinnen. Der Taxifahrer trug weiße Handschuhe und eine schwarze Mütze. Dort, wo bei uns der Aschenbecher ist, war ein kleiner Fernseher eingebaut. Es lief japanischer Baseball. Überall gibt es hier Fernseher. Du wärst selig. Schalt doch mal um, dachte ich, zu Hause auf deiner Couch, auf der anderen Seite des Globus, die Fernbedienung in deiner Hand wie festgeschweißt, vielleicht kannst du mich sehen, wie ich in einem japanischen Taxi sitze, mit fettigen Haaren und Ringen unter den Augen. Deine Frau als Handlungsreisende. Fünfhundert Wunderbäume in siebzehn verschiedenen Duftrichtungen von Ostseebrise bis Schwarzwaldtanne im Gepäck. Ich war auch schon mal besser dran, nicht nur du.

In unregelmäßigen Abständen klingelte ein kleines Glöckchen neben dem Taxameter, auf dem Tausende von Yen wild vor sich hinwuchsen. Die Hälfte zahlt ja zum Glück der Kleinschmidt.

Das Glöckchen klingelte und klingelte, keine Ahnung warum, vielleicht sollte es den Taxifahrer an Buddha erinnern, wer weiß. So vieles, was du nicht weißt. Ich habe sogar irgendwann angefangen, den Dalai Lama zu lesen und zu meditieren, um meine Ehe zu retten. *Samsara:* Leben ist leiden. Das hat mich auch nicht gerade aufgemuntert.

Graue Siedlungen schossen vorbei, Kohlfelder, kleine Hütten mit geschwungenen Dächern, Autobahnkreuze, Eisenbahnen. Nichts sah besonders japanisch aus. Ich nahm die Brille ab, rieb mir die brennenden Augen, alles verschwomm zu einem Muster aus waagerechten grünlichgrauen Strichen. Mein Kopf saß nicht mehr auf meinem Hals, sondern schwebte abwechselnd leicht über mir oder fiel tonnenschwer zu Boden und rollte träge zwischen meinen Füßen hin und her.

Je weiter ich mich von dir entfernte, um so kleiner wurde dein Schatten. Ab Dubai war er kaum noch zu spüren. Meine Lungen füllten sich mit Luft, als käme ich an die Wasseroberfläche.

Ich flüsterte ›fly-buy-Dubai‹ wie ein Mantra vor mich hin. Weißgekleidete Beduinen und schwarz verschleierte Frauen schwebten mitten in der Nacht durch den größten Duty-free-Shop der Welt, zusammen mit Pauschaltouristen aus Deutschland auf dem Weg nach Kenia, japanischen Geschäftsleuten und mir. Brav kauften wir alle zu schwere Parfüms und Cognac, den wir eigentlich gar nicht mochten.

Das Glöckchen klingelte. Ich schreckte auf, wir befanden uns auf der falschen Fahrbahn! Ich hatte den einzigen Geisterfahrer unter allen japanischen Taxifahrern erwischt. Natürlich. Alles ergab sofort absoluten Sinn. Mein Tod auf der Autobahn nach Tokio überraschte mich nicht. Das Wichtigste hatte ich dir noch gar nicht erzählt.

Wir fuhren erstaunlich lange in der falschen Richtung auf der linken Fahrbahn, ohne daß etwas geschah. Der Fahrer war vollkommen ruhig. Irgendwann bemerkte auch ich, daß hier alle links fuhren. Du hättest das natürlich gewußt.

Der Fahrer weckte mich aus einem anstrengenden Traum. Ich war in Moskau in einer Boutique mit Prada-Klamotten, und alle kosteten nur Pfennige. Ich konnte mich nicht entscheiden, und du warst ungeduldig. Mir taten bereits die Knochen weh vom vielen Anprobieren. Manchmal trösten mich jetzt schöne Kleider, so wie früher du es getan hast.

Der Taxifahrer deutete mit einem weißen Handschuh auf die goldene Lobby des Capitol-Tokyu-Hotel. Ich bezahlte Zehntausende von Yen und war froh, daß ich zu müde war, um nachzurechnen. Zum Glück gab's ja Kleinschmidt. Woher weißt du, daß es ihn überhaupt gibt? fragst du mich, mißtrauisch wie immer.

Natürlich gab es ihn, ich war ja immerhin mit ihm verabredet.

Drei junge Mädchen in hellblauen Uniformen mit schneeweißen Gesichtern, blutroten Lippen und ebenholzschwarzen Haaren begrüßten mich und flatterten schmetterlingsgleich hinter der Rezeption auf und ab, um mir meinen Schlüssel, einen Stadtplan und eine Blume zu überreichen. Ich sah sie mit deinen Augen. Sie waren alle drei so makellos, daß sie unsterblich wirkten.

Ich weiß, du hast seit einiger Zeit Angst vor dem Tod. Du glaubst, wenn du dich nicht bewegst, geht sie wieder weg.

Ich sah dich, wie du die Schmetterlingsfrauen nacheinander unter dir begrubst, ihre schwarzen aufgelösten Haare auf dem Kissen wie ausgelaufene Tinte. Sie stritten nicht mit dir, beschimpften dich nicht, rechteten nicht mit dir, aber sie liebten dich auch nicht.

Vielleicht solltest du eine Affäre haben, ganz schnell, bis ich wieder da bin. Aber bitte erzähl mir nichts davon.

Das Zimmer hatte Papierwände und ein kleines Podest

aus Tatamimatten, auf dem ein schwarzer, niedriger Tisch stand, davor ein Sitzkissen auf einem Stuhl ohne Beine, wahrscheinlich für ungelenke Langnasen wie mich. Daneben gab es einen normalen Tisch und ein normales Bett.

Ich gab dem Portier ein paar Münzen in die Hand, die er mir sofort zurückgab. Sein Gesicht war so glatt und rund wie ein Teller. Kaum war er aus der Tür, ließ ich mich aufs Bett fallen.

Im Fallen bekam ich Angst, ich könne immer weiter fallen, bis ins Unendliche. Eine schwarze Falltür in einem Hotelzimmer in Tokio. So weit hatte ich fahren müssen, um einfach verschluckt zu werden, und alle Probleme waren gelöst.

Was macht uns so traurig? Daß die Dinge nicht mehr so sind, wie sie einmal waren? Aber als sie so waren, wie sie waren, waren wir jung und haben gedacht, dies ist noch nicht unser Leben. Morgen fängt unser richtiges Leben an, oder übermorgen, nächste Woche, nächstes Jahr – irgendwann. Aber jetzt sind wir nicht mehr jung, auch wenn alle das sagen, tut mir leid, in der Mitte sind wir, vielleicht haargenau in der Mitte, vielleicht schon drüber, und wenn es jetzt nicht anfängt, unser richtiges Leben, wann dann?

Als das Telefon klingelte, mußte ich mich aus meinem Schlaf wühlen wie ein Maulwurf. Durch einen langen, dunklen Tunnel kam ich schließlich ans Tageslicht. Ich war überzeugt, du wärst dran, ich sprach bereits mit dir, bevor ich den Hörer in die Hand nahm. Hallo, Bär, hallo, blöder, alter Bär. Ich lächelte, lächelte auch noch, als ich eine Männerstimme hörte, die sehr melodisch und mit starkem, japanischem Akzent sagte: *I want to make rrrove to you.*

Was? Ich war so erstaunt, daß ich nachfragte.

I want to make rrrove to you.

Er sagte *rrrove,* mit stark gerolltem R wie ein Italiener, die Japaner können kein L sprechen, hast du das gewußt?

Ich knallte den Hörer auf, aber da klingelte das Telefon schon wieder, und wieder redete dieser Mann von *rove,* und kaum hatte ich aufgelegt, klingelte es abermals. Wieder und wieder immer nur dieser eine Satz, ganz gleich, was ich sagte, auch als ich anfing zu schreien und ihn zu beschimpfen. *I want to make rove to you.* Völlig unbeeindruckt. Fast wie ein Roboter.

Vielleicht gab's hier Roboter, die obszöne Anrufe für einen erledigen, so wie es ja auch einen Roboter in Japan geben soll, der für einen betet. Ich zitterte vor Wut.

Versuchte, dich anzurufen, du gingst nicht dran, es war mitten in der Nacht in Deutschland. Ich hörte meine eigene Stimme auf dem Anrufbeantworter, ich war gar nicht weggefahren, nur eine müde, kaputte Reinkarnation meiner selbst war in Japan, die Person, die du schon lang nicht mehr magst; die andere war zu Hause geblieben. Ein nettes blondes Frauchen, lustig, sauber, sexy und stumm, in einem engen rosa Pullover mit gepflegten Fingernägeln, nie launisch, verrückt und schlampig wie ich.

Kaum hatte ich aufgelegt, klingelte es schon wieder. *I want to make rove to you.* Seine Stimme klang jetzt tiefer. Ich schrie ihn auf deutsch an, weil es furchterregender klingt als englisch, aber vielleicht nicht für Japaner. Er wiederholte nur seinen stereotypen Satz.

Ich rief die Schmetterlinge von der Rezeption an und bat sie, keine Anrufe mehr durchzustellen. Danach war Ruhe. Und wenn Kleinschmidt anrufen würde? Oder du? Nein, du würdest bestimmt nicht anrufen, du wüßtest nicht, was du sagen sollst, und fürs Schweigen einmal halb um die Welt bist du zu sparsam.

Als ich aus der Dusche kam, leuchtete eine kleine rote Lampe an meinem Telefon. Ein Schmetterling hauchte: *Mr. Krrreinschmidt not coming. Wirrr carrr you.*

Mein gesamter Terminplan fiel in sich zusammen wie ein gesprengtes Hochhaus. Kleinschmidt war mein einziger Kontaktmann in Japan. Er wollte mich mit potentiellen Interessenten für die Wunderbäume zusammenbringen. Große Chancen, große Möglichkeiten! Alles schon vorbereitet! Sie brauchen nur zu kommen!

Ich fühlte mich allein ohne Kleinschmidt und ohne Plan, und jetzt vermißte ich dich wirklich.

Abermals rief ich die Rezeption an und bat sie, ab sofort wieder alle Anrufe durchzustellen. Es dauerte keine zwei Minuten, da klingelte schon das Telefon. *I want to make rove to you.*

Ich sammelte meine müden Knochen ein und ging in die Lobby.

Die Schmetterlinge wandten sich mir aufmerksam zu.

Ich habe ein Problem, sagte ich leise.

Hai, antworteten sie zackig. Ich erklärte unter Rücksichtnahme auf ihre zarten Seelen umständlich, um was es ging. Zu meinem Erstaunen schienen sie nicht im geringsten peinlich berührt. Sie hielten ihre kleinen Hände vor ihre blutroten Lippen und kicherten ein wenig, dann erklärten sie mir recht kühl, daß man als große blonde Frau in Japan mit obszönen Anrufen rechnen müsse. *Big and brrrond.*

Ich sah mich in der Lobby um. Wer könnte es auf mich abgesehen haben? Fünf müde aussehende Geschäftsleute saßen in einer Sitzgruppe und dösten vor sich hin. Ein anderer hielt einen Watchman auf den Knien, einer las einen Comic. Alle schienen zu warten, aber bestimmt nicht auf mich. Was soll ich tun?

Die Mädchen wiegten ihre hübschen Gesichter wie Blumen im Wind. Sie wußten es nicht.

Ich ging durch die Drehtür auf die Straße. Warmer Wind blies mir durch die Haare. Ich hatte sie mir vor der Abfahrt frisch gefärbt. Ich wollte dynamisch aussehen, unseren Kummer vergessen. Polycolor No. 234, Sommerweizen. Wenn das mein Anrufer wüßte. Alles nur Chemie. Es wurde langsam dunkel. Die Taxis trugen leuchtend rote und grüne Lampions auf dem Dach. Die Bürgersteige waren voller Menschen, die wie die Fische in einem gleichförmigen Strom an mir vorüberzogen. Ich versuchte mich einzureihen und stieß prompt mit einer älteren Frau zusammen. Ich rief *sorry*, und sie verbeugte sich. Schon hatte ich den nächsten angerempelt. Mein Körper fühlte sich größer an als sonst, meine Bewegungen unkoordinierter, aus dem Gleichgewicht. Ich bemühte mich, wie beim Tanzen in den richtigen Rhythmus zu kommen, schaffte es aber immer nur wenige Meter, bevor ich wieder jemanden berührte. Wann tanzt du mal wieder mit mir?

Ich lehnte mich an eine Hauswand. Ich schwitzte, meine Hände waren feucht, ich hatte Schweißperlen auf der Stirn.

Ich wandte mich dir zu, ganz automatisch drehte ich mich nach dir um.

Du warst weg. Weit weg.

Ich fühlte mich verloren, so wie früher, als ich noch jung war. Aber es machte keinen rechten Spaß, im Gegensatz zu früher.

Alles verändert sich, sagt der Buddha, das habe ich damals in diesem Meditationskurs gelernt. Du lachst. Tolle Erkenntnis.

Ich bekam Hunger, obwohl ich mindestens fünfmal im Flugzeug zwischen Frankfurt und Tokio gegessen hatte und mein Bauch aufgebläht war wie eine Kugel.

Nur wenige Schritte weiter fand sich ein Sushirestaurant mit Plastiksushi im Fenster, das erschien mir wie eine sichere Sache.

Mitten im Restaurant befand sich ein runder Teich, um den herum an einer Theke die Gäste saßen, ausnahmslos Geschäftsleute in dunklen Anzügen und mit weißen Hemden, und keine einzige Langnase unter ihnen. Es schüchterte mich zwar ein, so anders zu sein als alle anderen, gleichzeitig gab es keine Vergleichsmöglichkeiten mehr, ich war wirklich die einzige große Frau mit blonden Haaren, und das fing an, mir zu gefallen.

Der Sushikoch, ein dünner, sehniger Mann mit großen Ohren fragte mich auf japanisch nach meinen Wünschen. Hilflos tippte ich auf mehrere Plastiksushi, von denen ich nur wenige aus unserem Sushirestaurant zu Hause wiedererkannte.

Hai, rief er laut, *hai. Hai.*

Verstohlen sahen sich die Geschäftsleute nach mir um.

Ich nahm Platz und bekam einen heißen, feuchten, zusammengerollten Waschlappen. Gleich landen wir, meldete mein verwirrtes Gehirn.

Der dünne Sushikoch kam hinter der Theke hervor, stieg in lange gelbe Gummistiefel und kletterte mit einem Kescher in der Hand in den Teich. In einem eleganten Bogen schwang er den Kescher durch die Luft. Ein riesiger, grauer Fisch sprang aus dem Wasser und klatschte mit der Breitseite auf die Wasseroberfläche, daß es spritzte. Erfolglos versuchte der Sushikoch, ihn zu erwischen. In großen Bögen sprang der Fisch vor ihm davon. Lachend wischten sich die Geschäftsleute die Wassertropfen aus dem Gesicht. Der Sushikoch wurde rot. Der Fisch drehte Pirouetten, überschlug sich in der Luft wie ein dressierter Delphin. Ein lebenslustiger Fisch, ein Kämpfer, ein Held. Alle Gäste hatten sich bereits in ihn verliebt. Die Männer johlten. Ich klatschte. Wir feuerten den Fisch an wie einen *Toro Bravo.* Irgendwann rief ich sogar *olé.* Die Männer lachten und prosteten mir zu. Ich war plötzlich so ausgelassen, glücklich, frei, wie schon lange nicht mehr.

Nichts dämmerte mir. Erst als der Sushikoch direkt vor meinen Augen dem zappelnden Fisch mit dem größten Messer, das ich je gesehen hatte, den Garaus machte und ihn in Nullkommanix in Häppchen zerlegte, ahnte ich, wem der Fisch seinen Tod zu verdanken hatte.

Heulen hätte ich können.

Ich würgte zwei von den wie Geschenkpäckchen aussehenden Fischhäppchen herunter, bezahlte etwa zweihundertfünfzig Mark und verließ, so aufrecht es mir möglich war, das Lokal.

Dich hörte ich lachen.

Wie betrunken torkelte ich durch die Menschenmassen. Ich verstand nichts mehr. Keine Zeichen, keine Sprache, nichts mehr, niemanden. Ich verlief mich und fand mich plötzlich auf einem kleinen Friedhof mitten zwischen den Wolkenkratzern wieder. An jedem Grab lehnten schmale Holzschilder mit japanischen Schriftzeichen wie Wegweiser. Ich kam an einem Grabmal mit einer großen, glänzenden Steinkugel vorbei, und als ich stehenblieb, spiegelte ich mich in ihr.

Mitten in der Nacht klingelte das Telefon. *I want to make rove to you.*

No, sagte ich.

Why not?

Ich legte auf. Er rief noch viermal an. Ich zog um ins Badezimmer, legte mich auf die Handtücher auf die harte Erde. Das Gefühl unter den Hüftknochen erinnerte mich an meinen alten Toyota, an unsere Flitterwochen, als wir kreuz und quer durch Europa fuhren, nachts im Auto schliefen, uns nicht mehr wuschen, uns morgens Givenchy unter die Achseln sprühten, die stärksten Zigaretten jedes Landes rauchten und glaubten, die einzige Grenze für uns sei der Himmel.

Als der Zimmerkellner mir mein Frühstück brachte, trug ich den blauweißen Baumwollkimono, den sie dir abends aufs Bett legen, und kam mir ganz japanisch vor.

Mein Frühstück sah wunderhübsch aus, Reis und Suppe, ein Ei und – natürlich – Fisch, auf einem schwarzen Lacktablett.

Ich verbeugte mich, war aber nicht darauf gefaßt, daß

der Kellner sich rückwärts entfernen würde, und so prallte ich mit ihm zusammen, und wir gingen beide zu Boden.

Eine große blonde Frau und ein japanischer Zimmerkellner lagen ein paar Sekunden lang ineinander verknäult auf dem roten Teppichboden. Ich konnte uns von oben sehen. Wir sahen ein bißchen aus wie eine Benetton-Reklame. Der arme Mann war außer sich vor Bestürzung. Er murmelte etwas und verbeugte sich ganz schnell viele, viele Mal.

Hai, sagte ich, *hai*, *hai*.

Kaum hatte ich meine Stäbchen in die Hand genommen, klingelte das Telefon. *I want to...* Ich legte auf, bevor er den Satz zu Ende sprechen konnte. Ich ließ mir ein anderes Zimmer geben.

Ich rief dich an. Wieder warst du nicht da.

Ich hinterließ zwei Fragen auf dem Anrufbeantworter: Liebst du mich noch? Sollen wir uns trennen?

Einmal hast du zu mir gesagt, du hättest das Gefühl, daß ich immer dann sage, daß ich dich liebe, wenn ich es gerade nicht tue. Wie eine Beschwörung.

Keine Nachricht von Kleinschmidt. Ich machte mich auf die Suche nach Buddha, ich wollte ihm in sein beruhigend unbewegtes Gesicht sehen und von ihm hören, daß Ehen eben zuende gehen. Ich wanderte die lange, lange Aoyama-dori hinauf von Akasake-mitsuke bis zur Omote-sando, und statt Buddha fand ich dort ein wunderschönes Kleid von Issey Miyake, das mich getröstet hätte, wenn ich es mir hätte leisten können. Ein Wunderbaum für jedes Taxi Tokios, so wie inzwischen jedes Berliner Taxi einen hat und uns damit unser Leben finanziert. Wie peinlich dir das ist. Aber glaubst du, ich hätte je gedacht, daß ich mal stinkende kleine Duftspender in der Form von Weihnachtsbäumen verkloppen muß? Genausowenig, wie ich geglaubt hätte, daß du tatsächlich eine Glatze bekommen würdest und ich Falten am Hintern. Oder daß du lieber vorm Fernseher sitzen würdest, als mit mir ins Bett zu gehen. Alles verändert sich.

Buddha habe ich nicht gefunden, auch nicht in Asakusa, wohin ich mit der U-Bahn fuhr. Meine Haltestelle sang ich vor mich hin, um sie nicht zu vergessen. Akasake – mitsuke – akasake – mitsuke – akasake – mitsuke. Menschenmassen zogen mich durch eine von Buden gesäumte Gasse zu einem riesigen Tempel mit rotem Tor, und wie alle anderen blieb ich vor einem großen Kessel mit Weihrauch stehen und rieb mir den Rauch über den Kopf und über die Arme, als würde ich mich mit ihm waschen, und klatschte in die Hände und warf Geld in die große hölzerne Truhe und betete, daß wir zusammen alt werden mögen und schön dabei aussehen und Ralph-Lauren-Turnschuhe tragen. Ab und zu wenigstens. Ich mag alte Menschen in Turnschuhen.

Ich bekam Lust auf Obst und sah eine perfekte, smaragdgrüne kleine Wassermelone an einem Stand. Ich rechnete den Preis erst nach, als ich bereits bezahlt hatte. Sie hatte fünfzig Mark gekostet.

Fünfzig Mark, stell dir das vor!

Seit fast zwei Tagen hatte ich mit niemandem mehr richtig gesprochen, und deine und meine Stimme zusammen als Ton in der Luft fehlte mir.

In einem kleinen Restaurant aß ich eine Nudelsuppe, die

ich bekommen hatte, weil ich aus Versehen auf sie gezeigt hatte. Hier machte ich wenigstens alles richtig falsch, und weißt du was? Das ist ein besseres Gefühl, als alles nur halb falsch zu machen wie mit dir.

Meine Melone lag vor mir auf dem Tisch. Im Fernsehen kämpften zwei Sumo-Ringer. Ein kleines Kind, das in seinem Babykorb auf dem Tisch stand, und ich sahen zu. Wir verstanden beide kein Wort. Wir waren beide hilflos, wir brauchten andere, um uns die Welt um uns herum zu erklären.

Manchmal werde ich den Verdacht nicht los, daß wir alle leben wie die Fische und keine Ahnung haben, daß es eine Welt über Wasser gibt. Ich konnte mir noch nicht einmal eine Welt ohne dich vorstellen. Ich habe Angst, daß mein Mann mich verläßt, sagte ich zu dem Baby. Ich habe Angst, daß er nicht mehr da ist, wenn ich zurückkomme. Und daß es keine Gründe gibt. Weder für den Anfang unserer Liebe noch für ihr Ende.

Das Baby sah mich an und grinste.

Bei Sonnenuntergang schwebte ich in einem Lebkuchenhäuschen an einem Riesenrad über Tokio, meine Wassermelone auf den Knien. Ich weinte hoch oben über den Köpfen von zwölf Millionen Menschen und wollte trotzdem nicht, daß alles mit uns so weitergeht wie zuvor. Alles verändert sich eben nicht.

Aus einer Telefonzelle rief ich dich an und hörte wieder nur meine eigene Stimme. Da war ich plötzlich sicher. Das Ende war da. Ich liebte dich nicht mehr.

Zimmer 284, sagte ich ins Telefon. Nur zehn Minuten später klopfte es bereits. Er war klein, natürlich, aber nicht viel kleiner als du. Muskulös, braungebrannt, dichte, kurze, schwarze Haare wie ein Teppich. Er verbeugte sich, sah mich kaum an.

Ich hielt ihm die Tür auf. Er ging zum Tisch, auf dem die Melone lag, setzte sich auf das Kissen und streichelte die Melone. Er lächelte und schloß die Augen, während seine Hände über die Melone wanderten. Seine Augen waren wie schwarze geschwungene Pinselstriche. Er sah Buddha ziemlich ähnlich. Doch, ganz bestimmt.

Er sprach kein Wort. Auch später nicht.

Ich wußte noch nicht einmal, ob er es war. Sagen Sie: *I want to make rove to you.*

Ich befand mich unter Wasser, tief, tief unten, wo kaum noch Licht hinkommt. Mühelos bewegten wir uns aufeinander zu, neugierig und vorsichtig zugleich berührten wir uns wie etwas völlig Fremdes, von dem man keine Ahnung hat, was es ist, Mensch, Tier oder Pflanze. Deshalb war plötzlich alles möglich und geschah auch ganz wie von selbst. Wir tauchten immer tiefer, er führte mich, und ich schwamm hinterher, völlig sorglos und frei, ohne einen einzigen Gedanken, weiter und weiter, wo es eigentlich gar nicht mehr hätte weitergehen können, und als er mich dann tief, tief unten freiließ und ich wie ein Pfeil nach oben schoß, dorthin, wo es immer heller wurde über mir, da klingelte das Telefon und ich hielt den Hörer in der Hand, als ich aus dem Wasser ins Licht schnellte, und du schwiegst, und ich keuchte: Ich liebe dich. Ich liebe dich wirklich.

Ich dich auch, sagtest du, einmal halb um die Welt.

Anna 1572

Wir, und das bedeutet auch ich, wir besitzen: ein Stück von dem Schwamm, der Seine Lippen befeuchtet hat, eine Unze Erde von Seinem Grab, einen Splitter von dem Stein, auf dem Er gekniet hat, die Schnur, mit der Sein Gesicht nach Seinem Tod vermessen worden ist, etliche Stücke Weißbrot, die er mit Seinem Messer geschnitten hat, ein kleines Stück Himmelsbrot, das auf den Berg Sinai gefallen ist, eine Elle von Seinem Gürtel, den Ärmel eines Purpurkleids, das Herodes Ihn anziehen ließ, und drei Holzsplitter vom Kreuz, an dem Er gehangen hat.

Ich lese diese Liste mehrere Male jeden Tag. Ich kann schon fließend lesen und fast so gut schreiben. Ich habe es schneller gelernt als alle anderen, und bin sogar besser als die, die schon lesen und schreiben konnten, bevor sie ins Kloster kamen.

Ich war die Beste.

Bis zu dem Tag, als Alpais vor drei Monaten von ihrem Vater gebracht wurde und wir uns alle die Nase am Gitter der Pforte plattdrückten. Sie trug ein Kleid von rotem Scharlach mit weiß-blauem Seidenfutter, das bei jedem Schritt aufblitzte, ihr Vater einen Mantel mit einem Schachbrettmuster aus weißem Hermelin und schwarzem Zobel. Sie wirkte wie eine Dame, aber jetzt, in ihrem Habit ist Alpais klein und unscheinbar wie ein Spatz, und wenn sie uns von ihrem prunkvollen früheren Leben erzählt, dann kann ich sie mir in den Kleidern, in denen sie kam, schon gar nicht mehr vorstellen, als wäre es nicht mehr wahr, fast so, als hätte sie sich alles nur ausgedacht.

Allein wegen ihrer Geschichten ist Alpais sehr beliebt, selbst die Schwester Oberin, eine große, knochige Frau mit vorstehenden Zähnen, die es nicht mag, wenn geschwatzt wird, hört sie gern.

Unsere Tage sind so gleichmäßig wie die Holzperlen des Rosenkranzes. Um zwei Uhr nachts die Matutin, die Morgenfeier mit drei Psalmenlesungen samt Responsorium, Hymnus, Bibelvers, Evangelium und Bittgebet – am Sonntag dauert es länger –, bei Tagesanbruch die Lobgesänge, es folgen die kleinen Horen mit jeweils einem Vers, drei Psalmen, Lesung, Gesang und Schlußgebet, die Prim, die Terz, die Sext, die Non. Die Vesper dauert wieder länger mit vier Psalmen und Antiphonen, Lesung, Responsorium, Hymnus, Vers, Lobgesang, Evangelium, Bittgebet, Vaterunser und Schlußgebet. Dann die Komplet. Danach dürfen wir schlafen.

Die meisten von uns sind ständig müde, und wenn die Oberin eine Schwester beim Einnicken erwischt, dann stellt sie eine Laterne vor ihr auf, und die muß diese dann so lange mit sich herumtragen, bis sie eine andere schlafende Schwester findet.

Mir ist das bisher noch nie passiert. Ich bin es gewohnt, wenig zu schlafen und wenig zu essen.

Die anderen stürzen sich auf jede Mahlzeit, und abends beim Imbiß nach der Vesper habe ich gesehen, wie sie ganze Brotkanten in ihrem Habit verschwinden lassen. Sie können es nicht lassen. Immer wieder verfallen sie auch der Schwatzerei, weil sie sich die Zeichen nicht merken können.

Preßt man die Hände aneinander, so bedeutet das, daß man um Käse bittet, eine Schwimmbewegung ist das Zeichen für Fisch, wenn man sich mit der Hand an die Gurgel faßt, bedeutet es, man hätte gern noch ein wenig Essig für das Gemüse. Ich weiß sie alle auswendig, aber ich benutze die Zeichen nicht mehr, weil ich seit sechs Wochen nichts mehr esse.

Eines Morgens mußte ich, kaum hatte ich mir ein Stück Brot in den Mund gesteckt, entsetzlich würgen, ein scharfer Schmerz durchfuhr meinen Körper wie ein Speer, und danach brachte ich nichts mehr herunter. Seitdem lebe ich allein von Seinem Fleisch. Ich sehe die Hostie, und schon zittere ich nicht mehr vor Kälte, sondern vor freudiger Erwartung, und dann gleitet die Hostie meinen Schlund hinab, und Sein Leib ist in mir und füllt mich ganz aus.

Die Oberin sieht das nicht gern. Sie will mich nicht länger kommunizieren lassen, wenn ich nicht normal esse. Versuch nicht, anders zu sein als die anderen, ermahnt sie mich, und mein Beichtvater fragt mich, ob ich sicher sei, daß mein Fasten nicht langsamer Selbstmord und damit Werk des Teufels sei.

Nein, ich bin mir nicht sicher, und die Qualen, die mir diese Zweifel bereiten, sind schlimmer als alle körperliche Pein.

Aber wenn ich Seinen Leib nicht haben darf, dann ist mein Körper so leer wie ein Almosenbeutel am Morgen, ich habe das Gefühl zu verhungern, und ich muß unentwegt kauen, ich kaue Luft, mein Mund steht keinen Moment still, ich malme mit den Zähnen, ich schnappe mit den Lippen wie ein Fisch, tagelang, nächtelang, aber sie lassen mich nicht zu Ihm, bevor ich etwas esse.

Der Teufel erscheint mir eines Nachts, er kommt als nackter, schöner junger Mann, er sagt zu mir: Die Hostie ist nichts weiter als Mehl und Wasser, und das weißt du ganz genau.

Ich würde verhungern, wenn sie nur das wäre.

Ich bin nicht die einzige, die fastet. Alpais macht es mir nach. Sie hat seit Wochen nichts gegessen außer ein wenig rohes Gemüse und Salat. Aber sie darf kommunizieren, dabei habe ich genau gesehen, daß sie oft genug die Salatblätter nur ableckt und in ihrem Ärmel verschwinden läßt. Wenn sie von der Kommunion zurückkommt, sieht sie, die ansonsten kalkweiß ist und vor Kälte blau angelaufene Lippen hat, rosig und gesund aus.

Beweis uns, daß dich nicht der Teufel ernährt, sagt die Mutter Oberin zu mir, mach es wie Alpais, faste in Maßen.

Als ich neben Alpais in der Küche arbeiten muß, erzählt sie mir flüsternd, daß sie schon als Kind monatelang nichts habe essen können und in dieser Zeit kleine Knöchelchen, Haut und Gedärm ausgeschieden habe, was ihre Eltern in einer Vase aufgehoben hätten, weil es einen so wunderbar süßen Geruch verströmt habe. Aber dann habe ihre Tante anderen davon erzählt, und es sei daraufhin soviel Gerede entstanden, daß ihre Mutter schließlich die Vase samt Inhalt ins Feuer geworfen habe, und die Luft habe noch lang danach süß geduftet wie von tausend Rosen.

Jede Nacht hat Alpais den gleichen Traum. Sie sieht Maria auf einer Wiese, umgeben von Jungfrauen, und die Brüste der Frauen füllen sich mit Milch, die Milch strömt aus ihren geöffneten Kleidern und füllt den Himmel, und während Alpais noch in den Himmel schaut, bemerkt sie, wie ihre eigenen Brüste immer praller und praller werden, und da ist plötzlich Er und saugt an ihnen in Gestalt eines Lamms.

Bist du sicher, daß es nur ein Traum war? frage ich sie vorsichtig.

O ja, antwortet sie schnell, ganz bestimmt, für eine Vision bin ich viel zu unwürdig.

Die Oberin preist ihre Bescheidenheit und hält uns an, es ihr nachzutun.

Alpais wirkt auf die anderen mit ihren Geschichten wie ein wärmendes Feuer, alle suchen ihre Nähe und hängen an ihren Lippen, selbst die älteren Schwestern. Oft sehe ich Alpais in der Mitte eines Grüppchens stehen, ihre Hände flattern auf und ab, wahrscheinlich erzählt sie dann schon wieder von der Vase mit ihren Gedärmen oder von ihren jungfräulichen Brüsten voller Milch.

Ich halte mich von all dem fern, will nur allein sein, allein mit Ihm.

Ich würde ja essen, wenn ich nur könnte, wenn sie mir dafür erlauben würden, zu kommunizieren, aber meine Todsünde ist die Gier, sie sitzt mir in den Knochen wie das Mark.

Zur Strafe bekomme ich fürchterliche Schmerzen, wenn ich etwas esse, für mich ist Essen Selbstmord, und nicht Fasten.

Zum Beweis würge ich ein großes Stück Fisch herunter, direkt vor den Augen der Mutter Oberin, und wie ein Blitzschlag trifft es mich, drei Tage und Nächte winde ich mich und wimmere vor Schmerzen, mein Körper brennt wie Feuer, Schlangen verschlingen meine Gedärme.

Sie beobachten mich unaufhörlich , und als die Schmerzen nach drei Tagen immer noch nicht aufhören, erlauben sie mir, zu kommunizieren. Ich muß versprechen, mich zu sammeln und ruhig und konzentriert zu bleiben, wenn ich Seinen Leib empfange.

Aber was soll ich tun? Ich fange bereits an zu zittern, als ich das Tabernakel sehe. Ich weiß, daß ich die Hostie schnell hinunterschlucken muß, aber ich kann nicht. Ich schmecke Sein Fleisch, ich fange an zu beben, ich spüre, wie die Hostie langsam die Speiseröhre hinunterrutscht, aber einen winzigen Krümel behalte ich zwischen den Zähnen, in jedem noch so kleinen Teil ist Er. Ich will Ihn so lange spüren, wie ich nur kann. Meine Nase fängt an zu bluten, das Blut tropft mir auf die Lippen und rinnt über mein Kinn, ein Sturzbach von Blut. Ich schwanke wie eine Birke im Sturm, ich höre, wie Er zu mir sagt: Dein Mund schmeckt nach Rosen und dein Körper nach Veilchen, meine zuckersüße, honigsüße Liebe, du bist mein, und ich bin dein.

Ein langer schriller Schrei zerreißt die Luft. Mein Schrei.

Zur Strafe, weil ich mich habe gehenlassen, muß ich zu den Mahlzeiten vorm Refektorium auf den Knien verharren, die Stirn auf den Boden gepreßt, und alle Schwestern müssen über mich hinwegsteigen. Manche treten mir dabei absichtlich auf die Haare, auf die Finger, die dicke Bartolomea gibt mir mit dem Knie einen Stoß in die Rippen. Alpais dagegen streicht mir ganz kurz und verstohlen über den Nacken, während sie so tut, als sei sie aus dem Gleichgewicht geraten und müsse sich abstützen.

Während der ganzen Mahlzeit bleibe ich gebückt am Eingang knien, obwohl mir die Mutter Oberin gesagt hat, ich dürfe, wenn alle Schwestern im Refektorium sind und ich für meine Eitelkeit gebüßt habe, aufstehen und mich dazusetzen.

Ich höre sie schmatzen und schlürfen. Ich spüre ihre Gier wie Peitschenhiebe. Ich weiß, ich darf sie nicht dafür verachten, daß sie so sind, wie sie sind.

Ich bin allein. Ohne Ihn bin ich mutterseelenallein.

Mit der Zunge schreibe ich Seinen Namen auf den Steinboden.

Jetzt bin ich nur noch die Zweitbeste im Schreiben, nach Alpais. Sie hat sehr weiße, immer saubere Finger, sehr elegant hält sie ihren Griffel, nicht wie die meisten anderen, die ihn umklammern wie ein Messer und mit ihm die Tafel attackieren, daß es nur so quietscht und kreischt. Sie beißen sich fast die Zunge ab vor Anstrengung und fürchten jeden Tag aufs neue den strengen Unterricht von Schwester Augusta. Ich dagegen freue mich drauf. Ich möchte Seinen Namen immer schöner schreiben, immer wieder Seinen Namen, und solange ich ihn schreibe, bin ich glücklich. Wenn ich eingeteilt bin zur Gartenarbeit, schreibe ich Seinen Namen mit einem Zweig in den Staub, in der Küche lege ich ihn aus Zwiebeln, Möhren und

Lauch, in der Bäckerei schreibe ich ihn ins Mehl, sieht mir jemand über die Schulter, verwische ich ihn mit einer flüchtigen Handbewegung. Ich vermisse meine Zeit mit Ihm allein. Hier kann ich keine drei Schritte gehen, ohne daß ich jemandem begegne. Ich gewöhne mir an, in der wenigen Zeit, die bleibt zwischen Arbeit und Gebet, im Kreis herumzugehen, herum und herum, so schnell, daß ich nichts mehr höre, nichts mehr sehe und fühle, nur Ihn.

Die Oberin mag das nicht. Sie mag mich überhaupt nicht besonders. Sie schickt Alpais, sie soll mit mir sprechen.

Ich verstehe dich, sagt Alpais und legt mir ihre kleine Vogelkrallenhand auf den Arm, mein Leben zuvor hat mir in allem mißfallen, aber das Leben hier behagt mir auch manchmal nicht. Es ermüden mich so viele Versuchungen. Ich habe gedacht, hier würde ich Frieden und Ruhe finden, aber manchmal bin ich in größerer Angst, Not und Bedrängnis als draußen.

Ich sehe ihr in ihr Spatzengesicht und schweige.

Ich vermisse meine Eltern, sagt sie, meine Mutter. Meinen Vater. Besonders meinen Vater. Er ist der wunderbarste Mensch auf der Welt. Tränen rollen aus ihren braunen Knopfaugen. Ich vermisse es so schrecklich, daß ich meinen Kopf nicht an seine Brust legen kann, daß er mich in die Arme nimmt und wiegt, mir übers Haar fährt, mich in die Wangen kneift.

Ich bewege mich nicht. Ich sehe meinen eigenen Vater zum Greifen deutlich vor mir. Ich kann seinen scharfen Gerbergeruch riechen. Dieser Gestank, den ich mein ganzes Leben so verabscheut habe, jetzt sehnt sich mein

Herz nach ihm. Ich spüre meine Tränen salzig auf meinen Lippen. Plötzlich liegen wir uns in den Armen und heulen wie kleine Kinder.

In der Früh habe ich meinen Vater immer ganz allein für mich gehabt, schluchzt Alpais. Wir waren immer die ersten am Tisch. Seine Serviette habe ich jeden Tag neu gefaltet, als Schwan, Schiff oder Rose oder einmal als Fisch, das hat ihm besonders gut gefallen. Und was alles auf unserem Tisch stand! Weißbrot und Kirschen, Krebse und Aalpastete, Eierkäse mit Zimt und Mörselkuchen...

Oh, ja, Mörselkuchen, sage ich unter Tränen, der Lieblingskuchen von meinem Vater.

Von meinem auch, sagt Alpais. Wir richten uns auf und lächeln uns schüchtern an.

Mit sechsunddreißig Eiern, sage ich.

Zwei Quart Milch.

Zwei Löffel Rosenwasser, Zimt, Ingwer und Muskatblume.

Kein Ingwer, das wird zu scharf.

Du mußt mehr Zucker dazutun.

Auf keinen Fall Ingwer.

Doch Ingwer. Majoran, Ysop, Salbei...

Und Rosmarin. Wir müssen kichern. Alpais legt ihren Kopf auf meine Schulter.

Ich wundere mich über mich selbst, als ich sage: Alpais, ich erzähle es nur dir: Ich hatte eine Vision.

Sie richtet sich auf und starrt mich an. Wirklich? flüstert sie.

Ja, sage ich leise, vorgestern. Während der Matutin. Zögernd spreche ich weiter: Ich war umringt von wilden Tieren, von Löwen und Wildschweinen, die mir etwas antun wollten. Ich konnte den scharfen Gestank der Wildschweine riechen, so nah waren sie schon. Neben meinen Füßen krochen Skorpione, und ein Adler schwebte genau über meinem Kopf, er war drauf und dran, auf mich niederzufahren, da erschien ein junger, schöner Mann in einem kostbaren Gewand aus kleegrüner arabischer Seide, das hinten bis auf die Füße hinabreichte und vorne aber ausgeschnitten war, so daß man nicht nur das herrliche Pelzfutter sehen konnte, sondern auch das sehr kurze, schneeweiße Untergewand, das seine schlanken, wohlgeformten Beine in scharlachroten Strümpfen bis übers Knie freiließ. Seine Haare waren mit Goldfäden durchwirkt. Die Tiere zogen sich sofort von mir zurück und bildeten einen weiten Kreis um mich und den Mann. Er gab sich mir zu erkennen, dann sagte er, diese Tiere seien Dämonen, mit denen ich mein ganzes Leben zu kämpfen habe. Aber er ermutigte mich, stark zu sein, und er sagte, er werde immer wieder kommen, um mir Beistand zu leisten. Dann verschwand er.

Ich verstumme, Alpais drückt meine Hand, steht auf und geht, ohne noch ein einziges Wort zu verlieren.

Wenig später kommt die Oberin, nimmt mich am Arm und führt mich zu meinem Beichtvater Pater Ricordati. Alpais steht neben ihm.

Erzähl uns, was du Alpais erzählt hast, sagt die Oberin und lächelt. Sie legt mir ihre Hand in den Nacken und läßt sie dort liegen, bis ich fertig bin. Und ich erzähle, oh, wie gern ich es erzähle! Meine Zunge flattert in meinem Mund.

Alpais, ist das genau das, was Anna dir erzählt hat? wendet die Oberin sich an Alpais.

Ja, flüstert Alpais und sieht zu Boden.

Hast du dich gefürchtet, als der junge Mann dich angesprochen hat? fragt mich der Beichtvater.

Ich nicke. Und ist dieses Gefühl der Furcht geblieben, auch als die Vision vorüber war?

Pater Ricordati hat ›Vision‹ gesagt, er hat es wirklich gesagt! Ja, schon, aber auch ein Gefühl großen Glücks...

Und Furcht? fragt die Oberin, die immer noch hinter mir steht.

Ich nicke, zucke die Schultern, nicke wieder.

Warst du danach verwirrt? fragt Pater Ricordati.

Ja, sehr.

Waren deine Gedanken in Aufruhr?

Ich nicke wieder.

Du weißt, wie man teuflische von göttlichen Visionen unterscheiden kann? fragt mich der Pater Ricordati. Die Vision der heiligen Geister bringt keine heftige Erregung mit sich, keine Furcht, sondern sie kommt so sanft, daß sie augenblicklich die Seele mit Freude, Heiterkeit und Mut erfüllt. Das Eindringen von bösen Geistern ist dagegen mit Lärm, Getöse und Geheul verbunden, Furcht und Verwirrung. Versuche also, deine Visionen im Keim zu ersticken, und bitte Gott, dir statt dessen Qualen und Prüfungen zu senden, denn das scheint mir für dich der einzig sichere Weg zu sein, nicht vom Teufel getäuscht zu werden.

Hätte ich doch niemals Alpais davon erzählt!

Noch in derselben Nacht kommt Malatasca höchstpersönlich.

Er schleppt eine männliche Leiche in mein Zimmer und zwingt mich, mich auf sie zu legen. Ich erkenne unter mir die zerfallenen Gesichtszüge eines jungen Mannes, den ich in meiner Kindheit kannte. Er hieß Niccolo, ein schöner Mann mit goldenen Augen, aber jetzt sind seine Augen schwarze Höhlen und seine Wangen eingefallen. Zwischen seinen Zähnen kriechen die Würmer hervor. Ich schreie, wehre mich, tobe, aber Malatasca drückt mich nieder, und ich spüre, wie das Fleisch des toten Mannes unter mir nachgibt. Ich bin schon fast ohnmächtig vor Angst und Ekel, da sehe ich aus dem Augenwinkel, wie ein weißes Lamm im Zimmer steht, umgeben von goldenem Licht.

Es schlägt Malatasca augenblicklich in die Flucht, und meine Furcht weicht einem großen Glücksgefühl. Das Lamm leckt mir den Leichengeruch vom Körper, liebkost und tröstet mich und erfüllt mich mit dem Wunsch, besser zu sein als je zuvor.

Alpais steht vor meinem Bett.

Sie hat mich schreien hören und kam unverzüglich angelaufen.

Sie hat mich in meiner Pein gesehen, sie hat den fürchterlichen Leichengestank gerochen, sie hat gesehen, wie sich meine angstverzerrten Züge plötzlich entspannten und ich zu lächeln begann, außer mir vor Glück. Niemandem will ich von meinem neuerlichen Zustand erzählen, aber Alpais beschwört mich. Sie selbst sei doch Zeugin, jetzt müsse Pater Ricordati mir glauben.

Wißt ihr denn nicht, daß Frauen, besonders junge Mädchen des Teufels leichteste Beute sind? fragt uns Pater Ricordati. Du, Anna, du meinst, du seist ausgewählt für

Seine besondere Gnade, das ist ein Zeichen allergrößter Eitelkeit. Deine Eitelkeit macht dich zum ahnungslosen Werkzeug des Teufels. Von jetzt an gilt es, deine Eitelkeit zu bekämpfen wie den Teufel selbst.

Im Refektorium starren mich alle an. Nur Alpais nickt mir aufmunternd zu. Als Schwester Margareta meine Schüssel mit Suppe vor mich hinstellt wie jeden Tag, obwohl ich sie schon lange nicht mehr anrühre, schwimmt ein prallgefüllter Blutegel in ihr.

Und ehe ich mich versehe, bewegt sich mein Arm und greift zum Löffel und läßt ihn in die Suppe sinken, bis der ekelhafte Blutegel auf den Löffel zu liegen kommt, und mein Arm führt den Löffel zum Mund, meine Lippen öffnen sich, der Blutegel schlüpft auf meine Zunge, ich spüre, wie er sich windet und dann unendlich langsam meinen Hals hinunterrutscht.

Keine der sonst so gefräßigen Schwestern ißt, keine wendet den Blick von mir. Ich lege den Löffel zurück und wische mir den Mund ab.

Am nächsten Tag ist mein Essen mit Katzenkot bedeckt. Ich esse.

Am nächsten Tag finde ich ein Knäuel Haare in meinem Essen.

Am nächsten Tag den Kopf einer Kröte.

Am nächsten Tag eine halb zerfleischte, tote Maus.

Alles esse ich. Oder vielleicht nicht wirklich ich. Ich muß nämlich keinerlei Anstrengung unternehmen, um all diese Scheußlichkeiten in meinen Mund zu bringen, es geschieht fast ganz von selbst.

Mein Beichtvater trägt mir auf, eine seit langer Zeit

unbewohnte Zelle mit der Zunge abzulecken, und zwar im Stehen, da mir die Kontrolle über mein Fleisch offenbar zu leicht fällt.

Die Wände sind einfach, ich lecke den Kalk auf, die Spinnweben, Staub, nach kurzer Zeit fühle ich meine Zunge nicht mehr, ein Lappen, der nicht zu mir gehört, hängt aus meinem Gesicht. Die dicke Bartolomea ist die ganze Zeit bei mir, sie beobachtet mich mit strengem Blick, wie es ihr aufgetragen wurde, ihre kleine hölzerne Puppe wie immer an ihre breite Brust gedrückt. Sie soll vor drei Jahren eine Vision gehabt haben, in der ihr Maria ihr Kind zum Halten gab, und Bartholomea verliebte sich so sehr in das göttliche Kind, daß sie es nicht wieder hergeben wollte. Sie hielt es so fest umklammert, daß Maria es ihr schließlich aus den Armen reißen mußte. Bartolomea jammerte von da an Tag und Nacht, verlor fast den Verstand vor Kummer, bis man ihr ein hölzernes Püppchen gab, für das sie nun sorgt wie eine Mutter.

Ich lecke alle vier Wände ab, und dann mache ich mich an den Boden. Bartolomea paßt auf, daß ich mich nicht hinknie, die Beine nicht beuge. Ich lasse meinen Körper nach vorn fallen, meine Fingerspitzen berühren den kalten Boden, nach einer Weile kann ich die Handflächen neben meine Füße legen, aber es fehlt noch viel, bevor meine Zunge den Boden erreicht. Es vergeht lange Zeit, bevor mein Rücken nachgibt und meine Zungenspitze endlich, endlich ein Krümchen Staub auflecken kann. Als ich mit dem Boden fertig bin, kann ich mich nicht mehr aufrichten. Auf allen vieren krieche ich wie ein Hund neben Bartolomea her zur Oberin.

Sie hat sogar die Spinnen runtergeschluckt, Ohrenkneifer, einen Hirschkäfer und unzählige Spinnweben, meldet Bartolomea.

Kind, sagt die Mutter Oberin streng zu mir, du mußt lernen, zwischen einem Befehl, der dazu dient, dich Gott näherzubringen, und einem Befehl, der diesen Sinn nicht erfüllt, zu unterscheiden. Deine Willigkeit, mit der du dich erniedrigst, ist eine besondere Art der Eitelkeit, verstehst du das nicht?

Ich kann den Kopf nicht heben, um sie anzusehen, ich kann nicht sprechen, weil meine Zunge mir nicht mehr gehorcht, wortlos, bewegungslos kauere ich zu ihren Füßen, sie tragen mich schließlich ins Bett.

In der Nacht verspüre ich starke Schmerzen, am nächsten Tag kann ich mein Bett nicht verlassen. Ich bin wie gelähmt.

Es werden Ärzte gerufen, die mich drehen und wenden wie ein Stück Vieh, aber sie finden die Ursache meiner Lähmung nicht.

Ich bin allein. Ich kann nicht zu Ihm, und Er kommt nicht mehr zu mir. In der Nacht aber kommen schöne junge Männer und verfolgen mich, sie wollen mich töten. Sie schlagen mich mit Eisenketten, Schwertern und Stöcken.

Ihr Anführer sieht aus wie Niccolo, er ist der Schönste von allen, er sporrnt die anderen an, mich zu schlagen, und dann, wenn ich vor Schmerzen wimmere, nähert er sich mir mit zärtlichen Worten, er streicht mir mit seinen Händen über den Leib und bittet mich, seine Braut zu sein. Ich will ihn nicht ansehen, aber er nimmt mein Gesicht und zeigt mir einen Ring, er will ihn mir auf den Finger stecken, ich wehre mich und schreie. Da wird er böse und versucht, ihn mir mit Gewalt aufzudrängen, seine Sanftheit wird zu Zorn, sein schönes Gesicht zur Fratze, und er schlägt mit einer Grausamkeit auf mich ein wie zuvor keiner seiner Männer.

Jede Nacht kommt Niccolo von nun an und schlägt mich grün und blau, und obwohl ich niemanden wecken will, kann ich nicht verhindern, daß ich laut schreie vor Schmerzen, bis jemand gelaufen kommt. Ich weiß, ich verdiene keine Hilfe, aber nach sechs Wochen befiehlt die Mutter Oberin, daß Alpais zu mir zieht. Sie soll mir im Kampf gegen den Teufel beistehen.

Sie hat sich freiwillig gemeldet. Ich weiß nicht, warum.

Alpais ist seit ein paar Tagen bei mir, da kommt mir am zweiten Freitag in der Passionszeit zwischen der zweiten und dritten Stunde in der Nacht, kurz bevor Niccolo auftauchen wird, um mich zu schlagen, der Gedanke, daß, wenn ich all die Qualen, die Er erlitten hat, erleide, die anderen Qualen aufhören würden, und während ich das noch denke, höre ich klar und deutlich eine Männerstimme, die mich fragt, ob ich wirklich dazu bereit sei.

Ja, rufe ich, ja!

Und die Stimme befiehlt mir, mit meinem Körper ein Kreuz zu bilden. Ich lege meine Füße übereinander und breite die Arme aus, in dem gleichen Augenblick brechen aus den fünf Stellen Seiner Wunden an meinem eigenen Körper helle Blitze aus, und auf meinem Kopf tanzen Strahlen aus Licht. Obwohl die Schmerzen schrecklich sind, ist mein Herz mit einem Mal von großer Zufriedenheit erfüllt und ganz ruhig.

Alpais rennt aus der Zelle und holt die Mutter Oberin und die Äbtissin. Sie stehen an meinem Bett. Die Schmerzen meiner fünf Wunden sind so hell und strahlend wie Feuer, und ich habe den Eindruck, es sei inzwischen Tag, aber es muß mitten in der Nacht sein, denn sie alle tragen Nachthemden. Die Äbtissin beugt sich über mich.

Noch nie zuvor habe ich sie aus der Nähe gesehen. Sie hat ein weiches, rundes Gesicht, eine Haut so zart wie die eines Kindes. Sie nimmt meine Hand in ihre. Sie fühlt sich an wie ein kleines, weiches Kissen. Mit dem Finger umfährt sie vorsichtig die rosettenartigen Wunden auf meinem Handrücken. Sie sieht mich lange an, dann richtet sie sich langsam auf, dreht sich zur Oberin um und nickt.

»Ja«, flüstert sie, »ja, ganz eindeutig. Die Zeichen des Herrn.« Und sie beginnt zu lächeln. Dann lächelt die Oberin und dann Alpais, und schließlich lächle auch ich.

Juno im Lalaland

Die berühmten neun weißen Buchstaben auf dem grünen Hügel sahen seltsam klein und bedeutungslos aus. Auch du, auch du in Hollywood! dachte Juno stolz.

Sie fuhren durch leere, in der Hitze vor sich hinglühende Straßen, ein paar Autos glitten geräuschlos an ihnen vorbei, Rasensprenger zischten einsam vor sich hin. Wortlos lud der Taxifahrer Juno vor der Einfahrt des Chateau Marmont ab, wortlos gab ihr ein junger Mann ihren Schlüssel zu einem düsteren Zimmer mit dunkelbraunen Möbeln, einem grünen Teppichboden und einer traurigen, kleinen Küche. Ein Selbstmörderzimmer. Ein eisiger Wind wehte durch das Zimmer, und die Klimaanlage ließ sich nicht ausschalten.

Sie schleppte ihre Koffer zurück zur Rezeption. Das Hotel sei auf Monate im voraus ausgebucht, er könne ihr kein anderes Zimmer geben, und wegen der Klimaanlage könne er auch nichts machen, das Hotel sei verkauft worden und würde bald renoviert, erklärte der junge Mann gelangweilt, ohne Juno auch nur anzusehen. Während er noch sprach, drängte sich eine kleine, drahtige Frau mit schlechtgefärbten, weißblonden Haaren in T-shirt und Jogginghosen an Juno vorbei. Sie herrschte den Mann an, er habe ihre Telefonanrufe nicht sorgfältig notiert. Der junge Mann wurde puterrot und zwirbelte verlegen seine fettigen langen Haare.

Sie Riesennull! Wenn Sie noch nicht mal eine verdammte Telefonnummer auf einen rosa Zettel kritzeln können, dann haben Sie in Hollywood nichts verloren! Wutentbrannt nahm die junge Frau einen Stapel rosa Nachrichtenzettel von der Theke und warf sie in die Luft, drehte sich auf dem Absatz um und stürmte davon.

Das macht sie jeden Tag, seufzte der junge Mann und nahm langsam wieder seine normale Gesichtsfarbe an. Er kam hinter der Rezeption hervor und sammelte die Zettel vom Boden auf. Knieend sah er zu Juno auf. Man darf es ihr nicht übelnehmen, sagte er, es ruft sie seit Wochen niemand an. Sie fühlt sich einfach ungeliebt.

Juno ging zurück in ihr dunkles, kaltes Zimmer und starrte ihr Telefon an. Sie hatte aus Deutschland über fünfzehn Drehbuchautoren angeschrieben und angefragt, ob sie Lust hätten, für gutes Geld eine Fernsehseifenoper für ein kleines Land zu schreiben, in dem man Peanutbutter, Jelly Beans und Marshmellows nur in Feinkostläden bekommt, T-Shirts und Baseballmützen mit unsinnigen englischen Aufdrucken trägt und im Sommer offene Jeeps fährt und so tut, als ob man in Los Angeles lebe.

Niemand meldete sich. Nach zwei Tagen Warterei in ihrem eisigen Zimmer legte sie sich an den Swimmingpool. Sie war allein unter blassen Männern mit Drehbüchern oder der New York Times in der Hand und teuren Sonnenbrillen auf den Nasen. Sie lümmelten in gelben Liegestühlen und schlürften Eistee aus riesigen Gläsern. Juno zog den Bauch ein und traute sich nicht ins Wasser.

Direkt neben dem türkis glitzernden Swimmingpool hing ein weißes Telefon an einer Backsteinwand, das ab und an leise und verloren vor sich hinklingelte. Alle Männer spitzten sofort die Ohren, sahen von einem zum andern, ohne daß irgend jemand sich bemühte aufzustehen. Jedes Mal wieder glaubte Juno, es könnte für sie sein. Sie band sich ein Handtuch um den Bauch, um ihre nicht mehr ganz straffen Oberschenkel zu verdecken, und ging so aufrecht wie möglich den langen Weg um den Pool herum. Hello, sagte sie so selbstbewußt wie möglich in den weißen Hörer.

Sekretärinnen verlangten nach kompliziert klingenden Namen, die sie mehrmals wiederholen mußten, laut rief Juno dann nach Mr. Shigihara, Mr. McTyre, Mr. Maciuga quer über den Pool. Wie eine kleine Telefonistin stand sie da, in ihrem neuen rosa Badeanzug und wartete, bis einer der Herren sich endlich zu erkennen gab und auf sie zukam, ihr das Telefon aus der Hand nahm und danke murmelte.

Der Weg zurück vom Telefon zu ihrem Liegestuhl war ein Gang der Niederlage. Niemand rief sie an. Etwas Schlimmeres konnte einem in Hollywood kaum passieren.

Am fünften Tag hielt sie es nicht mehr aus, und in ihrem roten gemieteten vw-Cabrio, der einen erheblichen Aufpreis gekostet hatte, aber etwas hermachen würde, wenn sie doch irgendwann einen Autoren treffen sollte, fuhr sie ziellos die Straßen von Los Angeles ab und sah den Menschen in ihren Autos beim Telefonieren zu. An einer großen Reklametafel auf dem Santa Monica Boulevard, die die Rauchertoten Amerikas pro Minute zählte, wendete sie und fuhr zurück.

Sie setzte sich in ein Straßenrestaurant auf dem Sunset Boulevard, an dem die Autos träge vorbeirauschten wie Fische in einem großen, nie abreißenden Strom. Die Autofahrer verrenkten sich die Köpfe nach der Handvoll Menschen, die dort in der Betonwüste auf weißen Kunststoffstühlen saßen und italienische Vorspeisen aßen.

Eine erschreckend dünne Kellnerin mit streichholzdünnen Beinen in riesigen Turnschuhen kam an Junos Tisch getänzelt und sagte die Tageskarte auf wie ein Gedicht. Sie machte verschiedene, einstudierte Handbewegungen, je nachdem ob ein Gericht gebraten, gegrillt oder pochiert war, legte eine Kunstpause ein vor den Desserts und zählte sie dann mit einer weicheren, süßeren Stimme auf.

Fasziniert starrte Juno sie an, hatte aber am Ende kein einziges der aufgezählten Gerichte behalten und mußte sie bitten, das Ganze noch einmal aufzusagen. Die Kellnerin sah Juno einen kurzen Moment zweifelnd an, dann stürzte sie sich mit Verve in die Wiederholung.

Juno merkte sich gleich das erste Gericht, Penne al pesto, und lauschte dann lächelnd, bis sie wieder bei der Erdbeermousse angelangt war, aber bevor Juno noch bestellen konnte, fügte die Kellnerin blitzschnell hinzu: drei Jahre Schauspielausbildung an der University of the Pacific, zwei Seminare bei Lee Strasberg, Workshops mit Claire Vanderbilt, Enrico Androtti, ich kann reiten, fechten, singen und habe Erfahrung mit Fernsehwerbung. Sie verstummte und sah Juno abwartend an.

Penne al pesto, sagte Juno freundlich nickend.

Die Kellnerin wirkte enttäuscht. Und was möchten Sie trinken?

Ein Mineralwasser, sagte Juno. Worauf die Kellnerin etwa fünfzehn verschiedene Sorten aufzählte, die Juno alle nicht kannte. Perrier, sagte sie versuchsweise.

Sorry, Perrier führen wir leider nicht. Die Kellnerin sah sie erschöpft an, und Juno erkannte in ihren Augen ihre Anstrengung, ihren Ehrgeiz, all ihre großen Träume, die sie schwächten und auszehrten wie ein ständiges Fieber. Aber Sie sind doch Produzentin? fragte die Kellnerin, und ihre Stimme klang jetzt bitter.

Woher wissen Sie das?

Sie tragen Prada-Schuhe.

Ach so, sagte Juno. Sie schwiegen. Juno fiel auf, daß sich ihre Brustkörbe in demselben Rhythmus hoben und senkten. Es tut mir leid, sagte Juno leise. Einen Kaffee, bitte.

Cappuccino mit Zimt oder Kakao, Caffè latte, caffè macchiato, espresso, doppio espresso, amerikanischer Kaffee, alles auch entkoffeiniert, schnurrte die Kellnerin tonlos herunter und sah Juno jetzt nicht mehr an.

Frierend wanderte Juno mit der Bettdecke über den Schultern in ihrem Zimmer auf und ab. In der kleinen Küche ihres Hotelzimmers starrte sie den mit Frischhaltefolie verpackten Fruchtsalat im blauen Licht des Kühlschranks an, sie starrte in den Fernseher, sie starrte aus dem Fenster auf ein Stückchen harten, giftgrünen Rasen in zitronengelbem Licht, auf die Reklametafel einer Klinik für plastische Chirurgie hoch über der Straße: WERDEN SIE NOCH HEUTE EIN ANDERER MENSCH.

Sie war einsam und sehnte sich nach ihrem Mann Paul. Als sie die Augen wieder aufschlug, fegte der kalte Wind die Klimaanlage Pauls rosa Telefonnachrichten wie große Blütenblätter durchs Zimmer. Sorgfältig hatte der dünne Junge an der Rezeption immer wieder notiert: *Your husband called*.

Sonst niemand.

Immer war es die falsche Zeit, um Paul zurückzurufen, entweder war er schon im Rundfunk, oder er schlief noch auf der anderen Seite des Globus. Sie hatte ihn auf seltsame Art verloren. Es war ein wenig, wie nachts aufzuwachen und sich mutterseelenallein zu fühlen, während Pauls Körper bewegungslos neben ihr im Bett lag und er in seinen Träumen lebte.

Am Abend fuhr sie mit tausend anderen im Schneckentempo den Hollywood Boulevard auf und ab. Es wurde gewinkt und gehupt, manche hielten ihre Telefonnummer an die Scheibe. Ein älterer Mann mit Glatze winkte ihr zu. Sie tat so, als habe sie ihn nicht gesehen.

In der Nacht wickelte sie sich schlotternd vor Kälte in die dünne, hellblaue Polyesterdecke und bekam Angst vor dem Rest ihres Lebens. Der Gang über die schwingenden Metallböden in die Redaktion, Morgen für Morgen, die nächsten fünfundzwanzig Jahre lang, die abgestandene Luft in ihrem Büro, ein immer schlechter werdendes Fernsehprogramm, ihre eifersüchtige Sekretärin Lisbeth, immer jünger und frecher werdende Regisseure – oder noch schlimmer Regisseurinnen –, irgendwann die Wechseljahre, immer teurere Kleider, grüner Tee statt Kaffee, eine Hüftoperation, ein Hund als Trost, Paul wird immer depressiver, ihre Abschiedsfeier von der Redaktion, einmal noch sieht sie Italien, ihr Tod, Beerdigung an einem trüben, regnerischen Tag, Paul hat den falschen Anzug an.

Sie schob ihre Hand zwischen ihre Schenkel, um sich auf andere Gedanken zu bringen, aber das war ungefähr so aufregend wie das Fernsehprogramm ihres Senders um 19.30, die Einleitung war zäh und umständlich, der Höhepunkt vorhersehbar und halbherzig inszeniert, das ganze eine lahme Variation einer allzu bekannten Handlung. Enttäuscht und gelangweilt schlief sie darüber ein.

Mitten in der Nacht rief Paul Snyder an. Verwirrt stotterte sie seinen Namen. Paul Snyder. Paul mit einem langgezogenen o, ihr kam es vor, als telefoniere sie mit ihrem Mann und mache sich einen Spaß daraus, seinen Namen anders auszusprechen.

Habe ich Sie geweckt?

Nein, nein, überhaupt nicht.

Ich kann auch morgen wieder anrufen.

Nein, rief sie, warten Sie!

Paul Snyder stand ganz oben auf ihrer Liste, er hatte Kinofilme geschrieben und Fernsehserien, die sogar sie gern gesehen hatte – und das wollte etwas heißen, denn wie fast alle, die beim Fernsehen arbeiten, sah sie nicht gern fern.

Wir können Ihnen vielleicht nicht so viel zahlen, wie Sie gewohnt sind, sagte sie schnell, dafür garantieren wir Ihnen künstlerische Freiheit.

Das wiegt einiges auf, lachte er, denn das gibt es hier so

selten wie 'ne Kellnerin, die wirklich nur Kellnerin ist und keine Schauspielerin.

Sein Lachen klang kehlig und sexy, es schwebte aus dem Hörer durch ihr grünes Zimmer. Juno streckte sich und legte ihren Schenkel auf die Decke, der in dem gelben Licht der Nachttischlampe sogar ziemlich gut aussah.

Das habe ich auch schon festgestellt, sagte sie, ein Straßenköter hat mir erzählt, er habe einen Jagdhund bei John Huston gespielt.

Sie haben's schnell begriffen.

Oh, ich weiß nicht, ich bin ja erst ein paar Tage hier, eigentlich ist alles so, wie ich es mir immer vorgestellt habe. Nur ein bißchen schlimmer.

Das bleibt so, sagte er, am Ende ist hier alles noch ein bißchen schlimmer, als man gedacht hat.

Er lachte weich in ihr Ohr.

So wie überhaupt im Leben, sagte sie.

Ach, seufzte er, wie erholsam, mit einer pessimistischen Europäerin zu reden. Sie mögen wahrscheinlich auch am liebsten Geschichten über Selbstmörder und Männer im Hotel, die auf dem Bett liegen und rauchen und sonst gar nichts tun.

O ja! Jetzt lachte Juno, und sie bemühte sich, nicht zu schrill zu klingen, sondern süß und dunkel wie geschmolzene Schokolade. Die mag ich besonders gern. Männer, die in Jeans und Cowboystiefeln rauchend auf einem Doppelbett liegen, mit nichts als ihrem Hut neben sich auf dem Kopfkissen...

Und rot blinkt die Neonreklame durch die regennassen Scheiben... sagte er.

Oh, nein, widersprach sie streng, das haben wir zu oft gesehen, die lassen wir weg.

Ganz wie Sie wollen, Frau Produzentin.

Ganz wie ich will? wiederholte sie und war selbst erstaunt, wie anzüglich diese drei Wörter aus ihrem Mund klangen. Sie kam sich vor wie eine Figur in einer Seifenoper, eine nicht mehr ganz junge Frau in einem weißen Seidennégligé auf einem Bett im blauen Mondlicht an einem weißen Telefon. Sie schloß die Augen, und es war keine Seifenoper mehr, sondern ein Schwarzweißfilm mit Rita Hayworth, die es verstand, sich so in ihrem weißen Négligé zu räkeln, daß der Stoff sich laut seufzend vor Begierde um ihren Körper schmiegte.

Ich traue Ihnen mehr Geschmack zu als den Idioten hier, sagte Paul.

Ohne mich zu kennen? Juno lächelte mit geschlossenen Augen.

Paul seufzte. In dieser verfluchten Stadt müssen auch Geschichten über Selbstmörder ein glückliches Ende haben. Hier erzählen sie dir, wie brillant du bist, wie talentiert, wie genial, am Ende reißen sie dir das Herz aus der Brust, und dann sitzt du da an deinem Swimmingpool und leckst dir deine Wunden. Wenn Sie aus dem Flugzeug sehen, sehen Sie überall an den kleinen blauen Pfützen Menschen mit gebrochenem Herzen sitzen. Und wenn Sie sie fragen würden, wie es ihnen geht, würden sie alle sagen, prima, ganz prima, ich habe da ein ganz tolles Projekt, und Mr. Jerk von den Impossible Studios will es unbedingt haben. Er machte eine Pause. Willkommen im Lalaland, sagte er dann, ich freue mich auf Sie. Wie heißen Sie eigentlich mit Vornamen?

Juno. Auf englisch June.

Wie Henry Millers June?

Sie machte eine kleine Pause. Wenn Sie wollen, wie Millers June.

June in Lalaland in May, sagte er. Er fing an zu singen: *June in Lalaland in May...*

Was macht June im Lalaland im Mai? fragte Juno.

Ich weiß nicht. Er machte eine Pause. Erzählen Sie mir was von sich.

Oh, ich bin Fernsehredakteurin beim Zweiten Deutschen Fernsehen und...

Das weiß ich, sagte er ungeduldig, das steht ja alles in Ihrem Fax. Ich will wissen, *wie* Sie sind.

Ich weiß nicht, wie ich bin.

Erzählen Sie mir was aus Ihrer Kindheit, befahl er.

Mir fällt nichts ein.

Ach, kommen Sie, sagte er leise, das glaube ich Ihnen nicht.

Juno ließ zu, daß seine Stimme tief in ihren Körper drang. Sie drehte sich auf den Bauch.

Am besten etwas, was Sie noch keinem anderen erzählt haben.

Jetzt gehen Sie aber ein bißchen weit, finden Sie nicht?

Nein.

Mir fällt wirklich nichts ein.

Fangen Sie mit einem Geruch an.

Heu.

Gut. Wo war das Heu?

In der Scheune meines Großvaters. Mit meiner Kusine zusammen war ich dort in den Sommerferien. Sie hatte immer Geld in der Tasche, und niemand wußte woher. Einmal überraschte ich sie in der Scheune, und dort sah ich sie mit den Jungen aus der Nachbarschaft. Sie war vollkommen nackt und weiß wie der Mond, die Jungen standen in einem Kreis um sie herum und starrten sie an.

Das war's? fragte er.

Ja, das war's.

Hm, sagte er, jetzt weiß ich was über Ihre Kusine, aber nichts über Sie.

Ich hab's auch gemacht, kicherte Juno.

Was haben Sie gemacht? fragte er.

Juno holte Luft. Ich habe mich ausgezogen und mich dafür bezahlen lassen.

Wie hat sich das für Sie angefühlt?

Jetzt klingen Sie wie ein verdammter Psychotherapeut.

Oh, Entschuldigung.

Sie lachten beide, ihr Lachen verband sich zu einer gemeinsamen Schwingung im Telefonhörer, die schließlich verebbte.

Als das Schweigen länger wurde, fürchtete Juno, Paul könne die Unterhaltung beenden und ihr seine wunderbare, tiefe Stimme einfach wieder wegnehmen, diese Stimme, der sie mittlerweile fast alles zu erzählen bereit war, selbst Dinge, die sie selbst noch gar nicht wußte.

Sind Sie noch da? sagte sie hastig.

Klar. Ich warte.

Worauf?

Auf mehr.

Wie wär's mit etwas von Ihnen? Das wäre nur fair.

Na gut, sagte er gedehnt, aber nur, weil Sie aus Europa

sind. Juno drehte sich auf die Seite, legte den Hörer dicht neben ihr Ohr auf das Kissen und schloß die Augen.

Ich bin sehr streng erzogen worden, begann er, sehr religiös, calvinistisch. Bei uns gab es keinen Fernseher, keine Bücher, kein Radio. Nichts, was den Geist hätte ablenken können. Kino war natürlich auch verboten. Mein Vater war Pfarrer, aber meine Mutter die wirkliche religiöse Eifererin. Das wurde selbst meinem Vater manchmal zuviel. An einem regnerischen Nachmittag, an dem ich allein zu Hause war, begann ich das Schlafzimmer meiner Eltern zu durchsuchen. Ich war nicht auf der Suche nach etwas Bestimmtem, weil ich gar nicht wußte, was ich suchte. Freunde mit Büchern zu Hause haben mir erzählt, daß sie an solchen Nachmittagen die Vierfarbendrucke vom Körperbau des Menschen im Lexikon angesehen haben, kennen Sie diese Stimmung?

Ja, sagte Juno leise und erinnerte sich an den grünen Brockhaus, ganz weit oben im Regal, mit der Abbildung eines Mannes und einer Frau, die man bis auf die Knochen sezieren konnte, indem man eine Zellophanseite nach der anderen abhob. Erst die Haut, dann die Muskeln, die Organe, bis nur noch das Skelett zu sehen war.

Ich setzte mich auf das Bett meiner Mutter, fuhr Paul fort. Es roch nach ihr. Dann setzte ich mich auf das Bett meines Vaters, es roch nach ihm. Sein Geruch war mir lange nicht so angenehm wie der meiner Mutter, nicht weil er schlecht gewesen wäre. Der Geruch meines Vaters war geheimnisvoller, auf eine seltsame Weise verboten. – Ich habe meinen Vater mein ganzes Leben lang kein einziges Mal nackt gesehen. In seiner Nachttischschublade fand ich nur die Bibel und ein paar Hustendrops. In ihrer Schublade lagen Taschentücher, Haarnadeln, ein Schnuller meines jüngsten Bruders, Krimskrams. Ich legte mich in das Bett meiner Mutter und ließ den Arm herunterhängen. Mit den Fingern fuhr ich am Rand der Matratze entlang, und plötzlich fühlte ich einen schmalen Spalt. – Paul machte eine Pause.

Weiter, bat Juno wie ein kleines Kind, weiter.

Er stieß die Luft aus, als lache er. Unter der Matratze meiner Mutter fand ich ein Comic-Heft. Ein Mickymaus-Heft. Ich kannte natürlich Comic-Hefte, in der Schule lasen wir sie dauernd, das konnten meine Eltern gar nicht verhindern. Ich fand sie gar nicht besonders aufregend, die Geschichten langweilten mich. Dieses Heft las ich gar nicht, ich legte es zurück unter die Matratze, aber ich legte es mit Absicht an eine andere Stelle, so daß meine Mutter merken mußte, daß ich ihr Geheimnis entdeckt hatte. Gleichzeitig wußte ich, daß sie es nicht erwähnen konnte. Aber plötzlich hatte ich Macht über meine strenge Mutter. Immer wenn sie mich von da an ausschimpfte, mich ohrfeigte, mich gefügig machen wollte, dachte ich an das Comic-Heft unter ihrer Matratze, und ich wußte: *Sie* tat es auch.

Er verstummte. Juno hörte ihn atmen. Wo sind Sie gerade? fragte sie ihn.

Ich sitze an meinem Küchentisch und male Kringel mit verschüttetem Bier auf die Tischplatte, sagte er, und Sie?

Juno drehte sich im Bett auf den Rücken. Ich sitze auf einem grünen Sofa in einem dunklen, kalten Zimmer, log sie.

Ich hole sie morgen um drei Uhr ab, sagte er und legte abrupt auf.

Sie duschte und cremte sich ein, parfümierte sich; auch zwischen den Beinen, was sie niemals zuvor getan hatte, eine blöde Idee, es biß so sehr, daß sie sich sofort noch einmal waschen mußte.

Sie zog Seidenstrümpfe an, weil sie nicht zu salopp wirken wollte, legte ihre Perlenkette um, die sie sich selbst gekauft hatte, holte ihr weißes Kostüm aus dem Schrank. Als sie sich umdrehte, sah sie ihr Spiegelbild, eine Frau mit akzeptabler Figur in Unterwäsche, mit Seidenstrümpfen und Perlenkette, und es war ihr einen kurzen Moment lang sonnenklar, daß sie vorhatte, sich so Snyder zu zeigen.

Als sie jedoch ihr Kostüm angezogen und ein Tuch kunstvoll um ihre Haare geschlungen hatte, war nichts mehr von dieser Absicht zu entdecken, sie wirkte durch und durch seriös, und ein Schimmer von Macht und Kompetenz umgab sie jetzt wie ein teures Parfüm. Dieser Schimmer ließ sie lächeln, es war so schwer, ihn zu erlangen. Sie wußte, daß er sie zu einem Bewohner dieser Stadt machte, nur er. Kein Paß, keine Green Card, nur er. Alle Einsamkeit war vergessen.

Als Snyder von der Lobby aus anrief, klopfte ihr Herz keine Spur schneller, darauf war sie stolz. Ich komme gleich runter, sagte sie, und saß dann minutenlang bewegungslos auf der Couch in ihrem Zimmer, fror und ließ ihn warten.

Er stand breitbeinig mitten in der Hotelhalle wie ein Berg, fett und weißhäutig, in ausgebeulten Jeans, kariertem

Hemd, schwarzer Vollbart und Nickelbrille, kaum noch Haare auf dem Kopf. Sein Alter war schwer zu schätzen, um die fünfundvierzig.

Sie zwang ein Lächeln auf ihre Lippen. Er gab ihr eine verschwitzte, fleischige Hand und führte sie zu einem staubigen Pick-up-Truck, über dessen Windschutzscheibe große Scheinwerfer montiert waren. Ein Stahlnetz bedeckte die offene Ladefläche.

Sie stieg in sein Auto, er fuhr los, sagte ihr nicht, wohin. Ohne Umschweife fragte er sie nach der äußeren Rahmenhandlung der Serie, der Länge der einzelnen Episoden, dem Alter der Zielgruppe, und dann legte er los. Er redete ohne Punkt und Komma, improvisierte wie in einer endlosen Rapnummer die Lebensläufe der Hauptfiguren, die Plots, die Konflikte, die Nebenhandlungen. Er redete von jungen, schönen Männern, die an ihren Handies kleben, Saab-Cabrios fahren und zu Gaultier-Modenschauen gehen, von blutjungen Mädchen in weißen Kostümen von Chanel, die kichernd in Kirschbäumen sitzen und ihrem Liebsten vor die Füße springen und Waffen in ihren Handtaschen tragen...

In Deutschland gibt es ein sehr strenges Waffengesetz, fiel sie ihm ins Wort.

Das ist auch besser so für euch *Krauts*, lachte Snyder und riß den Mund dabei auf, ein rosa Loch im schwarzen Urwald seines Bartes. Sie tragen Kondome in ihren Handtaschen mit sich herum, besser?

Juno nickte und sah aus dem Fenster in einen nachtblauen Mercedes, in dem sie Julia Roberts hinter den getönten Scheiben zu erkennen glaubte.

Sie trinken Mineralwasser aus meerblauen Flaschen, fuhr Snyder fort, sie rühren keine Drogen mehr an und glauben, daß Jesus lebt und Brandon Lee und Kurt Cobain auch. Sie essen Ravioli aus der Dose, wenn sie sich mal so richtig proletarisch fühlen wollen, sie träumen von Männern, die sie nicht nur wegen ihrer Schönheit lieben, sondern wegen ihrer kleinen hellblauen Seelen.

Er machte eine Pause und bog in den Cold Water Canyon ein. Und? Wie klingt das? fragte er schließlich fast schüchtern.

Wie Werbung, sagte sie. Den Zuschauern würde es wahrscheinlich gut gefallen und den Werbeanbietern auch, weil man Serie und Werbung gar nicht mehr auseinanderhalten kann.

Die Werbung wirbt für die Serie, und die Serie wirbt für die Werbung, grinste Snyder, ein unschlagbares Konzept.

O Gott, stöhnte sie, soll ich Ihnen was sagen?

Ja. Er sah sie ruhig an.

Ich finde es zum Kotzen.

Er lachte spöttisch. Gut so, sagte er, ich auch. War nur 'n Test.

Sie lächelte. Ich habe mal angefangen in dem Glauben, ich könnte wichtige, bewegende Fernsehfilme machen, in denen die Menschen sich wiederfinden, sagte sie und machte eine große, pathetische Geste.

Pah! sagte Snyder verächtlich. Alles ist Werbung.

Nein!

Doch.

Nein. Daran will und kann ich mich nicht gewöhnen!

Tun Sie's besser. Tun Sie es schnell, sonst... Er brach ab.

Sonst?

Oh… sonst haben Sie ständig Schmerzen. Sie werden unzufrieden, meckern an allem herum und verderben den andern den Spaß. Er strich sich mit der Hand über die Glatze, dann wandte er sich ihr lächelnd zu: Glauben Sie mir, ich weiß, wovon ich rede.

Ich kenne Ihre alten Filme.

Er sah sie überrascht an. Wirklich?

Sie nickte. *Die Hölle* ist mein Lieblingsfilm.

Oh, das ehrt mich, sagte Snyder ehrlich überrascht. Könnte ich jetzt nie mehr durchbekommen, viel zu radikal.

Blutjunge Mädchen in weißen Chanel-Kostümchen mit hellblauen Seelen in der Brust, wiederholte Juno langsam. Woher wissen Sie so gut, was bei jungen Leuten ankommt?

Ich kann nicht schlafen, sagte er, ich kann schon seit Jahren nicht mehr schlafen, ich schlag die Zeit in Diskotheken tot und betrachte die jungen Leute. Wie ihr alter, fetter Onkel Paul stehe ich in der Ecke, und sie fühlen sich meinetwegen um so schöner. Er grinste.

Ich kann auch nicht schlafen, sagte sie.

Senile Bettflucht, so nennt man das, wenn man über dreißig ist, grinste er.

Besten Dank. Sie öffnete das Fenster. Heiße Luft schwappte wie zäher Brei ins Auto. Sie lehnte sich hinaus und ließ ihre Haare im Wind flattern. Ein Fetzen eines Liedes von Marianne Faithful wehte durch ihren Kopf, von siebenunddreißigjährigen Frauen, die nie mehr in einem Sportwagen sitzen und ihr Haar im Wind flattern lassen werden. Sie war gerade siebenunddreißig geworden.

Als sie sich wieder nach Snyder umsah, musterte er sie von der Seite von Kopf bis Fuß. Was schauen Sie so?

Oh, ich schätze nur ihr Gewicht ab.

Was?

128 Pfund, murmelte er zwischen den Zähnen.

Stimmt ziemlich genau, sagte Juno verblüfft.

Ich bin Angler, erklärte er, ich kann 'n Fisch gut nach Gewicht schätzen, und Sie sind 'n ziemlich großer Fisch.

Juno lächelte höflich und dachte, er wolle jetzt über Geld sprechen, aber da hielt er vor einem flachen, leicht heruntergekommenen Bungalow mit ungepflegtem Vorgarten. Das mit einer Mauer und Stacheldraht eingezäunte Areal dahinter erinnerte Juno an einen Todesstreifen.

Er schaltete den Motor aus, es wurde still. Sie streckte die Hände zur Wagendecke aus und räkelte sich, völlig ohne Grund.

Juno betrachtete seine kleinen dunklen Augen hinter der Brille, die dicken, fleischigen Backen, seine hohe Stirn, die fahle Haut, das dunkle Bartgestrüpp, das seine Lippen überwucherte. Nichts in diesem Gesicht interessierte sie, nur sein Gehirn unter der Glatze – auf der nur noch spärliche schwarze Haare wuchsen wie verkümmertes Gras –, dieses Pfund grauweiße Masse, das sich Geschichten ausdachte von jungen, schönen Mädchen und Selbstmördern, das interessierte sie, das verführte sie dazu, ihre Haare im Wind flattern zu lassen und sich zu räkeln wie eine Katze.

Haben Sie Lust auf ein Abenteuer? Er sah sie direkt an.

Ja, sagte sie, wenn Sie dabei weiterreden.

Na klar, lachte er, das ist ja mein Problem, ich kann nicht

aufhören zu quatschen. Warten Sie ’n Moment, bin gleich wieder da.

Sie zog sich im Rückspiegel die Lippen nach und untersuchte die Fältchen um ihre Augen im grellen Licht, als sie wildes, heiseres Bellen hörte. Gleich darauf trat Paul mit vier mageren, silbergrauen Schäferhunden an Leinen mit Stachelhalsbändern aus dem Haus.

Nicht die Hunde bellten, sondern er stieß diese Laute aus. Aufmerksam sahen die Hunde ihn an und gingen bei Fuß. Er öffnete den Drahtverschlag auf der Ladefläche des Pick-up, bellte im Stakkato, und ein Hund nach dem anderen sprang hinein. Paul knurrte, die Hunde knurrten zurück, er verschloß den Drahtverschlag mit einer großen Kette und setzte sich wieder auf den Fahrersitz.

Wie um Entschuldigung bittend lächelte er Juno an. Sie grinste und knurrte. Er knurrte zurück, ließ den Motor an und fuhr los.

Die Hunde drückten aufgeregt ihre Schnauzen an die kleine Scheibe des Führerhauses, nur wenige Zentimeter hinter Junos Nacken.

Echte sibirische Wölfe, sagte Snyder. Juno sah ihn ungläubig an. Wirklich, bekräftigte er, astreiner Stammbaum mit Urkunde und allem drum und dran.

Sie halten Wölfe mitten in der Stadt?

Er fuhr mit hoher Geschwindigkeit auf den Highway, die Tiere wurden schräg an die Autowand gequetscht, sie konnte das panische Gekratze ihrer Pfoten auf dem Metallboden hören. Snyder kicherte. Ist natürlich verboten, aber kein Polizist von Los Angeles kann ’n Wolf von ’nem Schäferhund unterscheiden.

Für mich sehen sie auch aus wie Schäferhunde, sagte sie und drehte sich um. Die Tiere blickten sie mit Bernsteinaugen starr durch die Scheibe an. Sie waren kleiner als Schäferhunde, ihr Fell war grauer, struppiger, ihr Blick wilder, ihre Zähne größer und spitzer.

Hatte Hitler nicht 'n Schäferhund? fragte Snyder.

Warum, um Gottes Willen, halten Sie Wölfe?

Er zuckte mit den Achseln. Sie sind unzivilisiert, unberechenbar, das mag ich.

Haben Sie denn keine Angst?

Er sah sie kurz von der Seite an. Nö, aber Sie, was?

Juno antwortete nicht und spielte mit ihrem Rocksaum.

Keine Sorge, sagte er, nahm die rechte Hand vom Lenkrad – sie dachte, er wolle sie ihr auf den Schenkel legen, aber er kratzte sich nur den Bart. Solange sie mich als ihren Boss akzeptieren, sind sie zahm wie Lämmer.

Und wenn nicht?

Dann habe ich Pech gehabt.

Sie gerieten in einen Stau. Snyder fluchte. Immer dieselbe Scheiße, sagte er, ganz egal, wann man losfährt, aus dieser Stadt kommt man nicht mehr raus. Sie läßt einen nicht mehr weg, hier kommt keiner mehr weg.

Wo fahren wir hin?

Abwarten. Er sah sie an, ohne zu lächeln.

Juno fragte sich, warum sie mit einem wildfremden Menschen und seinen vier Wölfen in einem Auto saß, nicht wußte, wohin sie fuhr, und noch nicht einmal sicher sein konnte, daß dieser Mann wirklich Paul Snyder war. Aber was machte das schon für einen Unterschied, ob der echte Paul Snyder wahnsinnig war oder dieser Mensch neben ihr?

Die Wölfe zerrten an ihren Leinen. Juno konnte ihre Krallen auf dem Metall hören. Snyder schob die Trennscheibe auf, ein Wolf stieß aufgeregt seine Schnauze hindurch. Snyder knurrte leise vor sich hin, was das Tier offensichtlich beruhigte. Der Wolf leckte Snyders Nase ab, zog sich zurück, ließ den nächsten an die Reihe. Als sie alle Snyders Nase abgeschleckt hatten, schloß er das Fenster wieder und wandte sich Juno zu, als sei sie jetzt dran.

Mindestens fünf Mal am Tag muß ich ihnen zeigen, daß ich der Boss bin, wenn ich's nicht tue, planen sie gleich 'ne Revolution, erklärte Snyder. Ich muß pünktlich zu Hause sein, sonst machen sie Hackfleisch aus mir. Einmal war ich bei Warner Brothers in einer Drehbuchbesprechung von morgens um neun bis abends um zehn. Die kamen einfach nicht zu Potte, konnten sich zu nichts durchringen, hatten an allem was zu meckern, und ich Trottel habe geglaubt, wenn ich nur genügend Sitzfleisch beweise, bekomme ich den Job. Am Ende konnten sie sich nicht entscheiden. Das Wörtchen Ja fürchten alle Studioleute wie die Pest. Es trägt den Hauch des Todes an sich, denn wenn sie ja sagen, beziehen sie Stellung, dann müssen sie am Ende dafür geradestehen, können ihren Job verlieren, wenn der Film, der durch dies Wörtchen entsteht, ein Flop wird. Also sagen sie lieber nein oder am liebsten jein. Dafür hatte ich den ganzen Tag dort rumgesessen, und als ich, viel zu spät, nach Hause kam und den Zwinger aufschloß, fielen sie alle vier über mich her.

Er riß mit einer Bewegung sein Jeanshemd auf und drehte seinen dicken, blassen, schwarz behaarten Oberkörper Juno zu. Ein Zickzack von Narben grub sich durch seine Brust, als wäre er von einem verrückten Messerstecher attackiert worden.

Ich hatte die Wahl, erzählte er weiter, und in seiner Stimme schwang Stolz. Entweder mich zu ergeben, denn das verstehen sie, im Gegensatz zum Menschen. Wenn du dich ergibst, lassen sie von dir ab. Du bietest ihnen deinen schwächsten Punkt dar, hier…

Er beugte seinen Kopf über ihren Schoß – sie roch seine Haut, ein Geruch von Tieren und Erde, nicht unangenehm, dachte sie –, er deutete mit dem Finger in seinen Nacken, hier, ein Biß, und das war's dann. Aber das tun sie nicht, sie akzeptieren deine Kapitulation, sie töten niemanden, der schon am Boden liegt, sie trampeln nicht auf dir rum, wenn du schon halb tot bist, sie rammen dir keinen Gewehrkolben in den Bauch…

Hören Sie auf, schrie Juno und war erstaunt, sich schreien zu hören.

'tschuldigung, murmelte er und richtete sich langsam auf. Sein Gesicht war nur wenige Zentimeter von ihrem entfernt. Die Nähe ließ ihn attraktiver aussehen, seine dunklen Augen glitzerten, sie konnte volle Lippen unter seinem Bart erkennen, fast reflexartig bewegte sie ihren Kopf leicht auf seinen zu. Da zog er sich zurück und ließ sich schwer an das Fenster auf seiner Seite fallen.

Sie hatten die Wahl? Sie erinnerte ihn an seine Geschichte, aber er schien die Lust daran verloren zu haben.

Naja, sagte er schnell, entweder mich ihnen zu ergeben, aber dann hätte ich sie verkaufen müssen, weil sie mich nie wieder als ihren Anführer akzeptiert hätten, oder mit ihnen zu kämpfen. Also habe ich gekämpft.

Der Stau begann sich aufzulösen, er gab Gas und wechselte die Spur, überholte einen schwarzen BMW, hinter dessen Steuer ein Mann im Anzug saß, der angestrengt in sein Telefon sprach.

Sie hätten dabei sterben können, sagte Juno.

Ja, sagte er gleichmütig, aber es war ein fairer Kampf.

Eine Weile lang sprachen sie nicht.

Waren Sie in Vietnam? fragte sie ihn beiläufig.

Er grinste. Das würde jetzt gut passen, was? GI kehrt aus Vietnam zurück, kommt zu Hause nicht mehr zurecht, schafft sich sibirische Wölfe an.

Hätte ja sein können, murmelte sie.

Und hat natürlich keine Frau. Er machte eine kleine Pause, sah Juno nicht an, als er fragte: Sind Sie verheiratet?

Sie nickte. Mein Mann ist Schauspieler.

O Gott, sagte er lachend.

Er kann nicht mehr spielen, weil er eine Hautallergie bekommen hat.

Gegen das Schauspielern?

Vielleicht. Sie lachte.

Und was tut er jetzt?

Er ist beim Radio. Verliest Staumeldungen.

Er sah sie an, als verstünde er alles über ihre Ehe mit Paul, und sie tat nichts, um Paul zu verteidigen. Erzählte nicht, daß das gar nicht stimmte mit den Staumeldungen, daß Paul eine sehr erfolgreiche eigene Talksendung hatte, daß er ein wunderbarer, verständnisvoller Mann war, der Mann, den sie liebte.

Ich war nicht in Vietnam, sagte Snyder, ich bin nach Kanada abgehauen, manchmal habe ich gedacht, das ist schlimmer als Vietnam. Lauter Leute, die über nichts anderes reden können als über den amerikanischen Imperialismus und selber nicht wissen, wer sie eigentlich sind, und das alles, während dir die meiste Zeit des Jahres der Hintern abfriert.

Klingt wie Deutschland, lachte sie.

Ach ja? Schade, da wollte ich eigentlich immer mal hin, mir 'ne Lederhose anziehen und in alle Puffs auf der Reeperbahn gehen, sagte er.

Hinter ihnen ging die Sonne über Los Angeles in wütenden, giftigen Farben unter. Snyder hatte das Radio angedreht, classic Rock. Die Eagles, Bruce Springsteen, die Almond Brothers, Neil Young, Steven Stills, Frank Zappa sangen ihnen ihre Erinnerungen an die letzten zwanzig Jahre vor, während sie mit vier Wölfen im Nacken auf die Wüste zurollten. Je leerer die Landschaft wurde, um so mehr ließ die Musik die Zeit verschwimmen.

Woran denken Sie? fragte Snyder, und es schien ihr vollkommen natürlich, daß er ihr, nur knapp zwei Stunden nachdem sie sich kennengelernt hatten, diese Frage stellte.

Sie sah aus dem Fenster, als sie antwortete: Mein Mann trug die engsten weißen Jeans, die ich jemals gesehen hatte, als wir uns kennenlernten. Dazu ein perfekt gebügeltes weißes Oberhemd, das, wenn er ging, am Rücken ein kleines aufgeblähtes Segel bildete. Ich muß ziemlich viel hinter ihm hergegangen sein, daß ich mich daran erinnere. Sie lachte. Er hatte lange schwarze Haare, einen großen Mund, blaue Augen, fähige Hände. Das weiß ich noch, daß ich das dachte: fähige Hände. Um ihn herum standen vier, fünf Mädchen und redeten auf ihn ein, er lächelte schweigend und schaute in seinen Drink. Er wirkte immer leicht melancholisch, das machte ihn so besonders attraktiv, und die Mädchen redeten und redeten, zupften ihn am Ärmel und streiften wie absichtslos seinen Körper.

Ein Prinz, sagte Snyder lakonisch, als rede er über eine Figur in einer Seifenoper.

Ja, er war ein Prinz, ein Star – na gut, ein Fernsehstar, aber immerhin. Er hätte jede haben können, und ich war jahrelang erstaunt, daß er sich ausgerechnet in mich verliebt hat. Es machte mich ziemlich nervös, weil ich das Gefühl hatte, er hätte etwas in mir gesehen, was nicht wirklich da war. Eine optische Täuschung.

Snyder sah sie aufmerksam an.

Vier Wochen nachdem wir uns kennengelernt hatten, erzählte sie weiter, fuhren wir zusammen weg. Nach Kreta, er wollte unbedingt nach Kreta, und irgendwie habe ich den Augenblick verpaßt, ihm zu erzählen, daß ich vor ihm schon mit einem anderen auf Kreta gewesen war, die ganze Insel mit ihm abgefahren hatte, jeden Stein bereits kannte.

Es war seltsam, wie Paul mit fast schlafwandlerischer Sicherheit immer genau das Hotel, den Platz am Strand, das Restaurant aussuchte, wo ich schon einmal gewesen war. Und immer tat ich so, als wäre alles ganz neu und überraschend für mich. Dabei fühlte ich mich alt, verbraucht und abgebrüht, aber genau das gefiel mir, denn es gab mir so eine Art Punktvorteil, machte mich weniger verletzlich. Ich fühlte mich ihm und meiner eigenen Verliebtheit weniger ausgeliefert …

Einmal, in einem kleinen Ort namens Agia Galini, der

damals noch ein Hippietreffpunkt war, bekamen wir sogar in einer Pension ganz genau dasselbe Zimmer. Ich war nie ein Hippie, ich schlief nicht gern am Strand und hatte immer gern frischgewaschene Haare.

Ja, nickte Snyder, so sehen Sie aus.

Und Sie?

Oh, ich sah damals so ähnlich aus wie Dennis Hopper in dem Film *Easy Rider*, ich hatte auch so einen alten, verklebten Lederhut und lange Haare, ob Sie's glauben oder nicht... Er fuhr sich mit der Hand über die Glatze. Das Zimmer war weiß gestrichen, nehme ich an, mit Blick aufs blitzblaue Mittelmeer, sagte er, durch die Lamellen der Fensterläden fielen die Sonnenstrahlen über die beiden nackten Körper auf dem alten, durchgelegenen Doppelbett.

Das kam später, lachte sie. Und es gab keine Fensterläden. Ich bin durchs Zimmer gelaufen und habe meine Kleider aufgehängt und dabei vor mich hingelächelt, weil ich noch genau wußte, wie viele alte Drahtbügel im Schrank hingen, daß beim Klo die Spülung erst beim dritten Mal funktionierte und daß der Kaffee zum Frühstück besonders gut war. Paul hat in seinen engen Jeans auf dem Bett gesessen und geraucht, den Rücken an der Wand, die Beine lang ausgestreckt. Er sah damals immer aus wie aus einem Film, aber damals in Kreta war ich diejenige, die die Szenen wiederholte und den Text kannte. Ich war der Boss. Ohne daß er davon wußte. Warum lächelst du? hat er mich gefragt, und ich habe geantwortet...

Weil ich dich liebe, ergänzte Snyder.

Juno schwieg.

Ihr Mann heißt Paul?

Mm.

Haben Sie mir das absichtlich nicht erzählt?

Sie setzte sich aufrechter hin und schlug die Arme unter. Warum sollte ich Ihnen absichtlich etwas vorenthalten? sagte sie. Und woher wollen Sie wissen, daß ich Ihnen nicht gerade einen deutschen Fernsehfilm erzählt habe?

Er kicherte. Da haben Sie recht, da haben Sie wirklich recht. Das klang alles sehr europäisch, ziemlich verquält und nicht gerade nach *action.*

Die Dunkelheit fiel herab wie ein blausamtenes Tuch. Snyder fuhr von der Hauptstraße ab auf einen Sandweg, der geradewegs in die Wüste führte. Nach wenigen Meilen nur war die Hauptstraße nicht mehr zu sehen, nicht einmal die Lichter der Autos, gar nichts mehr. Juno überlegte, ob sie Angst bekommen sollte, da legte Snyder seine Hand auf ihren Arm und sagte: Keine Panik.

Schweigend fuhren sie weiter. Rechts und links vom Weg sah sie im Autoscheinwerferlicht kleine tote Tiere, so groß wie Kaninchen, riesige Knäuel von Tumbleweed-Kakteen.

Nach ungefähr einer Viertelstunde hielt Snyder an.

Er verband zwei Kabel mit einer Autobatterie, die neben seinem Sitz stand, und die Wüste leuchtete plötzlich gleißendhell auf, als schlüge direkt vor ihnen der Blitz ein. Geblendet schlug Juno die Hände vors Gesicht.

Snyder kicherte: Die gleichen Suchscheinwerfer wie die von den Cops; auch verboten.

Juno sah kleine Tiere in alle Himmelsrichtungen flüchten. Sie bleiben im Auto, ganz egal, was passiert, klar? Snyder stieg aus und öffnete den Drahtverschlag.

Die Wölfe stürzten sich von der Ladefläche, rasten ein paar Meter in die Wüste. Snyder pfiff, sie drehten sich im Kreis, blieben abrupt stehen und sahen zum Auto, das Fell im Nacken gesträubt, die Mäuler aufgeregt weit aufgerissen. Snyder ging auf sie zu, blieb mit dem Rücken zu Juno vor ihnen stehen.

Juno sah seine hängenden Jeans, seine Pospalte. Sie öffnete das Fenster einen schmalen Schlitz. Kühler Wind fegte ins Auto und ließ sie schaudern. Sie hörte Snyder knurren, die Wölfe streckten die Vorderläufe aus und senkten die Köpfe.

Snyder fing an zu bellen, seine Wölfe bellten zurück, rutschten auf ihn zu, legten die Köpfe auf die Pfoten, hechelten, jaulten. Snyder fiel auf die Knie.

Gespannt sah Juno ihm durch die Windschutzscheibe zu, als säße sie im Kino. Snyder zog sich sein Hemd über den Kopf. Sein Rücken war schwarz behaart wie seine Brust. Juno wußte, er tat es für sie.

Er beugte den Kopf. Die Tiere rutschten näher auf ihn zu, umringten ihn, schleckten ihm über Nacken und Rücken, stießen ihm mit ihren Schnauzen in die Seite. Juno sah, wie ein Wolf mit weit geöffnetem Maul Snyder am Oberarm packte und ihn, ohne zuzubeißen, leicht schüttelte.

Es war nicht mehr zu unterscheiden, ob Snyder knurrte oder die Wölfe. Was würde Juno tun, falls sie ihn umbrächten? Ich würde auf den Fahrersitz rutschen, in die Stadt zurückfahren, vielleicht die Polizei benachrichtigen; vielleicht aber auch in mein Hotelzimmer flüchten, eine heiße Dusche nehmen, mich im Bett vergraben, zum Trost eine Show im Fernsehen sehen, denn dazu ist das Fernsehen ja da, dachte sie. Sie sah sich bereits im flauschig weißen Hotelbademantel im Bett liegen, die Haare noch naß und strähnig, ein Tablett mit einem pappigen Sandwich neben sich, Paul am Telefon, ihren Paul, nach dem sie sich plötzlich wieder sehnte wie in ganz alten Zeiten.

Snyder sprang unvermittelt auf die Füße, machte eine Handbewegung und bellte in kurzen, abgehackten Lauten. Die Wölfe bäumten sich auf, machten auf den Hinterläufen kehrt und rasten in die schwarze Wüste.

Snyder stand im Scheinwerferkegel, sein Hemd in der Hand und wandte sich Juno zu. Das gleißende Licht der Scheinwerfer brannte alle Linien und Falten in seinem Gesicht aus und ließ ihn aussehen wie einen einsamen, dicklichen Zwölfjährigen. Er grinste Juno zu, ohne daß er sie im Gegenlicht sehen konnte, und kam aufs Auto zu, sah sich gründlich um, riß die Tür auf und stieg ein.

Angst gehabt?

Sie schüttelte den Kopf, und als er sich weit auf ihre Seite hinüberlehnte, um seine Tür zuzuziehen, küßte sie ihn zu ihrer beider Überraschung auf seine bärtige Backe.

Er nahm seine Brille ab und rieb den Staub von den Gläsern. Kurzsichtig sah er sie mit plötzlich schönen Augen an und lächelte schüchtern.

Gierig wühlte er dann seine Zunge in ihre Mundhöhle. Seine Zunge schmeckte leicht metallisch und so, als hätte er lange nichts gegessen.

Seine Art zu küssen war zu ruppig und gleichzeitig zu verspielt, um aufregend zu sein. Juno wußte jetzt schon, wie er im Bett sein würde, ohne Raffinesse, schnell und ohne Pathos, wie ein Jugendlicher, vielleicht würde er währenddessen sogar lachen. Stellte er sich vor, daß sie ihn Schatzi nennen würde? Schnell und zuverlässig sein würde wie ein deutsches Auto? Oder verklemmt und prüde wie ein Gretchen in Uniform? Wild und nordisch mit unrasierten Achselhöhlen?

Zögernd beendeten sie den Kuß, rückten ein wenig voneinander ab und starrten in den Lichtkegel vor ihnen wie auf eine beleuchtete Bühne, auf der nichts passierte.

Ich hatte mal zwei Kinder, sagte Snyder nach einer langen Pause, und eine japanische Frau. Sie hat sich in einen Angestellten von dem Copyshop verliebt, in den sie immer meine Drehbücher zum Kopieren getragen hat. Sie lebt jetzt in Wisconsin. Wir haben keinen Kontakt mehr.

Es klang, als wolle er Juno über seine Vergangenheit aufklären, bevor sie eine lange, komplizierte Beziehung beginnen würden. Sie antwortete nichts darauf.

Er streckte seine Hand aus, sie schwebte unentschlossen über ihrem Knie, bevor sie sich auf den Rand des Polsters neben ihrem Oberschenkel senkte. Hilflos saßen sie da, wie im Fahrstuhl Steckengebliebene.

Wann kommen die Wölfe zurück? fragte sie.

Wenn ich sie rufe, sagte er, aber es darf nicht länger als zwanzig Minuten dauern, sonst gehorchen sie mir nicht mehr.

Zwanzig Minuten. Da sie beide sich zu nichts durchringen konnten, verrann kostbare Zeit. Am Ende würden ihnen die Wölfe dabei zusehen. Nein, nichts würde geschehen. Sie sahen zu, wie ihr Leben verrann, und rührten sich nicht vom Fleck.

Juno streckte die Hand nach dem Radio aus, suchte eine Station mit klassischer Musik. Chopin. Das paßte gut. Wie leichter Regen rieselte die Musik über die Wüste.

Passen Sie auf, was jetzt kommt, ist nur für Sie, sagte sie und sprang aus dem Auto, bevor er sie zurückhalten konnte. Sie lief in die Mitte des Lichtkegels, drehte sich zu ihm um, und in dem blendenden weißen Licht der Suchscheinwerfer begann sie zu der Musik von Chopin sich langsam auszuziehen, erst das Kostüm, dann die Seidenstrümpfe, den Slip, den BH, die Perlenkette, bis sie nichts anderes mehr an ihrem Körper trug als ihren Ehering.

Sushi für Paul

Wann genau war der Moment, in dem sich unser Leben veränderte? Wann kamen Juno und ich an das große Autobahnkreuz, wo wir uns scheinbar ganz plötzlich für verschiedene Ausfahrten entschieden?

Bestimmt war es nicht erst an dem Abend vor Junos Abreise nach Los Angeles, obwohl diese Erkärung natürlich die einfachste wäre, denn an diesem Abend lernte ich Emine kennen. Aber ich lernte sie nur deshalb kennen, weil ich dazu bereit war. Weil ich mich schon entschieden hatte. Lange vor diesem Abend war ich bereits abgebogen von unserer gemeinsamen Wegstrecke, und weder Juno noch ich selbst hatten es bemerkt.

Der Sushimann kam eine ganze Stunde zu früh. Er trug einen riesigen Rucksack auf dem Rücken, als wolle er einmal um die Welt reisen. Sein Gesicht war glatt und weiß wie ein Teller, und er wirkte erschreckend jung. Auf seinem Kopf trug er eine gestreifte Mütze. Er lächelte, verbeugte sich samt Rucksack vor mir und sagte kein einziges Wort. Ich führte ihn in die Küche. Er lud seinen Rucksack ab, zog seine rote Skijacke aus, unter der er einen schwarzen Kimono trug, streifte seine ausgelatschten Nike-Turnschuhe ab und entblößte weiße Strümpfe, die am großen Zeh abgeteilt waren und ihm etwas leicht Außerirdisches gaben. Aus seinem Rucksack holte er japanische Holzsandalen, mit einer Kordel in der Mitte für die Zehen.

Als Kind habe ich ähnliche Sandalen aus hellblauem Plastik besessen. Anfangs rieb ich mir die Haut zwischen den Zehen an dem harten Plastiksteg wund. Der Sommerstaub wurde mit dem Fußschweiß zu einer schmierigen schwarzen Masse, die wie Zement an den Zehen klebte. Während meine Eltern mir die Kunstschätze Italiens zeigen wollten, starrte ich auf meine staubverschmierten Zehen in japanischen Sandalen.

Als ich den Sushimann dabei beobachtete, wie er mit seinen außerirdischen Füßen in die Sandalen schlüpfte, fiel mir auf, wie lange ich schon nicht mehr an meine Kindheit gedacht hatte, als wäre sie ein altes, lang vergessenes, eingemottetes Kleidungsstück im Plastiksack.

Wahrscheinlich ist das so im Mittelteil des Lebens, wenn man keine Kinder hat. Man vergißt die eigene Kindheit, bis sie noch einmal kurz vorm Tod aufblitzt wie ein plötzlich angeleuchtetes Bild.

Der Sushimann hatte immer noch seine gestreifte Mütze auf dem Kopf, die er jetzt abnahm. Wie eine schwarze Schlange fiel ein langer schwarzer Zopf aus der Mütze heraus auf seinen Rücken.

Die Party fängt erst um acht an, sagte ich. Als er nicht reagierte, wiederholte ich auf englisch: *The party won't start until eight.*

Er nickte schweigend und holte ein bedrohlich aussehendes Messer nach dem anderen aus seinem Rucksack, die er alle fein säuberlich nebeneinander auf den Küchentisch legte. Er erinnerte mich an Mary Poppins, wie sie ihre gesamte Zimmereinrichtung aus einer Gobelintasche holt.

Haben Sie den Reis gekauft? fragte er streng.

Welchen Reis?

Den Sushireis, erwiderte er.

Äh, ich... ich weiß nicht, stammelte ich blöde, da muß ich meine Frau fragen.

Juno lag in der Badewanne. Ihr Gesicht war von einem durchsichtigen Gelee überzogen, im Wasser schwammen glitschige, grüne Algen, auch so eine japanische Entdeckung von ihr. Ich habe gelernt, ihre jeweiligen Phasen an mir vorübergleiten zu lassen wie einen fahrenden Zug.

Automatisch hob ich ihre Wäsche vom Boden auf und warf sie in den Wäschekorb, getrennt nach Bunt- und Kochwäsche.

Der Sushimann ist da, sagte ich.

Jetzt schon? Sie bewegte die Hand durchs Wasser, eine Alge schwamm auf ihren Busen und blieb dort liegen.

Wie sieht er aus?

Er ist ungefähr zwölf und hat lange schwarze Haare bis zum Po.

Sie kicherte und rieb sich mit einer Alge über die Arme.

Er wird dir Steak Teriyaki machen, das habe ich ihm extra gesagt.

Nett von dir, aber ich habe mir schon einen Müsliriegel besorgt.

Sie streckte eine nasse Hand nach mir aus. Jetzt sei doch nicht so, sagte sie, versau mir nicht den letzten Abend.

Sie holte meine Hand dicht vor ihr Gesicht und inspizierte die roten, schilfrigen Stellen. Vielleicht sollten wir mal einen Japaner fragen, sagte sie versonnen, die haben alle eine so wunderbare Haut...

Ich entzog meine Hand und suchte das Schild in ihrem seidenen Unterhemd. Kann ich das bei 30 Grad waschen?

Weiß ich nicht, du bist der Spezialist, sagte sie und tauchte unter. Ich wartete geduldig, bis sie wieder an die Wasseroberfläche kam. Hast du den Sushireis gekauft?

Ja, seufzte sie, natürlich. Zwei Kilo.

Wo ist er?

Wo soll er schon sein? Wo er immer ist. Im Schrank, drittes Regal von unten.

Während wir sprachen, war die geleeartige Masse in ihrem Gesicht getrocknet, ihre Haut war jetzt gespannt und glatt, sie sah mit einemmal wieder so aus, wie als ich sie kennenlernte. Mir wurde heiß in dem dampfigen Badezimmer, ich wollte gehen, aber ich rührte mich nicht von der Stelle. Juno legte sich ein Stück grüne Alge über die Augen. Die Luft roch nach Meer. Die verschwommenen Umrisse ihres Körpers unter Wasser machten sie weich und einladend, so wie sie über Wasser nie mehr war.

Die Zeit blieb kurz stehen, nur um mir den Schmerz ins Hirn zu rammen, daß die Zeit vergeht, vergeht, vergeht. Wir waren nicht glücklich, aber auch nicht unglücklich. Nichts bedrohte uns, nichts machte uns verrückt. Wir lebten gut gezähmt und recht zufrieden, ein wenig wie zwei Haustiere. Wir fühlten uns sicher in der Vorhersagbarkeit unseres gemeinsamen Lebens. Meine elende Allergie betrachtete ich manchmal als Preis für ein bequemes Leben ohne Desaster und ohne Mysterium.

Manchmal hätte ich mich einfach nur gern an meine Frau geschmiegt wie ein Kind und alles Erlernte und Zivilisierte abgestreift wie ein Hemd. Das habe ich nie getan.

Ich setzte mich auf den Badewannenrand und betrachtete sie. Damals, vor zehn Jahren, als wir uns kennenlernten, wirkte sie in ihrem glühenden Ehrgeiz immer ein wenig altklug, wie ein verkleideter Teenager mit ihren hochgesteckten, braunen Haaren und ihren strengen schwarzen Designerkostümchen, die sonst noch niemand trug. Sie war Redaktionsassistentin und ich ein erfolgreicher junger Schauspieler, dem die Weiber nachstiegen.

Worüber lachst du? fragte sie mit der Alge über den Augen.

Ich habe nicht gelacht.

Hast du doch. Ich höre dich grinsen.

Du hörst mich grinsen.

Ja. So gut kenne ich dich.

Sie seufzte, nahm die Alge von ihren Augen und strich sich mit ihr über den Körper wie mit einem Waschlappen. Sie sah mich ausdruckslos an. Ihr von der Maske gespanntes Gesicht ließ jetzt kaum noch irgendeine Mimik zu.

Okay, ich habe gegrinst.

Worüber?

Über uns.

Über uns, wiederholte sie. Sie zog sich mit der einen Hand die Maske vom Gesicht, wie eine zweite Haut, und gab sie mir, sie sah aus wie ein Stückchen zerknitterte Frischhaltefolie. Was gibt es über uns zu lachen?

Es war nur ein Versuch, sagte ich und streckte die Hand ins Wasser, strich ihr über den Bauch bis zum Ansatz ihres

Busens. Ich spürte in meiner Hose einen leichten Druck gegen meinen Unterbauch, aber wirklich nur einen leichten, und beobachtete, wie mein Gehirn schon alle Punkte auflistete, die dagegen sprachen: zu umständlich, ich hatte mich schließlich gerade angezogen, zu eng in der Badewanne, zu außergewöhnlich im Verhältnis zu meinem sonstigen sexuellen Verhalten, zu exponiert, zu blöd.

Sie sah mich mit ihren grauen kühlen Augen an, und ich sah in ihrem Blick, daß sie überlegte, wie sie mich jetzt bitten sollte, meine Hand wegzunehmen, ohne mich zu verletzen. Ich zog sie zurück, bevor sie etwas sagen konnte, kühl strich ein Lufthauch über meine erfolglose Hand, ich trocknete sie ab und verließ das Bad.

Ich hasse die Minuten, bevor die Gäste kommen, wenn ich in meiner eigenen Wohnung sinnlos auf und ab gehe wie ein Tier im Käfig, mir nichts mehr wünsche, als daß sie nicht kommen mögen, mich plötzlich danach sehne, mich im Pyjama mit einem Butterbrot in der Hand auf den Teppich zu legen und fernzusehen.

Ich fühlte mich unwohl in meinem teuren Anzug irgendeines exotischen Designers, zu dem Juno mich vor ein paar Wochen überredet hatte und der mir nur deshalb gefiel, weil er idiotisch lange Ärmel hatte, die die permanenten häßlichen roten Flecken auf meinen Händen verbargen. Jetzt fiel mir auf, daß ich mir noch nicht einmal eine Zigarette anstecken konnte, ohne mich in den Ärmeln zu verheddern. Ich ärgerte mich und haßte mich und hätte mich am liebsten auf die Erde geworfen wie ein tobendes Kleinkind.

Dabei war überhaupt nichts los. Ein paar gute Freunde

würden zum Abendessen kommen, das war alles. Es war totenstill in unserer perfekt aufgeräumten Wohnung. Der Sushimann hatte den Tisch sorgfältig mit tiefblauem japanischem Porzellan gedeckt, nur an einem Platz stand ein profaner weißer Teller. Mein Platz. Dieser weiße Teller machte mich so wütend, daß ich ihn am liebsten an die Wand geworfen hätte, aber ich tue so etwas nicht.

Niemals würde ich unschuldige Dinge zerstören. Nichts liegt mir ferner als die Szene, die ich als Schauspieler immer wieder spielen mußte, in der ein aufgebrachter Mann mit einer einzigen Bewegung einen ganzen Tisch abräumt, schnell ein Bücherregal umwirft, drei, vier Stühle zerschlägt und die Vorhänge herunterreißt, bevor er mit kräftigen Schritten das Haus verläßt. Ich würde, bevor ich gehe, noch einen Zettel schreiben: *Entschuldige, daß ich ein Eselsohr in dein Buch gemacht habe.* Wie sehr ich meine Feigheit verabscheue, die die meisten Menschen als Rücksichtnahme interpretieren.

Ich hasse Parties. Auf eine Party zu gehen ist für mich fast so schlimm wie schwimmen zu gehen. Und dennoch gehe ich zweimal in der Woche in das muffige öffentliche kalte Bad um die Ecke, weil ich mir einbilde, daß es meinem Körper guttut, so wie Juno glaubt, kleine Parties seien gut für unsere Seelen. Ich hasse den Chlorgeruch, der mir schon am Eingang entgegenschlägt, die mißmutige Kassiererin, die kalten Umkleideräume, den Weg durch die Schwimmhalle zum Wasser, wenn alle meinen gefleckten Körper anstarren und sich heimlich fragen, ob ich nicht vielleicht die Pest habe und ob sie den Bademeister verständigen sollen. Ich hasse das ungemütliche kalte Wasser, die Monotonie meiner Schwimmbewegungen, am meisten jedoch verabscheue ich meine Unfähigkeit, den Posten als Beobachter meiner lächerlichen Person einfach aufzugeben und mich heiter in die Langeweile zu schicken, nicht mehr auf die Uhr zu starren und zu warten, daß die Zeit vergeht, die doch schließlich meine Lebenszeit ist.

Der Sushimann stand plötzlich neben mir. Lautlos war er durch das Zimmer geschwebt. Sind Sie der Mann, der keinen Fisch ißt? fragte er.

Ja, sagte ich unfreundlich, warum?

Wie wünschen Sie Ihr Steak?

Er sah mich mit einem Hauch von Lächeln an. Mit der einen Hand korrigierte er die Position der weißen Lilie in einer blauen Vase. Mögen Sie Parties? fragte ich seufzend.

Nicht besonders, ich verschwinde meistens im Badezimmer und schau mir den Medikamentenschrank an.

Wir grinsten uns an.

Vor einer Woche war ich bei einem Zahnarzt eingeladen, fuhr er fort. Seine Zahnbürste war die zerfleddertste, dreckigste Zahnbürste, die ich je gesehen habe. Er schauderte in Erinnerung an die dreckige Zahnbürste.

Ich bin gespannt, was Sie in unserem Badezimmer finden werden, sagte ich.

Hier koche ich doch, erwiderte er entrüstet, da gehe ich nie ins Badezimmer.

Ach so.

Wir schwiegen einen Moment.

Ich bin an Sushi fast mal gestorben, sagte ich dann.

Er nickte nur und wartete.

Gut durchgebraten, sagte ich, ich hätte mein Steak gern

gut durchgebraten. Er machte, ohne zu antworten, auf dem Absatz kehrt und ging zurück Richtung Küche. Der gedeckte Tisch und ich waren wieder allein.

Okay, sagte ich zu niemand Bestimmtem und zupfte an meinen überlangen Ärmeln.

Die ersten Gäste kamen, und natürlich war Juno noch nicht fertig.

Claudia, ihre beste Freundin, zog Mark, einen arroganten, muffeligen, aber gut aussehenden Maler an der Hand hinter sich her ins Wohnzimmer wie ein trotziges Kind. Sie küßte mich naß auf beide Backen, Mark blieb gleich neben der Tür stehen und sah sich abfällig um. Claudia hielt mir ihren Mantel entgegen. Darunter trug sie ein leuchtend orangerotes Kleid aus Plastikfolie. Ich hängte ihren Mantel auf. Im Kragen stand ein japanischer Name. Ich weiß von Juno, daß Claudia die Label teurer Modeschöpfer in billige Kleidungsstücke näht, um Eindruck zu schinden.

Hey, guter Anzug. Claudia zog an meinen Ärmeln. Ganz schön mutig.

Hast du mir nicht zugetraut.

Wenn ich ehrlich bin – ne. Sie lachte ihr breites, glucksiges Lachen. Sie kennt sich aus, sie arbeitet in einer Boutique, aber natürlich ist sie eigentlich Künstlerin, wie fast alle Verkäuferinnen in teuren Boutiquen, wenn sie nicht gerade arbeitslose Schauspielerinnen sind. Claudia ist Performance-Künstlerin. Wir haben ihr einmal zugesehen, wie sie sich geschlagene anderthalb Stunden lang in einem blauen Müllsack über eine Bühne gerollt hat. Ein unvergeßlicher Abend.

Claudia nahm Mark am Arm. Widerstrebend gab er mir die Hand. Er trug ein schwarzes Seidenhemd unter einem Sakko mit aufgeplatzten, ausgefransten Nähten, das aber wahrscheinlich sündhaft teuer gewesen war. Ich bin vorsichtig in meinen Urteilen geworden, seit ich ein verfilztes schwarzes Röckchen von Juno in die Kleidersammlung für Bosnien gegeben habe und mir eigentlich sicher war, daß selbst eine Frau in Bosnien, die alles verloren hatte, es nicht anziehen würde. Aber es stellte sich heraus, daß es sich um ein 2500 Mark teures Stück einer Firma mit dem blöden Namen *Comme des Garçons* handelte. Juno telefonierte sämtliche Altkleidersammelstellen der Stadt durch, um nach ihrem schwarzen Filzröckchen zu fahnden, was natürlich erfolglos blieb.

Mark ließ sich aufs Sofa fallen und griff gelangweilt nach der ZEIT, die auf dem Tisch lag. Ich hatte keine Lust, ihn zu fragen, ob er etwas trinken wolle.

Ist der Sushimann schon da? fragte Claudia. Ich nickte.

Darf ich ihn mal sehen? flüsterte sie kichernd, zupfte ihr Kleid zurecht und ging in die Küche.

Mark unternahm keinerlei Versuch einer Konversation, was mir nur recht war. Ich betrachtete seine Turnschuhe, riesige Kunststoffkähne, die er offen trug wie ein Fünfzehnjähriger. Innerlich frohlockte ich über diese kleine Schwäche, die ich an ihm entdeckt hatte. Die offenen Turnschuhe verrieten ihn. Er hatte Angst vor dem Alter – wie wir alle.

Durch meine verhaßte Allergie muß ich mich schon so lange mit dem Verlust von Schönheit und Attraktivität herumschlagen, daß ich jetzt, wo es langsam, ganz langsam auch die anderen erwischt, einen Trainingsvorteil habe.

Mark sah auf und grinste mich spöttisch an. Hat Juno dir diesen Anzug verordnet?

Ich nickte, sein Spott ließ mich kalt, ich hatte seine Achillesferse gesehen.

Claudia kam kichernd zurück. O Gott, er ist einfach süß! Wie eine kleine Fee.

Wie Mary Poppins, sagte ich.

Claudia und ich lachten. Mark sah uns verständnislos zu.

Juno kam in einem grünen, langen Kleid hereingeschwebt, das ihr etwas Nixenhaftes verlieh. Sie umarmte und küßte Claudia, als habe sie sie ewig nicht gesehen, und auch Mark gab sie zwei Wangenküsse. Ein besonders idiotisches Ritual. Ich weiß nie, wie oft man eigentlich küssen muß, zweimal, manche machen es dreimal, andere sogar viermal, soll man eigentlich wirklich auf die Backen schmatzen oder nur seine Wangenknochen an die des anderen rammen, ich weiß es nie.

Am liebsten sind mir Menschen, die gar nicht küssen, aber die werden immer seltener.

Mit Junos Auftreten hatte ich meine Rolle als Gastgeber ausgespielt und konnte beruhigt wieder eins werden mit der Tapete.

Es klingelte, Claudia lief zur Tür. Stefan kam hereingerollt wie eine Bowlingkugel. Unwillkürlich traten alle ein wenig zur Seite, um ihm Platz zu machen. Viele fallen auf sein dickes, glatzköpfiges Äußeres herein und halten ihn für spießig, aber innerlich ist er ein Anarchist, was kaum jemand weiß, vielleicht nicht einmal Gisela, seine dritte Frau, mit der er zwei Kinder hat. Gisela ist klein und dünn, bekommt die ersten grauen Haare und wirkt oft ein wenig abwesend und müde. Die Kinder sind dauernd krank, und manchmal habe ich den Eindruck, Gisela hält sich mit Pillen über Wasser.

Stefan ist Junos Chef, ›Unterhaltungschef‹ ist die offizielle Bezeichnung seines Jobs. Er ist vielleicht mein einziger Freund. Er hat mir immer wieder kleine Rollen besorgt, als meine Haut für Hauptrollen nicht mehr in Frage kam, und als dann kein Maskenbildner der Welt mehr die riesigen Pusteln in meinem Gesicht zu überschminken vermochte, verschaffte er mir den Job im Hörfunk.

Irgend etwas in meinem Inneren atmete auf, als ich zum ersten Mal in dem dunklen kleinen Sprecherraum hinter dem Mikrofon Platz nahm, mich niemand mehr sah, und nur meine unverräterische, glatte Stimme zu hören war, die die Verkehrsnachrichten verlas. Es war, als hätte ich zurückgefunden in den gemütlichen dunklen Schrank meiner Kindheit, aus dem ich manchmal nur unter Androhung furchtbarer Strafen herauszubringen war.

Stefan schlug mir gutgelaunt auf den Rücken und rief: Ich habe euch eine Überraschung mitgebracht! Er wies auf die Haustür, und neben Gisela, die in ihrem graubraunen Pelzmantel aussah wie eine Maus mit Winterfell, tauchte eine riesengroße, schlanke Frau mit schmalem Gesicht, dunklen Augen und langen, nachtschwarzen Haaren auf. Sie trug ein weißes Herrenhemd und Jeans. Aus Junos Erzählungen wußte ich sofort, wer sie war: Emine Eloglu, die türkischdeutsche Drehbuchautorin, die gerade für Junos Redaktion einen Fernsehfilm geschrieben hatte. Juno konnte sie nicht ausstehen, wieder und wieder hatte sie mir über Emines Entschlußlosigkeit vorgejammert, über ihre orientalische Art zu argumentieren, ihre schreckliche Wankelmütigkeit.

So wie Juno mir Emine geschildert hatte, hatte ich sie mir klein, jung und zart, wie ein kleines Kaninchen vorgestellt, halb gelähmt vor Angst vor der eleganten Schlange Juno, und jetzt kam diese große Frau Anfang vierzig mit selbstbewußtem Lächeln auf mich zu und schüttelte mir herzhaft die Hand.

Das ist Paul, Junos Mann, ich nenne ihn den heiligen Paul wegen seiner unendlichen Langmut, stellte Stefan mich vor, während er Juno in die Wange kniff wie ein alter Onkel.

Ich wechselte einen Blick mit Juno, die sich nichts anmerken ließ, sondern sich bereits leicht auf die Zehenspitzen stellte, um Emine die obligaten Wangenküsse zu verabreichen.

Magst du Sushi? murmelte Juno.

O ja, lachte Emine und warf ihre schwarze Mähne über die Schulter, und wie.

Juno stellte einen zweiten weißen Teller neben meinen.

Entschuldige, Emine, sagte sie, es tut mir wahnsinnig leid, aber wir haben leider kein anderes Geschirr mehr.

Das macht doch gar nichts, sagte Emine schnell.

Ich habe auch einen weißen Teller, bot ich an.

Emine wandte sich mir zu. Ihre schwarzen Augen unter dichten Augenbrauen funkelten belustigt. Ich verstehe, wir beide sind hier die *underdogs*, was?

Es sieht ganz danach aus, antwortete ich.

Vielleicht lag es nur daran, daß Juno die beiden weißen

Teller nebeneinandergestellt hatte. Zum Teil wenigstens ist sie also selbst an allem schuld. Wir setzten uns und warteten. Mit langen, wohlgeformten Fingern malte Emine kleine Muster auf den Tisch neben ihrem Teller. Sie trug verschiedene schmale Ringe, auch am Ringfinger, aber es war nicht festzustellen, ob es sich dabei um einen Ehering handelte.

Jetzt könnte er aber langsam mal die Sushi rausrücken, sagte Juno nervös.

Vielleicht macht er's wie beim Bogenschießen: Die Sushi suchen sich selbst den günstigsten Moment, um zu uns zu kommen, kicherte Stefan.

Claudia klapperte ungeduldig mit ihren Stäbchen. Du armer, armer Mensch, sagte sie zu mir, du verpaßt wirklich was.

Er weiß ja zum Glück nicht, was er verpaßt, sagte Juno kühl, du brauchst ihn gar nicht zu bemitleiden.

Es tut mir wirklich leid, sagte ich, aber ich verstehe einfach nicht, wie man sich den Bauch mit rohem Fisch oder Fleisch vollschlagen kann. Ich halte es für eine große Kulturleistung des Menschen, vor vielen tausend Jahren den Sprung vom Rohen zum Gekochten geschafft zu haben und nicht mehr kaltes, rohes Fleisch in sich hineinzuwürgen, sondern es ins Feuer zu halten.

Dann bist du eben heute abend der einzig Zivilisierte hier, lachte Claudia, tätschelte mir den Arm und wandte sich Juno zu.

Leise sagte Emine neben mir: Claude Lévi-Strauss, Das Rohe und das Gekochte.

Ja, sagte ich überrascht, haben Sie sich auch durch den ganzen Strauss geackert?

Sie nickte. Meine Lieblingsgeschichte ist die vom Leoparden, der in ein Dorf kommt und eine Menschenfrau heiraten will...

Er droht, daß sonst niemand mehr im Dorf jemals wieder ein Tier erjagen wird..., fiel ich ihr ins Wort.

Sie lächelte. Ihr Mund war groß und geschwungen wie eine Welle. Ich hatte schon lange keiner Frau mehr auf den Mund geschaut. Keiner beachtete uns. Die Worte der anderen flogen an mir vorüber wie Nebelfetzen. Ich hörte nur noch ihre.

Die Frau heiratet den Leoparden, und prompt bekommt sie schwarze Flecken auf der Haut, fuhr sie fort und umfuhr mit dem Finger ihren Tellerrand. Ich legte meine verunstalteten Hände neben meinen Teller, versuchte nicht wie sonst, sie zu verstecken. Emine betrachtete sie ruhig. Sie fragte mich nicht, was denn um Gottes willen mit meiner Haut los sei.

Vielleicht habe ich eine Tigerin geheiratet, sagte ich leise.

Vielleicht, antwortete sie und lächelte in sich hinein.

Sie hätte mich genausogut küssen können. Ich nickte verwirrt und sah in meinen leeren, weißen Teller, in dem sich undeutlich mein Gesicht spiegelte.

Eine Erinnerung an den jungen Mann, der ich einmal gewesen war, überfiel mich. Es war beim Diner nach der Bambi-Preisverleihung. Mein goldenes Reh stand vor mir auf dem Tisch, eine Feuilletonredakteurin, an deren Namen ich mich nicht mehr erinnern kann, saß neben mir, und während ich mit der einen Hand meine Markklößchensuppe löffelte und mich höflich am Tischgespräch beteiligte, hatte ich die andere tief im Slip meiner

Nachbarin vergraben. Grinsend beobachtete ich, wie sich ihre Augen weiteten und die Hand mit ihrem Löffel zu zittern begann. Ich fühlte mich wie ein virtuoser Schlagzeugspieler, der zwei völlig verschiedene Rhythmen mit seinen Händen spielen kann, ohne aus dem Takt zu kommen.

Der Sushimann kam ins Zimmer und brachte jedem, außer mir, eine Suppe. Tut mir leid, sagte er zu mir, aber in der Misosuppe sind Thunfischflocken.

Stefan brüllte ›Tatütata‹, wie die Sirene eines Notarztwagens.

Armer schwarzer Kater, Claudia strich mir über den Rücken, noch nicht mal eine Suppe bekommst du. Mark sah sie scharf an, Claudia nahm ihre Hand von meinem Rücken.

Warum magst du keinen Fisch? fragte mich Gisela.

O Gott, stöhnte Juno, kennst du die Geschichte nicht?

Gisela schüttelte den Kopf. Ich betete inbrünstig, Juno möge zu faul sein, sie zum besten zu geben. Die kennt ihr doch, murmelte ich, die haben wir doch schon hundertmal erzählt.

Ich kenne sie auch nicht, sagte Mark.

Ich sah Emine an. Sie schwieg.

Olle Kamellen, sagte Stefan.

Unsere neueste Erkenntnis über Pauls Allergie ist, daß ich an allem schuld bin, sagte Juno.

Natürlich, das ist doch vollkommen klar, lachte Stefan laut, es wundert mich, daß du nicht schon früher darauf gekommen bist.

Das hat dieser fette Psychologe mit den Schwitzhändchen zu Paul gesagt, wandte sich Juno an mich.

Er hatte sein Preisschild noch am Schlips hängen, und auf der Couch waren Hundehaare, sagte ich, um die Diskussion von mir abzulenken. Alle lachten.

Ich bin an allem schuld, weil ich mehr Geld verdiene als Paul.

An ihrem schüchternen Auflachen erkannte ich, daß Juno etwas gesagt hatte, was sie eigentlich nur hatte denken wollen. Alle schwiegen.

Damit hast du schließlich den Psychologen bezahlt, sagte ich heiter, aber es hatte keinen Zweck. Die Stimmung sank wie ein U-Boot.

Psychologen sind doch alle Idioten, versuchte Claudia zu helfen.

Es ist einfach ziemlich langweilig, eine Stunde lang für hundertzwanzig Mark nur von sich selbst zu reden, meldete sich Gisela, und alle sahen sie erstaunt an. Ich gehe jetzt stattdessen einmal in der Woche zur Kosmetikerin, das hilft mir mehr, sie lachte verlegen und wurde ein wenig rot.

Ich glaube, daß es ziemlich wurscht ist, ob man zum Therapeuten geht, in die Kirche oder zum Schamanen. Hauptsache, man glaubt daran, daß einem geholfen wird. Und dann wird einem geholfen, sagte Claudia mit Nachdruck.

Gott oder Kosmetikerin, das ist die große Frage, sagte Stefan, fischte die Meeresalgen aus seiner Suppe und ließ sie in Giselas Suppenschale fallen.

Die Kosmetikerin existiert zumindest wirklich. Und Gott haben wir uns nur ausgedacht, sagte Mark verächtlich und schlürfte seine Suppe aus.

Es entstand eine Pause. Ich betrachtete unsere Freunde,

die wie geübte Eiskunstläufer über ihre eigenen Sätze dahinschlitterten. Und wenn sie tatsächlich einmal hinfielen, standen sie sogleich lächelnd wieder auf. Keiner sollte ihre zusammengebissenen Zähne sehen, ihre blauen Flecke, ihre Schmerzen. Selbst ihre besten Freunde nicht. Und wir waren alle beste Freunde. Bis auf Emine, und schließlich war sie es, die das Schweigen durchbrach und zu Mark sagte: Warum klingen Sie so enttäuscht? Ist es nicht eine ziemlich beeindruckende Leistung des Menschen, sich jemanden auszudenken, an den man glauben kann und der Liebe in unsere Welt bringt?

Mark hielt im Schlürfen inne und starrte Emine über den Rand seiner schwarzen Lackschale an. O Gott, stöhnte er, sind Sie auch so eine von diesen unentwegt Positiven, die sich einreden, auch Scheiße sei schließlich ein Geschenk Gottes?

Emine grinste. Ja. Aber ich unterscheide zwischen Pferde-, Hunde- und Hühnerscheiße.

Ein Geschenk Allahs? fragte Juno und schob den kleinen Keramikfisch, der als Ablage für die Stäbchen diente, auf der Tischdecke hin und her.

Ich weiß nicht, wie ich ihn nennen soll, erwiderte Emine kühl, ich bin moslemisch erzogen worden, das schon.

Schweigen kehrte ein. Keiner wollte eine Diskussion über den Islam vom Zaun brechen.

Der Sushimann kam hereingeschwebt und erlöste uns. Wir alle sahen ihm zu, wie er mit eleganten Bewegungen erst die Suppenschälchen abräumte, dann jedem ein Schälchen mit Sojasauce, Meerrettich und Ingwer vorsetzte. Außer mir natürlich.

Als er wieder in der Küche verschwand, seufzte Gisela: Der Junge sieht zum Fressen aus. Alle sahen sie grinsend an.

Ich empfehle ihn roh, in kleinen Scheibchen mit ein wenig Ingwer, sagte Stefan, so richtig schön unzivilisiert. Er nahm Giselas Hand und tätschelte sie. Ich versuchte, mir die beiden im Bett vorzustellen, es mißlang. (Aber das tut es bei den meisten Menschen, meist sogar bei mir selbst.)

Wißt ihr, daß in Japan ganz normale Geschäftsleute in der Mittagspause in Sexshops gehen, wo sie sich windeln lassen wie die Babys? sagte Claudia, die, soviel ich weiß, noch nie in Japan war. Oder sie schießen mit Wasserpistolen auf Frauen, die nichts tragen außer einer Pampers. Das finden sie so richtig scharf.

Auch wenn sie naß sind, sind sie schön trocken, murmelte Mark. Claudia kicherte. Die Japaner haben eine Vorstellung von Sex, die so ähnlich ist, wie einer Fliege ein Bein auszureißen. Alle lachten. Ich suchte Emines Blick, aber sie sah abwesend vor sich hin und wünschte sich wahrscheinlich sehr weit weg.

Juno sah auf die Uhr. Er könnte langsam mal die Sushi bringen, findet ihr nicht?

Mark hatte bereits seinen sämtlichen Ingwer aufgegessen. Stefan stippte seine Stäbchen in die Sojasauce und leckte sie ab. Wer Pampers sexy findet, hat noch nie seinem Kind die Windeln gewechselt, seufzte er.

Nehmt ihr denn Pampers? fragte Claudia.

Was denn sonst?

Hast du mal gezählt, wie viele Pampers zwei Kinder im Monat verbrauchen?

180 bis 200 Stück, antwortete Gisela wie aus der Pistole geschossen. Willst du mir nahelegen, ich soll lieber Windeln waschen, um die Umwelt zu schonen?

Es gibt doch diesen Windelservice, die holen die verschissenen Windeln ab...

Na prima, ächzte Stefan, wie hygienisch.

Ich habe Hunger, ihr nicht? fragte Juno und rutschte auf ihrem Stuhl hin und her. Er hatte schließlich drei Stunden Zeit.

Du könntest ja die Windeln deiner Kinder waschen, sagte Claudia zu Stefan, wie wär das?

Claudia, hör auf, stöhnte Juno, die Diskussion darüber, wer den Abfall runterbringt und den Kindern die Windeln wechselt, halte ich einfach nicht mehr aus.

Claudia schwieg beleidigt.

Eure Liebe werdet ihr daran erkennen, wie ihr eure Wäsche wascht, sagte Stefan kryptisch.

Blödsinn, sagte Juno feindselig.

Wie meinst du das? fragte Claudia.

Stefan grinste sie und Mark an. Wie wascht ihr zum Beispiel eure Wäsche?

Oh, er läßt mich gar nicht an seine Wäsche ran, sagte Claudia, und alle lachten.

Sie versaut mir sonst meine Hemden, erklärte Mark.

Waschen Sie sie selbst? fragte Emine interessiert.

Ja, sagte Mark achselzuckend.

Und wer bügelt sie? meldete sich Juno.

Mark zögerte.

Früher hat er sie selbst gebügelt, jetzt bügel ich sie, weil...

Alle sahen Claudia gespannt an, als sei sie drauf und dran, Unaussprechliches zu enthüllen.

Weil… oh, ich weiß nicht genau. Eigentlich hasse ich bügeln. Sie lachte.

O Claudia! rief Juno, du bist seine Sklavin geworden!

Ich glaube nicht, daß ich mir irgend etwas vergebe, weil ich Marks Hemden bügele, sagte Claudia spitz.

Wer bügelt denn Pauls Hemden? fragte Gisela.

Ich schwieg. Paul, sagte Juno und sah mich lächelnd an. Ich sah zu Emine, sie schlug die Augen nieder.

Er bügelt auch meine Wäsche, fügte Juno hinzu. Alle sahen mich erstaunt an. Was soll das jetzt für unsere Liebe bedeuten, Stefan, kannst du mir das mal sagen?

Oh, ich weiß nicht, ob du das jetzt wirklich hören möchtest, sagte Stefan und wandte sich an Emine. Emine, wie waschen Sie Ihre Wäsche – oder lassen Sie sie waschen?

Emine lachte auf. Ich habe manchmal das Gefühl, daß ich nichts anderes tue, als Wäsche zu waschen. Ich habe einen bettlägerigen Vater zu Hause und drei Kinder. Bei uns läuft ständig die Waschmaschine, und wenn der Schleudergang kommt, schließe ich manchmal die Augen und stelle mir vor, ich bin am Flughafen und besteige ein Flugzeug nach Australien, weil das Schleudern klingt wie eine startende Boeing 737.

Hast du denn gar keine Hilfe? rief Juno fassungslos.

Emine schüttelte lächelnd den Kopf.

Emine, das habe ich ja gar nicht gewußt. Wie machst du das denn? Warum hast du denn nichts gesagt?

Hättest du dann die Wäsche meiner Familie gewaschen? fragte Emine freundlich.

Ich habe Hunger, erklärte Claudia lapidar.

Juno stand auf. Ich werde mal nachsehen, was er macht, unser Sushimann.

Im Vorbeigehen strich sie mir mit der Hand über den Nacken, während ich Emine in die kohlschwarzen Augen starrte.

Ich sah dort ein anderes, mir unbekanntes Leben voller Mühen und Kummer, aber auch voller Verzückung. Ich weiß nicht, warum ich das alles in ihren Augen sah, während sie wahrscheinlich an ihren Schleudergang dachte oder an Lévi-Strauss oder ihre Kinder, auf jeden Fall fing ich an zu träumen, und hörte wohl als letzter Junos entsetzten Schrei: Der Sushimann hat sich geschnitten!

Er saß auf dem Boden, aus seiner Hand tropfte hellrotes Blut unablässig in einen Suppenteller zwischen seinen weißen, außerirdischen Füßen. Auf der Anrichte standen schwarze Lacktabletts mit den Sushihäppchen, die aussahen wie kleine Geschenkpäckchen.

Er hob langsam den Kopf und sah uns mit leicht verschleiertem Blick an.

Ich kann kein Blut sehen, sagte er entschuldigend.

Ich auch nicht, sagte Mark, dessen Ohren bereits einen wachsgelben Schimmer angenommen hatten, und verließ eilig die Küche.

Wie kann man auch nur so scharfe Messer nehmen, sagte Stefan und unterdrückte ein Kichern. Gisela stieß ihn in die Seite. Claudia nahm ein Sushihäppchen und stopfte es sich verstohlen in den Mund.

Juno kniete neben dem Sushimann und drehte seine

Hand hin und her wie ein mechanisches Teil einer Küchenmaschine.

Ich glaube, das muß genäht werden. Sie richtete sich auf, ihr Blick fiel auf die Sushi. Die schönen Sushi, sagte sie bedauernd, was machen wir jetzt?

Jeder von uns hatte bereits den unverwechselbaren Krankenhausgeruch von Sagrotan und Hackbraten in der Nase. Keiner hatte Lust, mit einem fremden Japaner durch Krankenhausflure zu irren, Formulare auszufüllen, ungeduldigen Ärzten die Sachlage zu erklären, stundenlang auf unbequemen Stühlen zu sitzen und zu warten.

Der Sushimann sah an uns hoch wie ein Hund, der auf eine Scheibe Wurst wartet und weiß, daß er nicht betteln darf. Keiner rührte sich.

Ich fahre in die nächste Notaufnahme, und ihr fangt schon mal mit dem Essen an, erbot sich Emine schließlich.

Willst du das wirklich tun? fragte Juno zögernd, aber bereits aufatmend.

Ich komme mit, hörte ich mich sagen.

Im Rückspiegel beobachtete ich Emine, wie sie mit einer großen Rolle Küchenpapier versuchte, das Blut des Sushimannes zu stillen, und beruhigend auf ihn einredete wie auf ein kleines Kind. Ich beneidete ihn.

Er lag auf dem Sitz, seine geschlossenen Augen zwei kleine, schwarze Halbmonde im papierweißen Gesicht. Er wirkte zufrieden, fast glücklich. Mit geschlossenen Augen sah er plötzlich sehr fremd aus.

Ich stellte mir vor, wie sich in seinem Kopf die Bilder vermengten, wie sie es immer tun, kurz bevor man ohnmächtig wird, vielleicht auch, bevor man stirbt, und wie er das Gefühl hatte, in einem Taxi durch Tokio zu fahren, und wie ich zu einem japanischen Taxifahrer mit weißen Handschuhen wurde und Emine zu seiner Mutter. Ich hörte japanisches Stimmengewirr, fremde Töne, das Klingen einer Tempelglocke, den Schrei eines Samurais, das Scheppern japanischer Glücksspielautomaten. Ich spürte den scharfen Geruch von grünem Meerrettich, rotem Ingwer und schwarzer Sojasauce, Neonreklamen schossen an uns vorbei wie bunte Blitze. Plötzlich war ich glücklich, so glücklich wie lange nicht mehr. Im Rückspiegel suchte ich Emines Blick, sie lächelte, auch sie schien glücklich. Ich hätte das Auto in diesem Moment gern gegen eine Betonwand gelenkt, nur eine kleine Bewegung meiner rechten Hand hätte genügt, drei glückliche Menschen wären glücklich gestorben.

Aber natürlich hatte ich dazu nicht den Mut. Ich bog in die falsche Krankenhauseinfahrt ein und wurde vom Pförtner angeraunzt: Wenn hier jeder, der sich in den Finger geschnitten hat, reinfahren dürfte, würd's dranstehen.

Das Leben hatte uns wieder.

Wortlos wurde uns unser Sushimann von einer Assistenzärztin abgenommen wie ein Postpaket, und das letzte, was ich von ihm sah, waren seine außerirdisch gespaltenen Füße in den weißen Socken unter seinem Kimono.

Emine setzte sich auf einen orangeroten Stuhl in der Aufnahme und schlug die Arme unter. Ich setzte mich vorsichtig neben sie.

Wollen wir auf ihn warten?

Natürlich, erwiderte sie knapp.

Ich bot ihr ein Pfefferminzbonbon an, das ich in meiner Manteltasche gefunden hatte. Wir starrten auf mißlungene Aquarelle an der Wand gegenüber. Junge, gutaussehende Ärzte in weißen Clogs gingen an uns vorbei, schnatternde Krankenschwestern, alte Kranke, junge Verletzte, sorgfältig frisierte Ehefrauen mit Blumensträußen in der Hand.

Ich bin froh, daß wir hier sind, sagte ich schüchtern.

Emine sah mich verblüfft an. Ich hasse Krankenhäuser, sagte sie lächelnd.

Das meine ich nicht. Ich... ich fand nur den Abend bei uns etwas...

Mühsam.

Ja.

Das lag wahrscheinlich an mir, sagte sie lapidar.

Nein, nein.

Doch, doch. Ich habe ihre Freunde verwirrt. Sie können mich nicht einschätzen. Sie kennen meist keine Türken außer ihrem Gemüsehändler.

Daran liegt es, glaube ich, nicht.

Daran liegt es immer.

Sie sah mich lächelnd an, und ich spürte, wie ich rot wurde, aber das war bei meiner schlechten Haut für niemanden zu erkennen, das wußte ich. Ich starrte auf meine schuppigen, rotgefleckten Hände auf meinen Knien und sah zu, wie sie ihre wunderschöne, elegante, olivfarbene Hand auf meine legte. Wir bewegten uns nicht. Ich hörte mich atmen. Viel zu laut. Ob ich immer so atme?

Ich hasse meine Haut, flüsterte ich, sie ist wie eine ständig ungeputzte Fensterscheibe. Ich kann nur durch sie hindurch die Welt betrachten… Ich kann mich nicht vergessen, das ist das Schlimmste.

Anstatt verständnisvoll mit dem Kopf zu nicken, lachte sie. Oh, wie wunderbar pathetisch, spottete sie.

Ich schwieg verletzt. Sie nahm ihre Hand nicht von meiner.

Sie träumen, sagte sie. Sie träumen, Sie hätten eine furchtbare Allergie, die Sie entstellt und Sie daran hindert, Ihr wirkliches Leben zu führen.

Schön wär's.

Eine alte Frau mit Kopfverband und tiefblau angelaufenem Gesicht schuffelte vorsichtig an uns vorbei. Emine nahm ihre Hand von meiner. Es war ähnlich schrecklich, wie wenn man als Kind einen Zahn verliert und mit Entsetzen nur noch das Loch und die Luft im Mund verspürt.

Doch, insistierte Emine. Sie träumen.

Ich habe mal einen Dokumentarfilm über einen tibetischen Lama gemacht…

Oh, kommen Sie mir nicht mit dem Buddhismus.

Warum nicht? Sie sah mir neugierig direkt in die Augen. Ich wußte keine intelligente Antwort.

Ungerührt fuhr sie fort. Der Lama war ein uralter Mann, der Augen hatte wie ein Baby. Er war in ein rotes Tuch gehüllt, die Oberarme waren frei. Es war minus fünfzehn Grad in Düsseldorf.

Der Lama war in Düsseldorf?

Ja. Das erste Mal im Westen und dann gleich in Düsseldorf. Das ist hart, was?

Ich nickte. Wir beide kicherten. Erstaunt lauschte ich dem Klang.

Er hielt einen Vortrag in einem Freizeitheim. Etwa dreihundert Menschen waren gekommen. Er erzählte die üblichen Geschichten, daß das Leben Leiden ist und eine Illusion. Eine junge Frau meldete sich. Sie hatte nur ein Bein und berichtete, daß sie einen schweren Autounfall gehabt habe und sehr darunter leide, jetzt schwerbehindert zu sein. Der Lama sah sie an, lächelte und sagte: Auch das ist nur eine Illusion.

Wie gemein.

Moment. Es geht noch weiter. Ich mußte irgendwann gehen. Vor der Tür lagen dreihundert Paar Schuhe. Und in einem Turnschuh steckte ein Plastikbein. Die Prothese der jungen Frau. Und dieses Bein, so ganz allein unter all den Schuhen, sah tatsächlich aus wie eine Illusion.

Hm.

Wenn Sie schlafen und von sich träumen, haben Sie dann die Allergie oder nicht?

Meistens nicht. Da bin ich ein wunderschöner junger Mann, der sich an Lianen von Baum zu Baum schwingt.

Sehen Sie, sie grinste, wer sagt Ihnen dann, daß Ihre Allergie nicht genauso geträumt ist wie daß Sie Tarzan sind?

Sie verstummte und sah mich neugierig an. Ich wollte ihr gern etwas anvertrauen, ihr ein Stückchen meiner Seele überreichen wie ein kleines Obsttörtchen. Aber es durfte nichts Phathetisches sein. Und es mußte schnell geschehen, bevor sich alles zwischen uns wieder in Rauch auflöste. Aber mir fiel nichts ein.

Ich bin ein unheilbarer Bewohner des Abendlandes, sagte ich lahm, östliche Weisheiten prallen an mir ab wie Tennisbälle.

Oh, sagte sie schnell, das ist gut zu wissen. Zählt die Türkei bei Ihnen auch zum Osten?

Nein, ich meine den richtigen Osten.

Ostdeutschland, grinste sie.

Indien. China. Japan.

Automatisch wandten wir die Köpfe und sahen zur Eingangstür der Ambulanz, wo unser Sushimann verarztet wurde. Jetzt wußte ich, was ich ihr erzählen würde. Was ich noch niemals erzählt hatte, immer nur Juno. Ich habe nur ein einziges Mal in meinem Leben Sushi gegessen und bin daran fast gestorben, sagte ich, das war, als Juno und ich uns gerade kennengelernt hatten.

Wie sahen Sie damals aus?

Sie werden es mir kaum glauben, ich war wirklich ein gutaussehender Mann.

Ich habe Sie mal in einer alten Fernsehserie gesehen, sagte sie und zupfte an ihrem Hemd. Sie erschien mir mit einem Mal reserviert, ihre Stimme hatte einen anderen Klang, kühler und flacher.

Und? Fanden Sie mich schön?

Nein, sagte sie trocken, nicht besonders. Sie wirkten steif und unglücklich.

Aber ich war so etwas wie ein Star.

Sie reagierte nicht.

Doch, wirklich. Mit Knüppeln mußte man die Frauen von mir fernhalten.

Sie lächelte andeutungsweise. Und Juno?

Juno war damals noch Redaktionssekretärin, aber sie wirkte wie eine Dame von Welt. Sie kannte Sushi, als alle anderen noch glaubten, das sei ein arabisches Schimpfwort oder ein neues Waschmittel. Sie wußte immer und überall, wie man es richtig macht. In dem japanischen Restaurant, in das sie mich geschleppt hat, wählte sie natürlich den einzigen Tisch, an dem man auf der Erde sitzen mußte. Sie bestellte die Sushi für uns beide, und ich saß mit verknoteten Beinen da und fühlte mich wie ein Idiot. Aber ihre selbstsichere Art beeindruckte mich. Ich sah ihr gern dabei zu, wie sie die Welt um sich herum im Griff hatte.

Emine verzog ein wenig die Mundwinkel. Kein Zweifel, dieses Verhalten kannte sie von Juno. Ich hatte eine Verbündete gefunden. Mein Herz hüpfte wie eine mexikanische Springbohne.

Gegenüber von unserem Tisch befand sich die Sushitheke. Ein gutaussehender Sushikoch mit stahlgrauen kurzen Haaren, der so aussah wie der Schauspieler in *Hiroshima, mon amour*, nahm mit vielen Verbeugungen Junos Bestellungen entgegen, und dann fing er an zu basteln.

Das erste Tablett war für mich. Da arbeitete er schnell und ohne Fisimatenten. Bei dem zweiten Tablett jedoch rollte er den Reis eine Spur länger in seinen feuchten Fingern, stopfte ihn fast anzüglich in den Streifen Seetang, strich zärtlich über die kleinen Fischhappen. Zwischen diesen Handgriffen suchte er immer wieder Junos Blick.

Und Juno verstand. Sie sah ihn unter langen Wimpern verführerisch an. Vielleicht war es Einbildung, aber mir schien es immer mehr so, als mache er ihr ein eindeutiges Angebot. Immer sinnlicher wurden seine Handbewegungen. Er stopfte und drehte und knetete den Reis, seine Lippen waren halb geöffnet, ich glaubte, seinen schwer gehenden Atem zu hören, und der rötliche Schimmer in Junos Gesicht hatte nichts mehr mit der winterlichen Kälte und dem heißen grünen Tee zu tun.

Ich wurde so eifersüchtig, daß ich kurz davor war, aufzuspringen, den Tisch umzuwerfen und den Sushikoch am Kimono zu packen, aber da war er fertig und überreichte unsere Tabletts einer Kellnerin.

Im allerletzten Moment strich er noch einmal mit dem Finger über den Fisch. Ich schäumte innerlich, aber versuchte, mich zu benehmen, nahm den ersten Sushihappen so elegant wie möglich zwischen die Stäbchen und bugsierte ihn in den Mund. Das war mein erster und letzter Versuch.

Innerhalb von nur wenigen Sekunden schwoll meine Zunge auf die zehnfache Größe an, wie ein Luftballon, der in meinem Mund aufgeblasen wurde, ich glotzte Juno hilflos an wie ein erstickender Fisch – und wurde ohnmächtig. Und seit dem Tag bin ich ein Allergiker. Erst gegen rohen Fisch, dann gegen Erdbeeren, Wespen, Aspirin – und jetzt weiß keiner mehr, gegen was eigentlich.

Emine lachte. Eine ältere Dame mit orthopädischen Schuhen sah sich vorwurfsvoll nach ihr um. Ich lehnte mich zurück und grinste zufrieden.

Zum ersten Mal hatte ich selbst diese Geschichte erzählt, mit der sonst Juno die Lacher auf ihrer Seite hatte. Natürlich erwähnte sie den erregten Sushikoch mit keiner Silbe. Sie erzählte meist davon, wie ihr erster Kuß, den sie mir gab, eine Mund-zu-Mund-Beatmung gewesen sei, während mein Kopf wie bei einem Monster in einem Horrorfilm immer weiter anschwollen und die hübschen Kellnerinnen in ihren Kimonos fassungslos um mich herumstanden. Mit Juno als meiner Lebensretterin fing unsere gemeinsame Geschichte an.

Mein Blick fiel auf meine Hände. Die roten Flecken schienen mir einen Hauch blasser als sonst, als zögen sie sich vor Scham zurück. Das erschien mir vollkommen logisch. Es war verdammt lange her, daß ich jemanden zum Lachen gebracht hatte. Ich schloß einen Moment die Augen und ließ das Kichern von Emine über mich perlen wie einen Frühlingsregen.

Alpais 1572

Als ich bei Anna einzog, habe ich mein Bett an der Tür eingerichtet, sie schlief am Fenster. Ich kam zu ihr, damit ich nachts aufstehen und ihr helfen könnte. Sie hatte oft furchtbare Schmerzen am Herzen und am ganzen Körper, aber wenn ich meine Hand auf ihr Herz legte, wie sie es mir sagte, dann beruhigte sie sich schnell. Ich spürte die Schmerzen in ihrem Herzen wie einen Dolch. Kaum nahm ich meine Hand weg, dann wand sie sich so, daß sie oft aus dem Bett fiel.

Das ging so jede Nacht. Tagsüber schien sie keine Schmerzen zu haben, aber sie konnte ihr Bett nie verlassen, weil sie wie gelähmt schien. Nachts kamen Männer zu ihr, um sie zu schlagen, wie sie sagte. Halt mich fest, halt mich fest! schrie sie dann, und ich mußte sie fest umarmen.

Sie erzählte mir nie genau, was mit ihr geschah, wenn die Männer kamen, aber wenn sie diese Schmerzen hatte, dann kam ein schrecklicher Schwefelgestank aus ihrem Mund, und sie murmelte wieder und wieder, daß sie niemandes Braut sein wolle außer die Seine.

Am zweiten Freitag in der Passionszeit um die zweite oder dritte Stunde in der Nacht hörte ich sie wieder stöhnen, und ich richtete mich schon auf, um zu ihr zu gehen, da sah ich, wie sich ihr Körper unter dem Laken plötzlich aufbäumte, und sie rief: Ich verdiene es nicht, ich bin eine Sünderin.

Sie wurde stocksteif und reagierte nicht auf meine Berührungen, und als ich das Laken zurückschlug, sah ich rote Rosetten auf ihren Füßen und ihren Händen und eine tiefrote Stelle an ihrer Seite. Aus ihren Haaren lief Blut über ihre Stirn.

Ich holte sofort die Äbtissin und die Mutter Oberin.

Schon am übernächsten Tag kam der Propst, ein großer, hagerer Mann, dessen Gesicht sich nicht bewegte, wenn er sprach, so daß man manchmal glaubte, man hätte sich nur eingebildet, daß er etwas gesagt hatte. So mußte er auch wiederholen, daß alle Annas Zelle verlassen sollten, selbst die Äbtissin, nur ich durfte bleiben und der Schreiber, der sich sofort in eine Ecke zurückzog. Ich mußte Anna ausziehen, und es fiel mir auf, daß sie ihre Glieder besser bewegen konnte als in all der Zeit zuvor.

Sie wirkte glücklich, ihr Gesicht glühte, sie lächelte, sprach aber nichts. Der Propst befahl mir, sie mit warmem Wasser abzuwaschen, das getrocknete Blut von ihren Füßen und Händen, von ihrer Seite und ihrem Kopf. Er wandte sich ab, bis ich ihm sagte, daß Anna jetzt vollständig nackt sei. Ihre Haut war gelblich wie eine Quitte, sie roch nach kaltem Schweiß, ihre Brüste waren winzig und verschrumpelt wie zwei Dörrpflaumen, ihre Rippen und Hüftknochen stachen weit hervor.

Der Propst bedeutete, Anna solle ihren Fuß auf den Stuhl stellen. Er beugte sich tief darüber, tippte mit dem Finger auf ihre Wunde und fragte sie, ob sie ihre Füße übereinandergelegt habe, als sie die Zeichen bekommen habe, und sie antwortete mit sanfter Stimme, nein, sie sei in dieser Stellung gewesen, ohne es zu merken.

Es ging ihr so gut wie schon lange nicht mehr, so daß wir sie zur Messe tragen konnten, und sie durfte zum ersten Mal wieder kommunizieren. Die Mutter Oberin betrachtete sie dabei genau, denn früher fing Anna oft entsetzlich an zu zittern, und einmal stürzte ihr das Blut aus der Nase wie ein Wasserfall, aber dieses Mal blieb sie still und gesammelt.

Sie kam auch wieder ins Refektorium und aß sogar ein wenig von jeder Speise.

Ihre Schmerzen in der Nacht hörten vollkommen auf, aber sie bat mich, dennoch bei ihr zu bleiben.

Als der Propst eine Woche später wiederkam, nahm er mich beiseite und befragte mich, ob ich ganz sicher sei, daß Anna sich nicht des Nachts ihre Wunden selbst zufüge. Nein, antwortete ich wahrheitsgemäß, da sei ich ganz sicher.

Wieder wusch ich ihre Wunden ab, und aus der Seite sickerte ein wenig frisches Blut ins Handtuch. Anna erzählte dem Propst, daß ihre Wunden sonntags ohne Gefühl seien, montags und dienstags habe sie wenig oder gar keine Schmerzen, freitags jedoch mehr als an allen anderen Tagen, und da bluteten sie auch mehr als sonst.

An ihrem Kopf waren erneut kleine Stellen getrockneten Blutes zu sehen, und der Propst trug mir auf, Annas Haare abzuschneiden. Als ich die Schere hob, nickte sie mir lächelnd zu. Ihre dichten, glänzenden Haare fielen auf die Erde wie ein Fell, und wie sie dann zitternd vor Kälte so dastand, nackt, kahl und so dünn, daß ihre Schulterknochen hervorstanden wie kleine Fügel, einnerte sie mich an ein frischgeschorenes Schaf, und sie dauerte mich so, daß ich sie am liebsten in die Arme geschlossen hätte.

Der Propst bedeutete mir, von ihr zurückzutreten. Er betrachtete Anna lange nachdenklich, sie hielt ihren Blick gesenkt. Die roten Male an ihrem Körper leuchteten wie Farbkleckse. Er ging um sie herum, eine Fliege setzte sich auf ihre Wunde an der Seite, aber sie rührte sich nicht. Ich mußte an mich halten, um nicht zu ihr zu stürzen und die Fliege zu verjagen. Der Propst diktierte dem Schreiber leise etwas, das ich nicht verstand, und schließlich befahl er Anna, ihr Habit wieder anzulegen. Ich durfte ihr nicht dabei helfen. Sie humpelte ein paar Schritte in die Ecke, wo ihre Kleidung über einem Stuhl lag, sie beugte sich hinunter, plötzlich fuhr sie sich mit beiden Händen an den Kopf und schrie: Jesus, was ist das?

Blut lief aus den Wunden an ihrem Kopf in Strömen über ihren nackten Körper, und während wir sie noch anstarrten, kleidete sie ihr eigenes Blut wie ein scharlachrotes Kleid.

Der Propst kam noch dreimal, und jedesmal wieder untersuchte er das eingetrocknete Blut an Annas Wunden, und wenn ich sie wusch, sah man kleine Löcher, aus denen frisches Blut tröpfelte. Die Besuche des Propstes währten kürzer und kürzer. Zuletzt brauchte ich Anna nicht mehr zu waschen, und kein Schreiber war mehr dabei.

Danach geschah lange Zeit gar nichts. So neugierig wie alle Schwestern auf Annas Zeichen anfangs gewesen waren, so schnell hatten sie sich daran gewöhnt, und Anna wurde nicht weiter beachtet. Auch die Oberin machte kein Aufheben mehr ihretwegen, und es war, als hätte sie die Zeichen nie erhalten.

Ich sollte aus Annas Zelle wieder ausziehen, denn sie hatte ja keine Schmerzen mehr, und sosehr sie die Oberin auch bat, mich bei sich behalten zu dürfen, es nützte nichts.

In der letzten Nacht aber, die ich bei ihr verbrachte, geschah ein Wunder, das ich zwar nicht mit eigenen Augen gesehen habe, aber mit eigenen Ohren gehört habe. Ich kann deshalb beschwören, daß sich alles genauso abgespielt hat: Anna fing in der dritten Stunde der Nacht an zu rufen, daß Er sich ihr nähere, und sie bat mich, zu beten, daß es wirklich Er selbst sei und nicht eine Vorspiegelung des Teufels.

Kurz darauf fing sie an zu lachen, und ich hörte sie sagen: Was tust du? Du bist gekommen, um mein Herz zu holen? Das kann ich nicht zulassen ohne die Erlaubnis meines Beichtvaters...

Es war eine Weile still, dann fuhr sie fort: Wenn du wirklich meinst, daß er keine Einwände haben wird, dann tu es, und sie legte sich auf die Seite und fragte: Wo willst du denn mein Herz herausnehmen? Sie schob ihr Nachthemd hoch, entblößte die Wunde auf ihrer Seite und stöhnte ganz fürchterlich.

Das war der Moment, wo Er ihr das Herz aus dem Leib gerissen hat. Sie schrie auf, aber lächelte gleichzeitig und richtete sich auf und sagte: Oh, zeig es mir, zeig mir mein Herz.

Sie ließ sich zurücksinken, dann fragte sie ängstlich: Aber wie werde ich jetzt ohne mein Herz leben? Wie werde ich dich ohne Herz lieben können?

Voller Furcht ging ich langsam näher zu ihr heran, und sie erschien mir wie eine, die nicht sie selbst ist. Sie hatte die Augen weit aufgerissen, aber sie sah mich nicht. Ich gab vor, sie zuzudecken, dabei berührte ich sie in der Nähe ihres Herzens, und ich spürte dort einen leeren Raum, wie ein großes Loch.

Sie blieb lang so liegen, offenbar all ihrer Sinne beraubt, dann nahm sie plötzlich meine Hand, drückte sie so fest, daß es wehtat, und flüsterte: Alpais, bleib bei mir, du bist die einzige, die mir glaubt. Sag keinem Menschen, was du gerade gesehen hast, keinem Menschen! Und sie zog mich an sich, und wir zitterten beide wie ein einziger Körper, und erst als zur Matutin geläutet wurde, beruhigten wir uns.

Drei Tage lebte Anna ohne Herz, aber ich erzählte niemandem davon. In der vierten Nacht kam Er, um es ihr zurückzugeben. Ich hatte sie gerade noch gefragt, ob sie irgend etwas brauche für die Nacht, und sie hatte geantwortet, ich solle ruhig schlafen gehen, aber ich konnte nicht gehen. Es war als würde ich festgehalten, ich blieb mitten im Zimmer wie angewurzelt stehen. Sie zog den Vorhang vor ihrem Bett zu, und kurz danach hörte ich sie sagen: Oh, mein Bräutigam, bist du gekommen, um mir mein Herz zurückzugeben?

Ich sah, wie sie hinter dem dünnen Vorhang freudig ihre Arme ausbreitete, dann flüsterte sie: O bitte, zeig es mir nicht, ich könnte blind werden von seinem Anblick.

Sie wandte ihren Kopf ab, murmelte wieder und wieder, es sei zu schön, sie könne es nicht ansehen. Was denn die Strahlen zu bedeuten hätten? Und der goldene Ring um das Herz?

Durch einen Spalt im Vorhang sah ich, wie sie ihren Körper entblößte und daß die Wunde auf ihrer Seite viel größer und röter war als zuvor. Sie lächelte glücklich, und als Er das Herz in sie hineinschob, sah ich, wie sich ihr Fleisch wölbte und sich ganz langsam in Wellen bewegte, während das Herz an den Rippen vorbeiwanderte an seine ursprüngliche Stelle. Aber es war zu groß für sie, so groß, daß ihre Brust sich dehnte, als wolle sie zerspringen.

Sie griff nach meiner Hand, zog mich an sich heran und legte meine Hand auf ihre Brust. Das Herz fühlte sich groß an und so heiß, daß ich es kaum ertragen konnte.

Sie dankte Ihm in tausend Worten, und immer wieder sagte sie: Du hättest mir kein größeres Geschenk machen können als Dein eigenes Herz.

Langsam wurde sie wieder sie selbst. Als sie wieder ganz bei sich war, sah sie mich erstaunt an und sagte: Ach, du bist da, ich habe gedacht, ich sei allein.

Sie schien so glücklich wie nie zuvor. Immer wieder nickte sie jemandem zu, den ich nicht sehen konnte, und ich fragte sie schließlich, wem sie denn da zunicke. Da erzählte sie mir von dem Engel, den Er ihr zu ihrem Schutz dagelassen habe, einen jungen, sehr schönen Mann, Splenditello mit Namen. Er trüge ein weißes, goldbesticktes Kleid und Blumen in den langen Locken. In der Hand hielte er einen Stab, der auf der einen Seite mit Federn geschmückt sei, auf der anderen Seite Dornen trüge.

Mit den Federn sollte Splenditello sie loben, mit den Dornen bestrafen. Sie dürfe von nun an keine Milch und keine Eier, kein Fleisch und kein Brot mehr essen, und sie solle nur Wasser trinken, um Sein Herz, mit dem sie jetzt lebe, rein zu halten, berichtete sie mir.

Seltsamerweise fiel Anna das Fasten jetzt nicht mehr so leicht wie zuvor. Sie hatte früher monatelang nichts gegessen ohne zu leiden, jetzt dagegen wurde sie vom Hunger gequält wie von einer Bestie. Vor Hunger konnte sie nicht schlafen, nachts stand sie oft auf und irrte in den Gängen herum, einmal kam sie ins Refektorium, und alle Schränke flogen auf, und das wunderbarste Essen wurde ihr vor Augen geführt.

Schwester Veronica will sie eines Nachts gesehen haben, wie sie alles verschlang, was nur an Eßbarem im Refektorium zu finden war, einen ganzen Hasenbraten, eine große Schüssel Hirse, sieben Quarkküchlein, Salami und Cremoneser Mortadella, eine Schale Teigwaren, Fischpastete und Honig löffelweise, fünf Pfirsiche und drei ganze Laibe Brot.

Aber auch wenn Schwester Veronica ihren Augen glaubt, kann ich bezeugen, daß sie nur eine Vorspiegelung des Teufels gesehen haben kann, die ihre Eifersucht auf Anna geboren hat, denn ich kann bezeugen, daß Annas Körper von dem Tag an, wo sie Sein Herz bekam, nie wieder etwas anderes ausgeschieden hat als ein paar Tropfen Wasser, so klar und rein wie Quellwasser.

Getauschtes Glück

Als Paul mich am Flughafen abgeholt hatte, hatte ich keinerlei Veränderung an ihm bemerkt. Nichts. Als hätte ich noch meine dunkle Sonnenbrille aus Los Angeles auf der Nase und wäre direkt aus dem gleißenden Licht Kaliforniens mit nur einem Schritt ins graue, wolkenbedeckte Deutschland getreten und hätte nichts mehr gesehen.

Es wurde Nacht, als ich allein in Urspring ankam. Langsam glitt ich durch die leeren Straßen, vorbei an unserem alten Haus, in dem die Fenster orangerot erleuchtet waren. Wann würden die Hüttners endlich meine alten Vorhänge abnehmen und durch neue ersetzen? Vor der Haustür stand ein Kinderfahrrad. Sabrina, das kleine Mädchen der Hüttners, mußte jetzt fast fünf sein. Ich habe sie ewig nicht mehr gesehen, seit unserer letzten Einladung bei den Hüttners, kurz nach unserem Haustausch. Nette Leute, keine Frage, aber wir hatten wenig mit ihnen gemein. Was sollten wir mit einem Regalauffüller beim Baumarkt und einer Hausfrau zwei Stunden lang reden?

Abgesehen von der steifen Konversation war es für uns mehr als seltsam gewesen, in unserer alten Küche zu sitzen, die jetzt nicht mehr unsere war, und die Hüttners dabei zu beobachten, wie sie ganz selbstverständlich an die Schränke gingen. Ich mußte an mich halten, um nicht zu rufen: Das Besteck ist in der anderen Schublade, oder: Die vorderste Herdplatte ist die schnellste. Achtung, die Schranktür klemmt!

Lächelnd, aber gleichzeitig argwöhnisch beobachteten wir sie wie Kandidaten in einer Fernsehshow, die in einer fremden Küche zurechtkommen müssen, in der verschiedene Fallen für sie ausgelegt sind.

Herr Hüttner stieß sich den Kopf an dem niedrigen Balken über dem Ofen, das hatte ich in den vier Jahren, die wir das Haus bewohnt hatten, regelmäßig getan. Frau Hüttner lief das Wasser beim Salatwaschen über die Spüle auf den Boden, weil die Abtropfrinne zu schmal war.

Ich wechselte einen Blick mit Paul, der die Luft einsog, als Frau Hüttner dann auf seiner eigenhändig glatt gehobelten und polierten Tischplatte die Paprikaschoten für den Salat zerschnitt, und mir gab es einen Stich, als ich sah, daß die Hüttners die schöne Holzvertäfelung hinter der Sitzbank wahllos mit Kinderkritzeleien vollgehängt hatten.

Sabrina war damals gerade zwei, ein rundliches Mädchen mit Engelshaar und blauen Augen. Sie faßte sofort Zutrauen zu mir und kroch bereits auf meinen Schoß, als wir uns das erste Mal ganz vorsichtig noch und recht reserviert über den möglichen Haustausch unterhielten. Noch nie hatte ich ein so hübsches und friedliches Kind gesehen. Ich hatte das Gefühl, durch ihre großen blauen Augen direkt in ihr Inneres zu gucken, wie auf den Grund eines Sees. Ich konnte gar nicht mehr aufhören, dieses Kind anzustarren, obwohl ich sonst keine besondere Kinderfreundin bin.

Paul wünschte sich Kinder. Ich hatte Angst, ihm zu sagen, daß ich nicht vorhatte, jemals Mutter zu werden. Heimlich nahm ich die Pille und ließ ihn in dem Glauben, die Natur habe eben nicht vor, uns zu Eltern zu machen. Ich war gerade Redakteurin geworden, Paul war ein gefragter Schauspieler, wir waren noch ziemlich jung (Paul zumindest) und erfolgreich, obwohl wir das erst im nachhinein begriffen haben. Wollte er all das aufs Spiel setzen wegen eines brüllenden, spuckenden Kleinkinds, das uns unweigerlich zu Spießern machen würde?

Statt dessen kauften wir uns ein Haus auf dem Land, ein altes, heruntergekommenes, relativ dunkles Bauernhaus in einem kleinen Ort in einem idyllischen Tal, das wir komplett selbst renovierten. Das waren schöne Zeiten, weil wir zusammen arbeiteten und uns deshalb nicht miteinander langweilten.

Als das Haus endlich fertig war, saßen wir stumm und hilflos da und wußten nicht recht, was wir jetzt machen sollten. Memory spielen? Ein gutes Buch lesen? Sex? Ich fing an zu kochen, und Paul las Gartenbücher. Wir wußten nicht weiter, bis wir auf einem Spaziergang unser wahres Traumhaus entdeckten.

Es lag allein auf einem Hügel unter hohen Kastanienbäumen und blickte über die gesamte Alpenkette. Ein riesiger, holzgeschnitzter Balkon lief einmal ganz um den ersten Stock, die Sonne schien von morgens bis abends in die Fenster, um dann direkt über den Bergen unterzugehen. Ein Postkartenhaus, ein Traumhaus, ein Wolkenhaus.

Sehnsüchtig blieben wir immer wieder vor ihm stehen, beobachteten neidisch das junge Ehepaar mit kleinem

Kind, das dort wohnte, bis ich eines Tages die Idee hatte, den Bewohnern einfach einen Tausch anzubieten.

Paul hielt mich für komplett verrückt. Warum sollte jemand dieses sonnendurchflutete Haus mit betörendem Blick auf die Berge gegen ein dunkles Haus im Ort mit Bilck auf den nächsten Kuhstall eintauschen wollen?

Man kann doch einfach mal fragen, bekniete ich ihn, und bewaffnet mit einem Blumenstrauß zerrte ich Paul eines Sonntags zu unserem Traumhaus und fragte.

Ich weiß, daß Paul meine Chuzpe bewunderte und gleichzeitig haßte. Ich war damals noch der festen Überzeugung, daß man die Welt dazu bringen kann, Wünsche in Erfüllung gehen zu lassen. Paul dachte jedesmal: Das geht nie. Niemals. Und jedesmal bewies ich ihm wieder, daß es möglich war. Paul hat sich nie für irgend etwas ins Zeug geworfen. Er hält sich für bescheiden, ich halte ihn für antriebsschwach.

Ich wollte das Haus unbedingt haben, er nicht. Er sagte zu mir: Es könnte sein, daß die Berge ihren Reiz verlieren, wenn man sie immerzu vor Augen hat. Das ist seine Art, sich davonzustehlen. Nicht mitzumachen.

Aber da standen wir schon mit Blumenstrauß vor der Tür, und weil ich fast immer Glück habe, wenn ich etwas unbedingt will, stellte sich heraus, daß die Hüttners bereits mit dem Gedanken gespielt hatten, ins Dorf zu ziehen, weil sie ihr Kind nicht in völliger Abgeschiedenheit aufwachsen lassen wollten.

Als wir an diesem Abend nach Hause kamen und ich jubelnd eine Flasche Champagner öffnete, wirkte Paul bedrückt. Er habe Halsschmerzen, wiegelte er ab. Enttäuscht trank ich den Champagner allein. In der Nacht wachte ich auf. Das Flurlicht brannte und die Schlafzimmertür stand sperrangelweit offen.

Schlaftrunken stand ich auf und ging die Treppe hinunter. Ich fand Paul im Wohnzimmer. Er stand im Pyjama mitten im Raum und rührte sich nicht.

Was machst du hier?

Er drehte sich langsam zu mir um und starrte mich an, dann schüttelte er langsam den Kopf.

Was ist los? Warum guckst du so?

Wie gucke ich denn?

Ich weiß nicht. Komisch.

Ach, Juno.

Was? Was ist denn los?

Weißt du das nicht?

Nein, tut mir leid.

Mir auch, sagte er und ging an mir vorbei zurück ins Schlafzimmer.

Als wir endlich, endlich in unser Traumhaus eingezogen waren, alle Formalitäten geklärt, die letzten Gartengeräte abgeholt, die Brandversicherungen überschrieben, die Rosenstauden ausgegraben waren und wir beide an einem Sommerabend auf dem Balkon saßen, um den wir die Hüttners so beneidet hatten, während vor uns die Berge blutrot verglühten und die laue Luft uns wie eine blaue Seidendecke einhüllte, befiel mich ganz plötzlich die entsetzliche Angst, wir könnten mit unserem Haus auch unser Glück eingetauscht haben. Als wäre unser Glück dort im alten Haus geblieben und sei einfach nicht mit umgezogen.

Manchmal saß ich in unserer mit so viel Mühe wieder original hergerichteten Bauernstube (die Hüttners hatten die alten Balken tatsächlich dunkelgrün gestrichen!) und sah aus dem Fenster auf ein perfektes Tulpenfeld, die Sonne warf hellgelbe Rechtecke auf die geweißelten Wände, die Luft roch nach frischem Gras, mir gegenüber saß der Mann, den ich liebte, ich war noch jung und fühlte mich unendlich reich.

Alles, was ich mir gewünscht hatte, zu besitzen, brauchte ich nicht mehr zu suchen, ich besaß es. Ich war glücklich. Aber im nächsten Moment schon nicht mehr. Obwohl ich immer noch in dem wunderschönen Zimmer saß, die Sonne durchs Fenster fiel, die Tulpen weiter blühten, Paul mir weiterhin gegenübersaß. Äußerlich hatte sich nichts verändert, aber innerlich hatte mich bereits wieder große Unruhe überfallen wie unstillbarer Hunger. Hunger nach neuen Wünschen und der Jagd nach ihrer Erfüllung. Aber da ich nicht wußte, was ich mir wünschen sollte, wußte ich auch nicht, wo ich danach suchen sollte.

Es war, als sei ich bis zum Bersten satt, so satt, daß ich nichts mehr herunterbrachte, aber da ich nichts so sehr liebte, wie zu essen, fing ich an vom Essen zu träumen, davon, wie es roch, wie es schmeckte, wie ich es kaute, herunterschluckte, verdaute.

Am liebsten hätte ich all das, was ich jetzt hatte, mein ganzes Glück, ausgekotzt, um es mir dann ganz von neuem wieder einverleiben zu können.

Argwöhnisch beobachtete ich das Leben der Hüttners in unserem alten, so viel häßlicheren Haus im Tal, und es erschien mir fröhlicher, unbeschwerter als unser neues, das eine kühle Pracht ausstrahlte. Immer wieder blieben Spaziergänger davor stehen und beobachteten jetzt uns voller Neid beim Frühstück auf dem Balkon mit Panoramablick, wie wir früher die Hüttners beobachtet hatten.

Nachts hörten wir jetzt keine Kühe mehr nebenan muhen, keine Motorräder am Haus vorbeiknattern, keine Melkmaschine weckte uns regelmäßig um sechs Uhr früh, keiner sägte direkt neben unserem Garten das ganze Wochenende über sein Kleinholz.

Nachts versank unser Haus in Dunkelheit, länger als alle anderen Dorfbewohner konnten wir noch einen schmalen Lichtstreifen über den Bergen sehen. Und wenn auch der von der Nacht verschluckt wurde, bekam ich manchmal Beklemmungen, als sei ich plötzlich ganz allein auf der Welt, und ich überredete Paul, ins Auto zu steigen und in den nächstgrößeren Ort zum Essen zu fahren. Nie sprach ich mit ihm über meinen schrecklichen Verdacht, aber manchmal glaubte ich an seinem wehmütigen Blick, wenn wir an den orangerot erleuchteten Fenstern unseres alten Hauses vorbeifuhren, zu erkennen, daß er Ähnliches dachte wie ich.

Warum konnten die Hüttners nicht wenigstens die alten Vorhänge austauschen, die ich damals bei unserem Einzug in Windeseile genäht hatte. In dem winzigen, verwilderten Garten hinterm Haus hatte ich an einer alten Nähmaschine gesessen, während Paul die Zimmer weißelte. Ich trug ein blaues, weites Kleid und nichts darunter, weil es so heiß war. Es gibt ein unscharfes Foto von mir, das Paul aus einem der Fenster gemacht hat. Ab und zu steckte er seinen Kopf mit Papiermütze heraus und winkte mir zu, wir sprachen drei, vier Sätze, dann arbeiteten wir wieder weiter. Selten haben wir uns so nah gefühlt. Und nie wieder waren die Dinge so einfach.

Selbst Sex war keine komplizierte Angelegenheit zwischen uns, die lange vorbereitet werden mußte, sondern leicht und spontan. Jetzt unvorstellbar.

Seine Haut war damals noch weich, braun und glatt.

Als ich jetzt an unserem alten Haus vorbeifuhr, erschien mir die Zeit von damals wie eine fein gemalte Miniatur. Eine winzige Zeitspanne in unserem Leben, in dem ich zufrieden gewesen war, keinen Wolfshunger gehabt hatte. Einmal träumte ich, ich hätte einen riesigen Leib und nur einen klitzekleinen Kopf mit einem winzigen Mund und einem dünnen Hals. Was immer ich zum Mund führen wollte, war zu groß, um es hinunterzuschlucken.

Als Paul mich am Flughafen abholte, stand er da, wie er immer dasteht: mit hochgezogenen Schultern, in seiner alten Lederjacke, die er nicht weggeben mochte, weil sie ihn an andere, bessere Zeiten erinnerte, die Haare ein wenig zu lang, die Kordhosen zerknittert.

Ich sah ihn schon von weitem. Mir taten die Augen weh vor Müdigkeit nach dem langen Flug, meine Füße waren schwer, mein Magen revoltierte nach drei schlechten Mahlzeiten im Flugzeug, die ich mir jedesmal vornahm, nicht zu essen, und dann aus Langeweile doch verschlang. Ich sah Paul hinter der Zollkontrolle stehen, und mich selbst, wie ich in seine Richtung ging wie zum Ausgang eines Labyrinths. Es gab nur diesen Ausgang für mich, und immer würde dort Paul stehen und auf mich warten.

Einen kurzen Moment lang wollte ich fliehen wie ein scheues Pferd, auf dem Absatz umdrehen und in irgendein Flugzeug steigen in eine andere, verwirrende und gefährliche Welt, aber da lag bereits mein Kopf an seiner Brust, ich sog seinen vertrauten Geruch nach Leder, frischer Wäsche und After Shave ein, und alles schien gut.

Er nahm mir meinen Koffer ab, und wir gingen zusammen zum Parkhaus. Es fiel mir auf, daß er nichts sagte, aber ich war zu müde, um mir darüber Gedanken zu machen.

Die Zeitverschiebung zwischen Los Angeles und München zerrte an mir, als sei ein Teil meines Körpers im Tiefschlaf mitten in der Nacht und ein anderer hellwach am frühen Morgen.

Ich fror. Es war bereits Ende März, und immer noch lag Schnee. Mir fiel die unheimliche Stille am Münchner Flughafen auf und die Tatsache, daß alle Menschen weiß waren.

Hast du was gesagt? fragte er. Der Koffer zwischen uns schlug an meine Beine.

Ich habe dich vermißt, sagte ich und drückte seinen Arm.

Er antwortete nicht. Das wußte ich später noch.

Erst als wir im Auto saßen und über die Autobahn fuhren und ich mich über den deutschen Todestrieb wunderte, der die Autofahrer dazu brachte, mit überhöhter Geschwindigkeit die riskantesten Manöver zu wagen, so als befänden sie sich in einem Videospiel, wo man die explodierten Autos per Knopfdruck einfach wieder reanimieren kann, als ich mich darüber noch wunderte, streifte mein Blick ganz zufällig Pauls Hände am Steuerrad, und ich dachte: Komisch, die Flecken sind weg.

Mensch Paul, deine Hände!

Er lächelte schüchtern und strich mit der einen Hand über die andere. Ja, sagte er, es ist seltsam, aber die Allergie ist so gut wie verschwunden.

Aber wieso denn auf einmal?

Er antwortete nicht und sah auf die Fahrbahn.

Einfach so, murmelte er.

Einfach so?

Er zuckte die Achseln.

Aber das kann doch gar nicht sein! Hast du mit Dr. Roßhaupt gesprochen?

Nein, ich bin gar nicht hingegangen.

Eine Weile schwieg ich verblüfft.

Und es ist überall weg?

Überall.

Hast du was genommen? Was nicht gegessen, was du sonst immer ißt?

Im Gegenteil.

Was heißt das?

Er sah mich mit einem merkwürdig verschleierten Ausdruck an. Ich bekam plötzlich Angst, als sei etwas Furchtbares, Unbegreifliches geschehen.

Liebling, sagte ich schwach, das ist ja wunderbar.

Ja, sagte er lakonisch.

Aber wenn wir nicht wissen, was jetzt der Grund dafür ist, daß es verschwunden ist, kann es ja auch jederzeit wiederkommen.

Danke, sagte er, du bist immer so optimistisch.

Stumm fuhren wir weiter, vorbei an den stinkenden Kläranlagen von Großlappen. Jemand hat mir mal erzählt, daß dort in den vollautomatisierten Umwälzanlagen ein einziger Mensch steht, der drei Mal am Tag mit einem großen Stock die Scheiße umrühren muß, und zwar mit einer ganz genau festgelegten Bewegung, weil eben dieses besondere Umrühren von keiner Maschine imitiert werden kann. Ich fragte mich, warum ich gerade jetzt an den Mann von Großlappen denken mußte und nicht an meinen, der auf rätselhafte und wunderbare Weise mit einemmal von seiner Geißel befreit worden war.

Warum freute ich mich nicht? Das große Problem, unsere seit Jahren währende Krise war plötzlich von uns genommen worden, und mein Herz hüpfte nicht vor Freude. Vielleicht würde ich nie wieder neben ihm aufwachen und voller Ekel – und gleichzeitig voller Abscheu über meinen Ekel – seine Echsenhaut betrachten. Nie wieder würde ich ihn trösten müssen, ihm spezielle Diäten zusammenstellen, ihn nie mehr zu Ärzten, Wunderheilern und Wahrsagern schleppen, alles nie wieder?

Ich fühlte mich, als sei ich nach vielen Jahren aus dem Gefängnis entlassen worden und als blende mich die Sonne so sehr, daß ich drauf und dran war, mich in den dunklen, sicheren Raum zurückzuflüchten. Aber auch Paul wirkte eher gedrückt.

Freust du dich nicht? fragte ich ihn.

Doch, antwortete er schwach, schon.

Aber?

Es ist so ungewohnt.

Ja, sagte ich, es ist verdammt ungewohnt.

Das Monster weiß nicht mehr so recht, wer es ist, grinste er.

Du warst kein Monster.

Oh, doch, sagte er, natürlich war ich das.

Er hatte frische Brötchen eingekauft. Wir wollten zusammen frühstücken, danach würde er zum Funk gehen und ich ins Bett.

Die Sonne fiel auf die Tischdecke. Paul streckte seine Hand nach meiner aus. Eine Welle von Zärtlichkeit schwappte über mich. Es war gut, daß ich nichts mit Snyder angefangen hatte – oder er nichts mit mir.

Pauls Satz traf mich mit Verspätung. Ich sah ihn durch die Luft fliegen wie ein Frisbee, staunend verfolgte ich seine Flugbahn, und als er endlich bei mir ankam, staunte ich immer noch.

Ich glaube, ich habe mich verliebt.

Du hast dich verliebt, wiederholte ich monoton wie im Sprachunterricht. Ich habe mich verliebt, du hast dich verliebt, er, sie, es hat sich verliebt.

Nein, sagte er, das habe ich nicht gesagt. Ich habe gesagt: *Ich glaube, ich habe mich verliebt.*

Wo ist der Unterschied?

Daß ich es nicht weiß. Das ist der Unterschied.

Ich atmete tief durch. Meine Gedanken verschwammen, ob vor Übermüdung oder von dem Schock, konnte ich nicht sagen. Überrascht spürte ich, daß ich grinste.

Du brauchst gar nicht zu grinsen, sagte er, ich leide.

Du hast dich verliebt, und schwapp ist deine Allergie weg, sagte ich höhnisch.

Nein, sagte er, so ist es nicht.

Wer ist es?

Das werde ich dir nicht sagen.

Ich stand auf, ging zum Fenster und schlug die Arme unter. Gleichzeitig war mir bewußt, daß ich nur aufgestanden und zum Fenster gegangen war, weil Frauen in Filmen genau das immer in dieser Situation taten. Es gab offensichtlich keine Bewegung, keinen Satz, gar nichts, was in dieser Situation noch originell hätte sein können.

Hast du sie gevögelt?

Er lehnte sich zurück, und ich bemerkte eine neue, beunruhigende Selbstsicherheit an ihm.

Ich möchte vermeiden, daß du denkst, nur weil ich mit einer anderen Frau ins Bett gegangen bin, sei plötzlich meine Allergie verschwunden.

Aber genau so ist es doch, oder?

Nein.

Hast du oder hast du nicht?

Er schwieg, stand auf und stellte sich hinter mich. Auch dieses Bild kam mir bekannt vor.

Wenn du jetzt auch noch deine Hand auf meine Schulter legst und mir sagst, daß du mich liebst, schreie ich.

Ich weiß einfach gar nichts mehr, sagte er leise.

Der Boden unter unseren Füßen begann zu schwanken wie bei einem Erdbeben der Klasse fünf auf der Richterskala. Noch keine Lebensbedrohung, nur ein sehr, sehr unangenehmes Gefühl.

Versuchsweise schlug ich ihm ins Gesicht. Vielleicht hörte das Erdbeben danach auf! Er rührte sich nicht. Seine Wange färbte sich rot. Ich verstehe, daß du wütend bist, sagte er.

Ich schlug abermals zu, aber es half nicht. Ich ging quer durchs Wohnzimmer, ließ mich auf die Couch fallen und begann halbherzig zu weinen.

Er setzte sich nicht neben mich, sondern blieb am Fenster stehen. Sein Gesicht war blaß und glatt. Er sah gut aus. Wie meine Erinnerung an ihn vor vielen Jahren. Selbstbewußt. Mit dem überraschenden Ende seiner Hautkrankheit hatte sich selbst seine Körperhaltung verändert.

Verdammt noch mal, schluchzte ich, da gebe ich mir seit Jahren Mühe, dir zu helfen, und du gehst hin, vögelst irgendeine andere Frau, und schon bist du geheilt.

Es tut mir leid, sagte er und sah mich dabei nicht an, daß du diese beiden Dinge miteinander verknüpfst. Das wollte ich dir gern ersparen.

Also hast du mit ihr gevögelt.

Er antwortete nicht.

Ich wischte mir die Tränen ab.

Wer ist es?

Ich werde es dir nicht sagen.

Warum nicht?

Weil ich das alleinige Ziel deiner Wut und deiner Verletztheit bleiben will.

Wie lange hast du dir diesen Satz überlegt?

Er schwieg.

Ich brauche Luft, sagte ich und hörte auf zu weinen.

Bist du nicht müde?

Ich muß atmen, schrie ich, du Arschloch!

Ich kann doch nichts dafür, sagte er leise, so wenig dafür, als hätte ich einen Schnupfen bekommen.

Mit hundertachtzig Stundenkilometern raste ich allein über die Landstraße, die Hände ins Lenkrad verkrallt, den Blick starr auf die Straße gerichtet. Im Rückspiegel ging blutrot die Sonne unter. Eine Fliege lief über die Innenseite der Frontscheibe und blieb mitten in meinem Blickfeld sitzen. Ich streifte sie zunächst nur mit einem Blick, sah wieder auf die Straße vor mich, dann aber fokussierte ich nur die Fliege, die bewegungslos dasaß, Straße und Landschaft verschwammen hinter ihr zu einem diffusen Muster. Genau so, dachte ich, ist mein Leben. Ich sitze da, und es rauscht an mir vorbei. Es gibt keinerlei Beziehung zwischen meinem Leben und mir. Was Paul tut, hat nichts mit mir zu tun. Nichts hat etwas mit mir zu tun, ich bin ich allein. Dieser Gedanke beruhigte mich. Immer noch wandte ich den Blick nicht von der Fliege.

Ein langgestreckter Hupton zog an mir vorbei. Die Farbe des diffusen Hintergrunds hinter der Fliege veränderte sich, wurde blau, dann wieder grau. Offensichtlich hatte ein Auto mich gerade überholt. Wie lange würde die Straße noch geradeaus gehen? Ein tödlicher Unfall auf der Bundesstraße zwölf.

Ich hörte Pauls weiche, wie glattpolierte Stimme die Verkehrsnachrichten vorlesen und genoß das Melodram meiner kleinen Inszenierung. Er wußte nicht, daß seine eigene Frau...

Später fragte ich mich, warum ich mitten in diesem Gedanken wieder auf die Straße geblickt habe. Warum in dieser Zehntelsekunde? Wie in Zeitlupe war ein hochbeladener Heuwagen auf die Landstraße eingebogen, ich tat natürlich, was man niemals tun sollte, ich sprang auf die

Bremse, der Wagen schlingerte, warf mich nach links, nach rechts, ich spürte, wie ich mit aufgerissenen Augen meinem Tod entgegenstarrte, es gab nichts mehr zu tun, alles war bereits vorbei, nur die pure Mechanik meines Lebens brauchte noch einen Moment, um zum Stillstand zu kommen, aber da machte mein Wagen eine schwerfällige Pirouette wie eine übergewichtige, asthmatische Tänzerin, drehte sich einmal um die Achse und blieb in der entgegengesetzten Fahrtrichtung einfach stehen. Der Motor starb ab. Bedrohlich rasten die Autos mir entgegen, mit tauben Händen versuchte ich, den Motor wieder anzulassen, und auch das gelang mir in allerletzter Sekunde.

Ich fuhr auf den Seitenstreifen, öffnete die Tür und übergab mich. Ich hatte das befriedigende Gefühl, die gesamten Vorkommnisse der letzten Stunden einfach auszuschütten wie aus einem Eimer, aber kaum hatte ich mich aufgerichtet, den Mund mit einem Tempotaschentuch abgewischt, war alles wie zuvor. Und bitter stellte ich fest, daß Gott, oder wer immer es war, der mit all den kleinen bunten Autos auf dieser Erde spielte, mir nicht erlaubt hatte, durch einen tödlichen Unfall der Banalität einer betrogenen Ehefrau zu entfliehen.

Als ich ins Dorf einbog, war es bereits dunkel. Rechts lag der See wie ein tiefschwarzes Auge inmitten der Wiesen. Nie wieder würde ich mit Paul dort sitzen. Nie wieder. Diese zwei Wörter versetzten mich in ungekannte Panik, gleichzeitig begriff ich, daß mir etwas Angst einjagte, was ja noch nicht stattgefunden hatte und bis jetzt nur in meiner Vorstellung existierte. Oder war schon alles vorbei, und nur ich wußte nichts davon?

Wenn er gestorben wäre, als ich in Los Angeles war, das hätte ich akzeptieren können. Ich hätte getrauert, sehr lange hätte ich natürlich getrauert, aber ich wäre frei gewesen.

Ich glaubte, zu wissen, wie ich nach Pauls Tod gewesen wäre. Ernster, blasser, konzentrierter, älter, aber auch irgendwie bewundernswert. Ich hatte Respekt vor dieser Frau, die mit Ende dreißig noch einmal bei Null angefangen hätte. Aber so?

Eine dumme Betrogene. Die Häßlichere, die Ältere, die Dümmere. Wie Konfetti warf mein Gehirn wahllos Gedanken in die Luft: Wer werde ich von nun an sein? Wie werde ich überleben? Wer wird die Kunstbücher bekommen? Und wer die Möbel? Wie wird sich die Wohnung anfühlen ohne ihn? Was werde ich mit seinem leeren Zimmer anstellen? Und das Haus? Wird er aufs Land ziehen, in unser gemeinsames Haus? Wird er mit der anderen im Frühling vor den Tulpen stehen, die wir noch gemeinsam gesetzt hatten?

Ich parkte, schaltete den Motor ab, blieb jedoch im Auto sitzen und bewegte mich nicht. Eine Katze strich durchs Gras. Ich beneidete alle Tiere. Sie wurden nicht gequält von der Vergangenheit und der Zukunft. Sie dachten nicht, wie schön war es damals, wie schrecklich ist es jetzt, wie furchtbar wird es sein.

Ich legte den Kopf aufs Lenkrad. Halb erwartete ich, die Hupe würde ertönen, aber das tat sie nur in Filmen, am liebsten dann, wenn ein Toter aufs Lenkrad sank.

Mühsam stieg ich mit schweren Knochen aus, schloß die Haustür auf. Kalte, muffige Luft schlug mir entgegen. Jede Bewegung war mir bewußt. Ich schaltete das Licht im Flur an, ging ins Wohnzimmer. Auf dem Tisch standen vertrocknete Blumen in der Vase. Es roch nach verfaultem Blumenwasser. Das Telefon klingelte. Ich fuhr zusammen, als habe man mich erwischt.

Ich bin nicht hier, sagte ich laut, mach dir nur Sorgen. Ich habe mich bereits umgebracht.

Ich ging in die Küche, setzte mich an den Küchentisch, stützte den Kopf in die Hände und sah zu, wie meine Tränen auf das Holz tropften. Das Telefon hörte auf zu klingeln. Ich konnte nicht unterscheiden, ob ich verzweifelt war, weil ich meinte, ich hätte verzweifelt zu sein, oder weil ich es wirklich war.

In der nächsten Minute war ich nur noch müde, benommen vom Jetlag.

Meine Reaktion auf Pauls kleine Affäre kam mir jetzt albern und übertrieben vor. Meine Güte, er hatte eine andere Frau gevögelt, und seine Allergie war daraufhin verschwunden. Wie sehr er sich Sex mit einer anderen Frau gewünscht haben mußte, wenn der Effekt dermaßen dramatisch war.

Nichts als gekränkte Eitelkeit, schalt ich mich, gleichzeitig strömten mir erneut Tränen übers Gesicht. Mein Gehirn spuckte eine dämliche Frage nach der anderen aus, als gehorche es nur noch der Einfallslosigkeit von Fernsehserienschreibern. Und dafür habe ich es so lange mit ihm ausgehalten? Das ist der Dank? Dafür, daß ich jahrelang mit einem Aussätzigen gelebt habe wie die Schöne mit dem

Biest? Was kann eine andere nur an ihm gefunden haben? Sah sie denn nicht, wie schwach er war? Nur ich vermochte ihn zu lieben, nur ich allein.

Mit der Faust schlug ich auf den Tisch, daß es schmerzte.

Einen kurzen Moment lang schwieg mein Hirn, als hätte es eine unvermutete Ohrfeige bekommen, aber dann flüsterte es: Sie ist bestimmt toll im Bett. Und er mit ihr auch. Mit ihr verliert er alle Vorsicht, all seine verdammte Höflichkeit. Da schreit er laut vor Lust, traut sich Dinge, die er sich mit dir nie getraut hat.

Du Schwein, schrie ich laut in das leere, gleichgültige Haus. Mir war bewußt, daß ich meine Wut nur benutzte, um ein anderes, sehr viel quälenderes Gefühl zu übertünchen. Pauls Pest war wie durch ein Wunder von ihm gewichen – er war frei. Jetzt konnte er wieder derjenige werden, der er einmal gewesen war. Arrogant, abweisend, ein Frauenheld. Stärker als ich.

Damals war ich mir spießig und gehemmt vorgekommen als Redaktionsassistentin im Schneiderkostüm neben all den jungen Frauen in knallengen schwarzen Lederhosen und Lederjacken, mit stachelig kurzen, weißblond gefärbten Haaren. Heute sah ich die wilden Mädchen von damals in praktischen Allwetterjacken mit Rucksack auf dem Fahrrad, Kind auf dem Gepäckträger, die Haare immer noch blond gefärbt, aber jetzt strähnig, ohne Schnitt und mit schwarzen Haaransätzen. Sie verbrachten die Vormittage im Café und ließen die Milchflaschen von muffeligen jungen Kellnerinnen wärmen, sie träumten vom nächsten Urlaub und diskutierten stöhnend Fragen der Kindererziehung.

Sie taten mir leid. Ich hatte sie vor Jahren überholt und weit hinter mir gelassen. Ich war stolz, daß ich nicht in die Falle der Kleinfamilie getappt war, daß ich nicht wie eine Klette an meinem mickrigen, privaten Familienglück hing, daß ich unabhängig war.

Ich hatte mich doch immer unabhängig gefühlt!

So eine, dachte ich wütend, wahrscheinlich hat er sich genau so eine ausgesucht. Eine Frau, vor der er keine Angst zu haben braucht. Eine kleine, gefügige Mutter, die schon froh ist, wenn sie überhaupt jemand beachtet.

Ich sah Paul, wie er sich nackt über eine Frau ohne Gesicht beugte, ich sah seine vor Erregung flackernden Augen, seine neue, glatte Haut.

Ich heulte auf. Ein kalter Windhauch strich mir übers Gesicht. Von ferne klingelte abermals das Telefon.

Ich öffnete Türen und Schränke, starrte auf glattgestrichene Bettdecken, seine ordentlich hingestellten Sandalen, seinen Bademantel, seinen zusammengelegten Pyjama, seine Bücher, seine Gartenhandschuhe. Ich hörte ihn von ferne, seine dunkle Radiostimme, ich verstand nicht, was er sagte, es klang, als sei er im Nebenzimmer am Telefon. Es dauerte eine Weile, bis ich begriff, daß seine Stimme in meiner Erinnerung so präsent war wie meine eigene. Er befand sich in jeder Zelle meines Körpers. Ich fürchtete mich vor dem Schmerz der Trennung, als stehe mir eine unvermeidbare Operation ohne Narkose bevor.

Mensch, Paul, flüsterte ich in das leere Schlafzimmer. Ich konnte meinen Atem in dem kalten Zimmer sehen, eine kleine weiße Wolke, in der die zwei Wörter schwebten, sich dann auflösten, verschwanden. Nichts war mehr.

Die Kälte kroch durch meine Schuhsohlen in meinen Körper. Ich machte mir nicht die Mühe, einzuheizen. Warum war ich eigentlich hergekommen?

Ich ging zum Telefon, sah meiner Hand zu, wie sie nach dem Hörer griff und eine lange Nummer wählte. Als ich das amerikanische Klingeln hörte, wußte ich nicht mehr, wo ich war. Teile meines Körpers waren wieder in Amerika. Andere befanden sich in einem alten Haus in Bayern.

Snyders Stimme meldete sich. *This is Paul Snyder.*

Ich bin's, rief ich laut, June.

I'm not at home right now. Please leave a message after the beep, sagte Snyder. Und dann wiederholte er die Ansage auf japanisch. Vielleicht sagte er auch noch etwas anderes, denn der Text war mindestens viermal so lang wie der englische. Vielleicht bat er seine Frau, mit seinen Kindern zu ihm zurückzukehren.

Ich legte auf und wartete, bis mein Körper aus Amerika zu mir zurückfand. Im Badezimmer starrte ich mich im Spiegel an, ich wirkte ordentlicher, als ich gedacht hatte. Der Schmerz war noch nicht an die Oberfläche gedrungen.

Mein Blick wanderte über Pauls Rasiercreme, seine Zahnbürste, seine Hauttinkturen, von denen noch nie eine geholfen hatte, seine Zahnseide, sein Haargel. Daneben standen meine diversen Parfümfläschchen und Cremes, *Age defying complex, Night Repair* und *Future Perfect. Future Perfect!* Ich lachte grimmig, nahm das meerblaue Fläschchen in die Hand und ließ es ins Waschbecken fallen. Es passierte nicht das geringste. Die Flasche war aus Plastik.

Im Spiegel sah ich, wie ich die Hand hob und alles vom

Regal fegte. Ich hörte Glas zersplittern, dann stieg mir süßlicher Parfümgeruch unangenehm in die Nase. Ohne den Blick vom Spiegel zu wenden, riß ich die kalten, klammen Handtücher vom Haken und zerrte am Duschvorhang, bis er samt Stange nachgab und zu Boden krachte. Meine Gesichtszüge im Spiegel lockerten sich. Mir war ein wenig wärmer geworden.

Ich ging aus dem Badezimmer in die Küche, nahm den Alessi-Wasserkessel und warf ihn quer durch den Raum durchs Fenster. Wie ein silbriges Geschoß flog er in den dunklen Garten.

Ich hörte, wie er mit einem weichen Plopp auf dem Rasen landete. Ein eiskalter Wind wehte durch das Loch in der Scheibe.

Ich atmete tief ein, dann öffnete ich die Schränke, fegte das Geschirr heraus, das Besteck, die Kristallschüsseln meiner Mutter, warf Marmeladengläser durch die Gegend, streute Kaffee über die Stühle und den Boden, Sesam, Leinsamen, Mehl, Tee, zerschlug mit einem Stuhl die kostbaren, mit Blei gefaßten Scheiben des Küchenschranks, mit dem Besenstiel holte ich sämtliche Vasen herunter, stampfte auf den bunten Glassplittern herum.

Töpfe und Pfannen riß ich aus dem Schrank, schoß sie wie Fußbälle durch die Gegend. Ich zog meine Jacke aus.

Ich marschierte mit dem Fleischmesser ins Wohnzimmer, schlitzte die Polster seines Lieblingssessels auf, das Sofa, die marokkanischen Kissen.

Jetzt hatte ich das Gefühl zu arbeiten. Methodisch und konzentriert räumte ich das Bücherregal aus, warf mit dem Wälzer über Kunst im 20. Jahrhundert den Fernseher ein, riß die gerahmten Fotos von der Bretagne von der Wand und trampelte auf ihnen herum, daß das Glas knirschte.

Mit gewaltiger Kraftanstrengung kippte ich die alte Kaminbank um. Krachend zerbrach die Lehne. Schwer atmend stand ich da, die Hände in die Hüften gestemmt. Ich war ein wenig enttäuscht. Die Verwüstung sah amateurhaft aus, halbherzig.

Mein Blick fiel auf einen kleinen rosa Gegenstand, der unter der Bank gelegen hatte.

Ich bückte mich, um ihn aufzuheben. Es war ein Schnuller, wahrscheinlich noch von Sabrina, lange vor unserem Haustausch.

Das Gummi des Saugers war schon ganz porös. Ich spürte kurz das absurde Verlangen, ihn in den Mund zu schieben. Eine Erkenntnis durchfuhr mich wie ein Stromschlag. Die andere wollte ein Kind von ihm bekommen!

Ende. Ich gab auf, ich war geschlagen. Bleierne Müdigkeit überflutete mich. Ich schloß die Augen, wollte in der Dunkelheit für immer verschwinden. Aber eine kleine, züngelnde Flamme der Wut, die in dieser Dunkelheit noch brannte und jetzt abermals hochschoß, ließ mich die Augen wieder öffnen.

Es gab noch viel zu tun. Aus der Küche holte ich den Kanister Olivenöl, den wir von Stefans Bauernhaus in der Toskana mitgebracht hatten, und goß ihn sorgfältig über den Kelim im Wohnzimmer. Mit Chianti Classico zog ich eine dunkle Blutspur über die Treppe, den Flur bis oben zum Schlafzimmer, riß das Fenster auf, warf seinen Pyjama, seine Hausschuhe, seinen Bademantel hinaus, dann die CDs, die wie Fledermäuse durch die Nacht flogen. Ich warf das Bücherregal um, den CD-Player, trat in die Boxen und verstauchte mir den Knöchel.

Wimmernd vor Schmerz ließ ich mich auf das kalte Bett fallen. Es roch nach seiner Hauttinktur. Ich schlug die Decke zurück und kroch hinein. Morgen, murmelte ich mit den Worten Scarlett O'Haras, morgen ist auch noch ein Tag.

Das letzte, was ich sah, bevor ich die Augen schloß, war eine seiner weißen, schilfrigen Hautschuppen auf dem blauen Satinlaken, und dieses winzige Hautfetzchen brachte mich unvermutet zu heftigem Schluchzen, bis ich wie ein Kind über meiner tiefen Verzweiflung einschlief.

Schlotternd vor Kälte wachte ich auf. Das Fenster stand offen.

Die Sonne fiel ins Zimmer, aber wärmte nicht. Mein Mund war trocken, mein Kopf dröhnte, meine Augen waren geschwollen und verklebt. Wie ein Jojo hüpfte mein Geist zwischen München, Amerika und Urspring hin und her.

Es dauerte einen Moment, bis mein Schmerz zu mir zurückfand wie ein verlorengegangener Hund und seine kalte Schnauze in mein Herz stieß. Ich stöhnte auf, schloß die Augen wieder, um zurück in hübsche Träume von Autofahrten im roten Cabrio auf dem Sunset Strip zu finden, aber die Angst hatte mich schon fest im Griff und ließ mich nicht wieder entwischen.

Widerwillig stand ich auf und ging zum Fenster. Im Garten lag Pauls Pyjama mit verdrehten Armen und Beinen, wie mit gebrochenen Gliedmaßen. Der Alessi-Kessel im Rosenbeet. Er reflektierte in der Sonne wie ein Batzen Silber, so daß ich die Augen schließen mußte.

Bibbernd ging ich ins Bad und wusch mir mit einer Hand das Gesicht. Auf dem Fußboden suchte ich meine Zahnbürste und die Zahncreme. Ich vermied es, in den Spiegel zu sehen.

In der Küche stellte ich bedauernd fest, daß ich den gesamten Kaffee verstreut hatte. Außerdem hätte ich den Kessel aus dem Rosenbeet holen müssen, um mir einen Kaffee zu machen, und es widerstrebte mir, eine einzige Tat meiner Zerstörung zurückzunehmen.

Ich trank einen Schluck metallisch schmeckendes, eiskaltes Leitungswasser und sah mich um. Ich hatte nicht das Gefühl, daß ich jemals wieder mit Paul am Küchentisch sitzen würde.

Mit einer Axt zertrümmerte ich die Tür zum Garten und ließ sie sperrangelweit offenstehen.

Es war kurz vor sieben, als ich Paul anrief. Natürlich hatte ich das Telefon nicht zerstört, dachte ich voller Verachtung, wie vernünftig ich doch letzten Endes immer bin.

Ich rechnete nicht damit, daß er zu Hause sein würde. Mein Herz klopfte wie ein Hammer in meiner Brust. Seine Stimme klang belegt und verschlafen. Wo bist du?

Es ist so furchtbar, sagte ich mit zitternder Stimme, bei uns ist eingebrochen worden, Vandalen haben unser Haus zerstört. Alles haben sie kaputtgemacht. Ich fing an zu heulen. Es ist schrecklich, schluchzte ich, so schrecklich. Alles ist kaputt.

Ich wartete bei McDonald's, gleich neben der Aral-Tankstelle und der Waschstraße. Obwohl ein kalter Wind von den Bergen wehte, saßen die meisten draußen. Die Luft war kristallklar, die Sonne gleißend hell. Wie aus Pappe ausgeschnitten saßen die Menschen an den kleinen Metalltischen und bissen in ihre Hamburger. Kleine Kinder tobten über eine riesige Plastikrutsche. Eine Mutter in einem lila Jogginganzug schaukelte einen Säugling auf den Knien und stippte gedankenverloren ein paar Pommes frites in einen Ketchupklacks. Junge Mädchen sahen sehnsüchtig den ersten Motorrädern in diesem Jahr hinterher. Ein Vater packte mit seiner kleinen Tochter ein Barbiepferd aus. Die Tochter bürstete dem Pferd die Mähne, während der Vater sich eine Zigarette ansteckte. Im Radio wurden Staunachrichten verlesen. Ich kannte den Sprecher vom Sehen. Ein dicker, älterer Mann. Seine Stimme klang jedoch jung und schön.

Ich verbrannte mir an dem bitteren Kaffee im Styroporbecher die Zunge. Bedächtig aß ich meinen McMuffin, der mir wie ein kleines, heißes Kissen durch die Speiseröhre in den Magen rutschte. Ich grinste ohne Grund. Die klare, kalte Luft und die warme Sonne machten mich ein wenig trunken. Ich wußte nicht recht, ob ich nicht nur einen sehr realistisch anmutenden Traum hatte. Es gab keinerlei Beweis für die Wirklichkeit der Dinge. Selbst meine verbrannte Zunge nicht. Ich starrte auf die Papierspeisekarte auf meinem Tablett. *Guten Appetit!* las ich. *Der Mensch ist, was er ißt. Probieren Sie unseren gesunden Fischmäc.*

Ein Schatten fiel über das Bild vom Fischmäc. Es kostete mich Mut, den Kopf zu heben.

Paul lächelte aus großer Höhe auf mich herab. Scharf hob sich seine Silhouette gegen den eisblauen Himmel ab. Er trug Jeans und einen dunkelgrünen, dicken Pullover. Er sah gut aus. So gut wie schon lange nicht mehr. Jung und schön.

Mir sank das Herz.

Hallo, Schnecke, sagte Paul.

Wandlungen

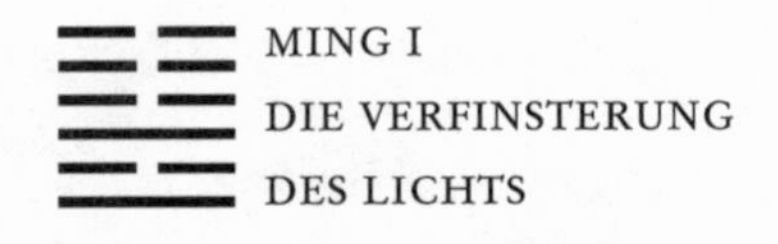

Harry hatte es noch nicht gehört. Er kam nach Hause, und der Flur war dunkel. Leni? rief er, aber er bekam keine Antwort. Er dachte sich nichts dabei, ging ins Schlafzimmer und zog sich, wie jeden Abend, Hemd, Schlips und Anzug aus, warf alles achtlos über einen Stuhl, stieg in seine Jeans und zog sich ein altes Sweatshirt über. Jetzt fühlte er sich wieder wie er selbst.

Leni machte es ebenso, wenn sie von der Arbeit kam. Noch in der Tür schleuderte sie die Stöckelschuhe von den Füßen, zog sich die Nylonstrumpfhose aus, den engen Rock. Immer fluchend, immer schlecht gelaunt. Sie wurde erst wieder erträglich, wenn sie irgendeine uralte Jogginghose und einen löchrigen Pullover übergezogen hatte, dicke Strümpfe an den Füßen. Dann erst küßte sie ihn.

Eigentlich schade. Er fand sie ziemlich sexy in ihrer Geschäftsfrauenuniform. Hätte sie gern mal in der Küche… auf dem Tisch… vorm Kühlschrank. Von hinten. Aber dazu kam es nie. Es gab nur noch streng verwalteten Sex, nach Tabellen, fruchtbaren und unfruchtbaren Tagen.

Seufzend warf er sich aufs Bett. Er hatte leichte Kopfschmerzen. Er drehte seinen Kopf ins Kissen, roch sie. Ihr süßlicher Schlafgeruch ließ ihn sich undeutlich nach ihr sehnen. Hatte Leni ihm am Morgen gesagt, sie käme später?

Er konnte sich an nichts erinnern. Noch nicht mal daran, sie in der Früh überhaupt gesehen zu haben. Er hatte von großen Flugzeugen geträumt, die über eine Wüstenlandschaft flogen und riesige, kühle Schatten warfen, das wußte er noch. Er hatte sich beim Rasieren geschnitten. War sie schon in der Küche gewesen? Nein, jetzt erinnerte er sich, sie hatte telefoniert, angestrengt eine steile Falte zwischen den Augenbrauen, eine Tasse Kaffee in der einen Hand, ihren Terminkalender auf den Knien. Als er ging, telefonierte sie immer noch.

Nach ihrer Rückkehr aus China hatten sie sich geschworen, ihr Leben zu ändern. Alles noch einmal von vorn. Nicht mehr jeden Abend in Joggingklamotten vorm Fernseher zu hängen. Sich wieder anzusehen, neu zu entdecken.

Eine Zeitlang hatten sie sich regelmäßig zum Essen verabredet, wie zwei Geschäftspartner, gleich nach der Arbeit, sie noch in Kostüm und Seidenstrümpfen, er in Schlips und Kragen, beide hundemüde, angestrengt hatten sie so getan, als seien sie frisch und munter, aber sie kamen sich fremd vor miteinander, wußten nichts zu reden. Helene ritzte mit der Gabel Striche ins Tischtuch, er rauchte schweigend und betrachtete sie. Ihr schmales Gesicht, ihre große Nase, die sie nicht mochte, ihre kräftigen Schultern, die sie zwangen, ihre Jacken eine Nummer größer zu kaufen als die Röcke, er wußte, wie ihr Busen in dem engen weißen BH unter ihrer silberfarbenen Bluse aussah, ihr kleiner Bauch, den sie sich mit immer neuen Diäten wegzuhungern versuchte, ihre Schenkel in den beigen Nylonstrümpfen, die sie jeden Morgen massierte, bis sie puterrot wurden, um drohende Cellulitis abzuwehren, ihr ganzer, kleiner, wie ein spießiger Vorgarten gepflegter und disziplinierter Körper, dem sie so gern entfliehen wollte – und er sollte ihr dabei helfen. Sie befreien. Aber er schaffte es nicht. Es funktionierte einfach nicht.

Vielleicht war es seine Schuld. Irgendwann würde sie ihn auffordern, einen Arzt aufzusuchen.

Er drehte sich auf den Rücken und rieb sich die Augen. Als er die Hand sinken ließ, hörte er es. Es klang wie leises Katzenmiaun.

Er stand auf und ging durch den Flur, und da sah er Helene schluchzend im dunklen Wohnzimmer vorm Fernseher hocken, das Gesicht tränenüberströmt.

Was hast du denn? rief Harry erschrocken. Schwach deutete Helene auf den Fernseher. Eine taumelnde Kamera zeigte junge Chinesen mit verzerrten Gesichtern, die Transparente hochhielten und etwas schrien; hinter ihnen Panzer, grüngekleidete Soldaten, die auf Menschen, die am Boden lagen, einschlugen; ein Mann mit blutigem Gesicht an einem Mikrofon; ein riesiges Bild von Mao; in einem wackligen Schwenk, der so wirkte, als habe der Kameramann einen Schlag abbekommen, sah man kurz die roten Tore der Verbotenen Stadt.

Das ist der Tiananmen-Platz, rief Harry erschrocken, als mache der wiedererkannte Ort das Geschehen erst wirklich.

Helene nickte und schniefte in ihr T-Shirt. Eng drückte sie sich an ihn. Sie bringen sie alle um, schluchzte sie.

Harry strich ihr beruhigend über die Haare, umarmte sie fest und zog sie auf seinen Schoß. Sie legte ihren Kopf an seine Brust und weinte sein Sweatshirt naß.

So nah hatte er sich ihr zuletzt in China gefühlt, schoß es ihm durch den Kopf. Sie befreite sich leicht aus seiner Umarmung und starrte auf die Mattscheibe. Da, an der Ecke haben wir gestanden! stammelte sie entsetzt. Da waren die Kinder, denen ich die Gummibärchen geschenkt habe!

Harry griff nach der Fernbedienung und stellte den Ton lauter. Ein aufgeregter Kommentator, Stimmengewirr, Schreie. Ein Panzer rollte auf eine Menschenkette zu, fuhr immer weiter, die Menschen wichen nicht zur Seite, wurden auseinandergerissen, stürzten, der Panzer fuhr weiter, ein Mann lag unter den Ketten, die Kamera sah gebannt zu wie ein Mensch, der vor Entsetzen nicht wegschauen kann, und auch Harry konnte den Blick nicht wenden.

Helene schrie und sprang auf. Das nächste, was Harry sah, als er wie betäubt den Kopf vom Fernseher nach ihr wandte, war, wie sein chinesischer Armeemantel aus Xian durch das offene Fenster in die blaue Abendluft flog wie ein riesiger, grüner Vogel mit ausgebreiteten Schwingen.

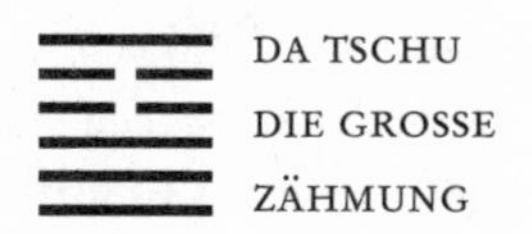

Jetzt sind wir also in China, sagte Harry in die Dunkelheit hinein.

Ja, antwortete sie heiser.

Bist du auch so durstig?

Es war so dunkel, daß sie das Gefühl hatte, in ein Loch gefallen zu sein, irgendwo auf der Welt, irgendwann in ihrem Leben. Ihr Herz schlug schneller. Sie würde nicht wieder einschlafen können. Wenn ihr Herz einmal beschlossen hatte, den Rhythmus zu ändern, konnte sie machen, was sie wollte. Hatte sie ihre Baldriantabletten eingepackt? Wenn ja, wo? Sie drehte den Kopf in Harrys Richtung. Das Kissen unter ihrem Kopf war hart wie ein Stein.

Holst du mir ein Glas Wasser? sagte Harry schläfrig.

Sie war sich nicht sicher, ob er wirklich da war oder ob sie nur von ihm träumte. Sie rieb sich mit der Hand übers Gesicht. Ihre Haut fühlte sich trocken an wie Schmirgelpapier.

Gleich, sagte sie, gleich.

Sie erhob sich und torkelte durch das rabenschwarze Zimmer auf der Suche nach dem Lichtschalter, als sie die Hand nach ihm ausstreckte, gab es einen winzigen Blitz. Erschrocken gab sie einen kleinen Schrei von sich.

Grünes Neonlicht flackerte auf.

Geblendet hielt Harry sich die Hand vor die Augen.

Seine Haare standen wild zu Berge, er sah aus wie ein alt gewordenes Kind.

Sie ging zu ihm, um ihn flüchtig auf die Lippen zu küssen, und wieder gab es einen kleinen elektrischen Schlag. Harry rieb sich ärgerlich über die Lippen.

Die Luft ist so trocken, sagte sie.

O Gott, ich könnte einen ganzen Kasten Bier austrinken. Was gäbe ich jetzt für ein Bier, stöhnte Harry.

Gibt aber kein Bier, erwiderte sie ungeduldig und ging zu dem elektrischen Wasserkocher, der auf einer Kommode stand. Sie begann zu frösteln, es war kalt im Zimmer.

Harry zog sich die Seidendecke über die Schultern und setzte sich auf. Holst du mir jetzt ein Glas Wasser?

Ich koche es vorher ab, wir wissen doch nicht, ob das Leitungswasser Trinkwasser ist.

Wie vernünftig du bist, spottete Harry.

Nur, weil ich keine Lust habe, mir dein Gejammer anzuhören, wenn du Durchfall bekommst.

Wir sind nicht in Mexiko.

Nein. In China.

Sie schwiegen. Stumm saßen sie sich auf den schmalen Betten gegenüber und warteten, bis das Wasser kochte. Neben zwei wuchtigen, grünen Sesseln standen zwei hübsch verzierte hohe Tassen mit Deckeln auf hohen Holzpodesten, wie zu einer offiziellen Teeparty. Ansonsten war das Zimmer kahl. Ein kalter, stinkender Hauch wehte aus der geöffneten Badezimmertür über ihre Köpfe.

Mensch, sagte Harry abermals, jetzt sind wir tatsächlich in China.

Aber es fühlt sich nicht so an, sagte Helene.

Wie soll es sich denn anfühlen?

Ich weiß nicht. Fremder. Anders. Sie zuckte die Achseln.

Harry sah sie kopfschüttelnd an, stand auf und ging ins Badezimmer. Helene hörte ihn pinkeln. Sie rieb sich über die trockene Haut an den Händen, die zu jucken begann. Sie fühlte sich unruhig und deprimiert.

Dieses seltsame Wort ›China‹, das Harry wie ›Kina‹ aussprach, hatte sie zu der idiotischen Hoffnung verleitet, daß sie beide hier mit einemmal wieder frisch und von allen Macken und Absonderlichkeiten befreit sein würden wie ein schaumgereinigter Teppich. Niemals hätte sie sich von einer Reise in die Toskana oder nach Paris Ähnliches erhofft. Wenn nur irgend möglich, verreisten sie jedes Jahr um diese Zeit, um den Tag zu feiern, an dem sie sich kennengelernt hatten und den sie ihren Hochzeitstag nannten, obwohl sie nicht verheiratet waren.

Sie waren in New York gewesen, in Paris, auf Borneo, in Mexiko, und letztes Jahr waren sie zu Fuß durch Umbrien nach Rom gewandert.

Dieses Jahr, in ihrem sechsten, wußten beide, daß sie an einem toten Punkt angelangt waren, und instinktiv hatten sie die Flucht nach vorne angetreten. Weit, weit weg wollten sie, so weit wie nie zuvor. Nach China.

Nie zuvor waren sie in einer Reisegruppe verreist, übereinstimmend hatten sie bisher gefunden, daß das nichts war für Individualisten wie sie. Aber als Helene eines Morgens den Prospekt *Alternativ und exklusiv reisen* aus der Zeitung zog und auf den Tisch legte, einigten sie sich schnell und ohne viel Worte auf eine ›exklusive‹ Gruppenreise nach China.

Voreinander taten sie so, als hätten sie sich damit für etwas besonders Aufregendes entschieden, während sie beide wußten, daß es das Eingeständnis ihrer Mutlosigkeit war, die sie vor nicht langer Zeit befallen hatte wie ein hartnäckiger Virus.

Sie hatten ein schweres Jahr hinter sich. Erst platzte

Harry ein großer Auftrag für eine Kindertagesstätte, fast gleichzeitig hatte Helene im vierten Monat eine Fehlgeburt, so als sei das Thema Kinder generell keins für sie. Vielleicht aber auch, warf sich Helene später vor, weil sie so unentschieden gewesen waren, so zögerlich, so wenig enthusiastisch, als sich das kleine Schwangerschaftstest-röhrchen rosa gefärbt hatte. Freude und Schreck hatten sich im ersten Moment noch die Waage gehalten, später hatte die Angst vor Veränderung die Überhand gewonnen, und das mehr noch bei Helene als bei Harry.

Vor fünf Jahren war sie Geschäftsführerin eines kleinen Naturkosmetikherstellers geworden, dessen Umsatz durch ihre Idee, Esoterik und Kosmetik zu verbinden, so sehr in die Höhe geschossen war, daß sie inzwischen Filialen in jeder größeren deutschen Stadt und seit neuestem sogar auf dem Westbroadway in New York eröffnet hatten. Dort bekam man Parfüms für die verschiedenen Chakren, Seifen mit eingeritzten Weisheiten wie CARPE DIEM oder NOW oder FORGET THE PAST, Badeöle, die HAPPINESS, HARMONY oder EGOLESSNESS hießen, garantiert nicht in Tierversuchen getestete Kosmetik in polierten Rosenholzschachteln, mundgeblasene Flaschen mit echtem Morgentau, in dem kleine Halbedelsteine schwammen, die den jeweiligen Sternzeichen zugeordnet waren.

Am meisten wunderte sich Helene selbst über ihren rasanten Erfolg, sie verdiente plötzlich sehr viel Geld, sie war – was sie niemals erwartet hatte – eine erfolgreiche Geschäftsfrau geworden. Auch wenn sie mit Harry und ihren Freunden darüber lachte, Witze riß über die Dummheit der Menschen (der Frauen), die für vermeintlich echten

Morgentau achtundsechzig Mark pro Flasche auf den Tisch legten, hatte sie doch in kurzer Zeit, ohne es selbst zu merken, die Fronten gewechselt, sich in ihrem Erfolg eingerichtet und sich an ihn gewöhnt.

Die Vorstellung, dieses Leben wegen eines Kindes – wenn auch nur vorübergehend – verlassen zu müssen, machte ihr angst. Sie konnte sich nicht vorstellen, wer sie dann sein würde. So als würde sie ähnlich wie ein Spion eine neue Identität verpaßt kriegen, einen neuen Namen: MUTTER, ein neues Aussehen (wahrscheinlich dick, müde und aufgeschwemmt), ein ganz neues Leben, das sie selbst nicht mehr würde bestimmen können.

Es sind schon andere Frauen Mutter geworden und haben es überlebt, spottete Harry, aber auch er wirkte ängstlich.

Später, als eine einschneidende Veränderung ihres Lebens durch die Fehlgeburt abgewendet war, sehnte sie sich natürlich genau danach und verachtete sich für die Zweifel und ihren Kleinmut, als sie noch schwanger gewesen war.

Harry ging es ähnlich. Er war fast froh, daß nun doch alles beim alten blieb, gleichzeitig fürchtete er sich, daß von nun an alles immer so bleiben würde. Die Jüngsten waren sie nun auch nicht mehr. Helen wurde dieses Jahr siebenunddreißig und er neununddreißig. Mit einemmal wehte ihnen ein kalter Wind ins Gesicht, auf den sie nicht gefaßt gewesen waren und der ihnen angst machte.

Unmerklich verstummten sie, gingen sich aus dem Weg und immer seltener miteinander ins Bett. Sie litten darunter, konnten aber nichts dagegen tun.

Harry bekam Probleme mit den Zähnen, fast war er

dankbar für die Schmerzen, die ihm eine Weile alles Denken und alle weiteren Gefühle abnahmen. Als dann endlich alle Amalgamfüllungen herausgebohrt, durch Goldfüllungen ersetzt und die Schmerzen vorbei waren, kam er sich vor wie ein sanierter Altbau, in dem nur noch solvente, ruhige Mieter wohnen, die garantiert keine Orgien mehr feiern. Mit einemmal fühlte er sich alt.

In einem kleinen Bus fuhren sie durch eine endlose Pappelallee vom Flughafen in die Stadt. Es wurde dunkel, die Luft wirkte staubig. Schattenhaft sah Helene die Umrisse von Fahrradfahrern, die alle ohne Licht fuhren.

Warum fahren denn alle ohne Licht? rief eine Frau mit feuerrot gefärbten Haaren. Sie sollte diese Frage auf dieser Reise noch oft stellen. Keiner antwortete ihr.

Helene sah sich kurz nach ihr um. Auf den ersten Blick wirkte die kleine Gruppe von zwölf Teilnehmern nicht ganz so schrecklich, wie sie gefürchtet hatte. Vier Paare, drei alleinreisende Frauen, ein Mann, alle zwischen dreißig und fünfzig.

Am Flughafen in Peking hatte sie Helmut, der Reiseleiter, mit Handschlag begrüßt, ein dünner, großer Mann mit langen Haaren und beginnender Glatze, der einen teuren Pullover trug, wie Helene mit einem Blick feststellte, und verblichene Jeans. Er duzte jeden und sprach Peking ›Beijing‹ aus, was von nun an wahrscheinlich alle tun würden.

Harry war eingeschlafen, sein Kopf lag schwer auf Helenes Schulter.

Angestrengt sah sie aus dem Fenster. Nicht die kleinste Kleinigkeit wollte sie verpassen. Schemenhaft sah sie dick verpackte Menschen an der Straße entlanggehen, hoch aufgestapelte Matratzen auf einem Fahrrad, Holzbündel, Körbe mit Kohl, ein Pferdefuhrwerk. Bald vesank alles in Dunkelheit, bis sie irgendwann in eine gleißendhell beleuchtete Straße einbogen, in der im Gegensatz zu der dunklen Landstraße nichts los war, als sei sie einfach zu hell. Panzerstraße, dachte Helene, alle sozialistischen Länder haben breite Straßen für ihre Panzeraufmärsche.

Sie kamen am menschenleeren Tiananmenplatz vorbei, den sie aus dem Fernsehen wiedererkannte. Ein Raunen ging durch den Bus, alle drehten die Köpfe nach der einen Seite, dann, wie bei einem Tennismatch, nach der anderen, wo die roten Mauern der Verbotenen Stadt zu sehen waren.

Harry wachte auf und sah sich verwirrt um. Der Tiananmenplatz, sagte Helene. Harry blinzelte ins grelle Licht und nickte, als habe er ihn gesehen.

Nach wenigen Minuten hielten sie vor einem großen, alten Gebäude, das sich als ihr Hotel herausstellte. Wie eine Gruppe Außerirdischer betraten sie vorsichtig die Lobby, die nur noch von wenigen, sehr gelb wirkenden Lämpchen erleuchtet war.

Eine Weile geschah gar nichts. Neugierig sahen sich alle um. Ein jüngerer Mann mit Ohrring, der ständig eine Videokamera vorm Gesicht hatte, schwenkte den düsteren Saal mit seiner Videokamera ab und murmelte dazu: Wir sind jetzt in unserem Hotel angekommen, niemand da. Wir warten. Nichts.

Die Frau mit den roten Haaren kicherte.

Jeder erwartete insgeheim die erste große Organisationspleite, nachdem bisher alles wie am Schnürchen geklappt hatte. Man setzte sich in eine dunkle Ecke in rote Plüschsessel. Keiner sprach. Helmut verteilte kleine Tütchen mit ein wenig Touristengeld. Neugierig rissen alle die Tüten auf und betrachteten das fremde Geld.

Helene zog ihr I-Ging-Buch aus der Tasche und forderte Harry auf, drei chinesische Münzen sechsmal in die Luft zu werfen, was er nur unwillig tat. Neugierig wurden sie von der Frau mit den roten Haaren beobachtet. DIE GROSSE ZÄHMUNG, las Helene Harry leise vor, oben der Berg und unten der Himmel. Fördernd ist Beharrlichkeit. Nicht zu Hause essen bringt Heil. Sie kicherte. Fördernd ist es, das große Wasser zu durchqueren.

Haben wir gemacht, sagte Harry lakonisch. Siehst du, das *I Ging* weiß alles, erwiderte Helene.

Nicht zu Hause essen bringt Heil, wiederholte Harry und stieß sie leicht mit dem Ellbogen an.

Helene sah auf. Wie aus dem Nichts waren zwei hübsche chinesische Mädchen in nachtblauen Seidenkleidern erschienen mit Sandwichkörben am Arm, gefolgt von einem Mann in schwarzen Hosen und blütenweißem Hemd. Guten Abend, spulte er herunter wie ein Tonband, mein Name ist Herr Wang, ich freue mich, daß Sie da sind. Sie sind bestimmt sehr müde und hungrig von der langen Reise. Wir haben eine Kleinigkeit für sie vorbereitet.

Auf ein Zeichen gingen die beiden Mädchen herum und boten lächelnd die Brote an, die etwas pappig und britisch aussahen, aber alle nahmen welche, obwohl sie von den Mahlzeiten im Flugzeug noch pappsatt waren.

Bitte holen Sie jetzt Ihre Koffer, sagte Herr Wang. Erstaunt und leicht amüsiert sahen sich alle an.

Kofferträger gibt es in China nicht, erklärte Helmut, wozu Herr Wang eifrig nickte.

Im Gänsemarsch gingen alle mit den Broten in der Hand zurück zum Bus, aber der Fahrer war inzwischen verschwunden, der Bus abgeschlossen. Da war sie endlich, die Panne. Helmut zuckte die Achseln und lachte. Daran werdet ihr euch gewöhnen müssen, sagte er. Alle nickten mit vor Müdigkeit kleinen Gesichtern. Während sie warteten, reckten sie die Nasen in die Luft wie die Hunde, um chinesische Luft zu schnuppern. Sie war kalt und roch vage nach Kohl und Urin.

Der Busfahrer tauchte schnell wieder auf, und ein anderes, verschlafen wirkendes Mädchen in einer dunkelblauen Uniform mit goldenen Aufschlägen führte sie gähnend zu ihren Zimmern, durch endlose Flure mit dicken, roten Teppichen, die alle Geräusche der Reisenden verschluckten, als wären sie plötzlich nur noch ein Film ohne Ton.

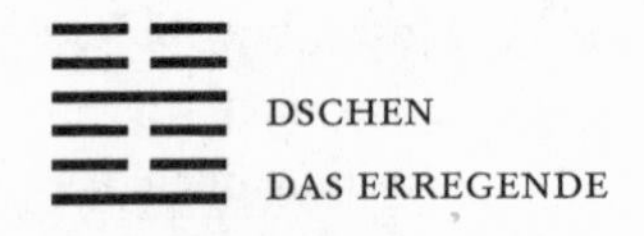

DSCHEN
DAS ERREGENDE

Das Erregen kommt und macht fassungslos. Wer infolge des Erregens handelt, bleibt frei von Unglück.

Kennengelernt hatten sich Harry und Helene beim Verkehrsunterricht für Rotlichtmißachter. Die Veranstaltung fand an einem eisigkalten Januarabend in einem ungeheizten Raum einer Grundschule statt. Erstaunlich viele Menschen fanden sich unwillig und ärgerlich über die Pflichtbelehrung dort ein – Helene kam zu spät, und alle drehten sich nach ihr um –, manche von ihnen konnte man sich nur mit Mühe als Verkehrsteilnehmer vorstellen: eine uralte Frau mit Stock, ein winzig kleiner Asiate, eine tiefverschleierte Frau, eine aufgetakelte Blondine, zwei Jungen, die aussahen wie zwölf.

Mit vor Kälte glühenden Wangen stand Helene dort, eine feuerrote Webpelzmütze auf dem Kopf. Bin ich hier richtig bei den Rotlichtsündern? fragte sie, und alles brach bereitwillig in schallendes Gelächter aus.

Der vortragende Polizist im grünen Pullover ermahnte sie streng, das sei ganz und gar nicht komisch, aber wie in einer Schulklasse wurde weitergekichert. Diese seltsame Mischung von Menschen hatte sich bereits gegen den Lehrer verbündet, und das war Helenes Tat.

Grinsend sah sie sich nach einem Platz um, kein einziger Stuhl war mehr frei, da bot Harry ihr die Hälfte von seinem an, und so saßen sie dicht aneinandergequetscht eineinalb Stunden da, hörten dem langweiligen Vortrag zu, sahen Dias von schrecklichen Unfällen und ein Video mit nichtangeschnallten Dummies in einem Auto, das an eine Betonwand fuhr.

Ungeachtet dieser drastischen Demonstrationen eines jederzeit möglichen Todes atmeten sie immer tiefer den gegenseitigen Geruch ein, bis sie betört und leicht schwindlig waren, und noch an demselben Abend in einem für ihre damaligen Verhältnisse sündhaft teuren Hotelzimmer übereinander herfielen.

Die Sünde schien das Thema dieses Abends zu sein.

Beide hatten sie das wunderbare Gefühl, wild und hemmungslos zu sein, auszubrechen wie junge Pferde und kopflos in eine ganz neue Richtung zu galoppieren. Regeln nicht zu beachten und zu tun, was sie wollten, wurde zum Bild ihrer frühen Liebe.

Sie kamen sich ein wenig vor wie Outlaws, die durch die Kraft ihrer rebellischen Seele zueinander gefunden hatten.

Nach drei Wochen lebten sie bereits zusammen. Harry war vor kurzem von seiner Frau, einer Rechtsanwältin, geschieden worden, Helene hatte mit einem zehn Jahre älteren Computerfachmann zusammengewohnt, den sie bis zum Abend des Verkehrsunterrichts zu lieben geglaubt hatte und in dessen Auto sie die rote Ampel überfahren hatte.

Sie hatten das Gefühl, um ein Haar in den Abgrund der Routine und der Anpassung gerutscht zu sein und sich jetzt gegenseitig gerettet zu haben.

Sie spulten einfach ihr Leben zurück auf die Zeit vor dem Computerfachmann und der Rechtsanwältin. Alles noch einmal auf Anfang.

Harry verließ das konservative Architekturbüro, in dem er bisher gearbeitet hatte, und war vorübergehend arbeitslos, er ließ sich die Haare wieder wachsen und trug nur noch Jeans. Helene jobbte wieder als Kellnerin, schnitt sich die Haare ab und färbte sie kohlrabenschwarz. Sie warfen alle Möbel raus und lebten eine Zeitlang auf einem großen Futon in einem ansonsten leeren Zimmer.

Sie fühlten sich sehr verliebt und schrecklich frei, und manchmal waren sie deshalb fast ein wenig deprimiert. Meistens schliefen sie dann miteinander, probierten sexuelle Fantasien aus, die sie sich mit keinem anderen Partner getraut hatten, experimentierten ein wenig mit Drogen, ließen aber bald alles wieder bleiben, weil es ihnen weniger Spaß machte, als sie gedacht hatten, was sie nur ungern zugaben.

In ihrem Herzen, so stellten sie beide insgeheim fest, waren sie doch nicht so wild, sondern fast erschreckend vernünftig. Sie schliefen jetzt viel. Wachten spät auf, dösten zwischendurch, sahen fern – etwas anderes gab es auf dem Futon auch nicht zu tun.

Nach einem halben Jahr bewarb Harry sich bei einer neuen Firma, die ihn auch sofort nahm. Er ging wieder morgens um acht aus dem Haus, und verblüfft stellte er fest, daß er sich mit einemmal wieder frisch und voller Energie fühlte, als wäre er zuvor lange krank gewesen.

Helene dagegen bekam einen Bandscheibenvorfall und stand eines Tages heulend mitten auf der Straße, weil sie den Fuß nicht mehr heben konnte, um den Bürgersteig zu betreten.

Das war das Ende des Futons. Sie kauften sich Möbel, Harry bekam zunehmend große Aufträge, die ihn dazu zwangen, wenigstens ab und zu wieder einen Anzug zu tragen, Helene lernte in dem Café, in dem sie bediente, den schwulen Kosmetikhersteller kennen und wurde die Geschäftsführerin seiner Firma. Sie fühlten sich jetzt nicht mehr wild, sondern chic, und das war auch ganz in Ordnung. Auf ihren alljährlichen Reisen spielten sie noch einmal ihr altes Spiel als Rotlichtsünder: frei, ungebunden, jederzeit imstande, im Handumdrehen alle Regeln zu ändern, ihr Leben auch ganz anders zu führen, wenn sie nur wollten.

An der Chinesischen Mauer pfiff ein eiskalter Wind. Sie fielen aus dem Bus direkt in einen Verkaufsstand mit Armeepelzmützen, die auch prompt fast alle kauften, außer Helene und den beiden Heilpraktikerinnen aus Lüneburg, die alles immer zu teuer oder zu unökologisch fanden.

Harry, so fand Helene, sah einfach nur dämlich aus mit der dicken Mütze auf dem Kopf, und er konnte durch den dicken schwarzen Pelz – Maulwurfpelz? – nichts mehr hören. Mehrmals sprach sie ihn an und bekam keine Reaktion.

Im Gänsemarsch folgten sie Helmut und einer Gruppe von älteren Chinesen, die in dick wattierten Jacken und Hosen breitbeinig dahinwackelten wie kleine Kinder. Die Frauen trugen bunte Tücher um den Kopf, kein einziger Chinese, so stellte Helene fest, trug eine Armeepelzmütze.

Eine Gruppe von alten, afroamerikanischen Damen überholte sie laut redend und lachend. Helene sah ihnen fast sehnsüchtig nach. Jetzt schon ging ihr ihre eigene Gruppe auf die Nerven. Über Nacht hatte sie sich bereits in eine Schulklasse verwandelt, in der es die Streber gab, die Braven, die Trödler, die Dummen, die Faulen und die Außenseiter – zu denen sie Harry und sich selbst zählte.

Helmut sah mit seinen dünnen, langen Haaren und mit seiner peruanischen Strickmütze auf dem Kopf aus wie jeder x-beliebige linke Lehrer, seine Stimme senkte sich jedesmal ehrfürchtig, wenn er vom großen Vorsitzenden sprach, und er kommentierte die rasante Verwestlichung Chinas mit Kopfschütteln und tiefem Bedauern im Blick. Helene hätte ihn auf der Busfahrt zur chinesischen Mauer schon am liebsten erwürgt; seine selbstgemachte Ringelblumensalbe, die er gegen die extrem trockene Haut, unter der alle wegen der minimalen Luftfeuchtigkeit litten, anbot, wies sie schnöde zurück. Als er jetzt auch noch ein Schild hochhielt, auf das eine Sonnenblume gemalt war und dem sie alle folgen sollten, suchte sie verzweifelt Harrys Blick. Wenigstens mit ihm wollte sie ihre Abscheu teilen, aber der glotzte unschuldig wie ein Lamm unter seiner Fellmütze hervor und schien alles prima zu finden.

Über eine schmale Treppe bestiegen sie im Gänsemarsch die Mauer, die anscheinend in diesem Bereich kürzlich renoviert worden war, sie wirkte enttäuschend neu. Oben pfiff ein eisiger Wind aus der Mongolei über die Ebene, und im Handumdrehen wurden Helenes Ohren so kalt, daß sie anfingen zu schmerzen, als würde ihr jemand mit aller Kraft in die Ohren kneifen. Sie hielt sie zu, aber die trockene Haut an ihren Händen fing in der Kälte an leicht zu bluten. Das hatte sie jetzt also davon, daß sie Helmuts Ringelblumensalbe zurückgewiesen hatte.

Sie wünschte sich jetzt nichts sehnlicher als eine von diesen idiotischen Armeemützen. Mit schmerzverzerrtem Gesicht trottete sie hinter Harry her, der nichts von ihrer Pein zu bemerken schien. Ihre Mutter fiel ihr ein, die behauptete, sie habe sich als junges Mädchen zwischen zwei Männern nicht entscheiden können, bis der eine ihr an einem kalten Wintertag seine Handschuhe gab, der andere aber nicht.

Es herrschte ein solches Gedränge auf der Mauer, daß man kaum vorankam und lange vor den niedrigen Mauerabschnitten warten mußte, um hinaussehen zu können. Sie stellten sich an einem Guckloch an, vor ihnen bauten sich Gruppen von jungen Chinesen in bunten Skijacken für Fotos auf, wobei sie sich automatisch Schulter an Schulter reihten, die Köpfe in dieselbe Richtung drehten und den Blick leicht anhoben in eine vielversprechende Zukunft. Die Mädchen trugen Lippenstift und billige Ohrringe und hatten nachgemachte Ray-Ban-Sonnenbrillen auf der Nase.

All das, so hatte ihnen Helmut mißbilligend erzählt, gab es erst seit kürzester Zeit, vor wenigen Monaten noch wären sie dafür heftig kritisiert worden.

Kichernd boten die Mädchen Helene und Harry in gebrochenem Englisch an, ein Foto von ihnen zu machen, und um sie nicht zu enttäuschen, gab Helene ihnen ihren Fotoapparat und trat eingehakt mit Harry vor das Ausguckloch. *Cheese*, riefen die Mädchen, und sie taten ihnen den Gefallen. Nichts auf diesem Foto außer Harrys Pelzmütze würde an China erinnern.

Die Mädchen gaben ihnen den Fotoapparat zurück. Sie glühten vor Stolz, wahrscheinlich waren Harry und Helene die ersten Ausländer, mit denen sie jemals gesprochen hatten, denn auch das war bis vor kurzem undenkbar gewesen.

Ich bleibe vielleicht für immer ein Bild im Gehirn eines chinesischen Mädchens, dachte Helene, während sie über das staubige, trockene Land sah, das sich endlos wie ein gelber Ozean bis zum Horizont erstreckte. Ein Satz von Kungtse fiel ihr ein, den sie in ihrem I-Ging-Buch gelesen hatte: *So fließt alles dahin wie dieser Fluß, ohne Aufhalten, Tag und Nacht.* Laut sagte sie diesen Satz vor sich hin.

Der eisige Wind riß ihn ihr aus dem Mund und trug ihn davon.

Harry sah sie verständnislos an und hob seinen Ohrschützer aus Maulwurfspelz. Was? brüllte er.

Küß mich, sagte Helene zu Harry. Er schüttelte verständnislos den Kopf. Du sollst mich auf der Chinesischen Mauer küssen! schrie sie gegen den Wind zurück.

Zu Befehl, rief er und gab ihr einen kalten Kuß auf die aufgesprungenen Lippen, dann traten sie zur Seite, um die nächsten an die Reihe zu lassen.

In ihrer ersten chinesischen Nacht war Harry aus dem Badezimmer zurückgekommen, hatte sich fröstelnd neben seine Frau aufs Bett gesetzt, und gemeinsam hatten sie in winzigen Schlucken das heiße Wasser getrunken.

Ich würde gern rausgehen, sagte Helene.

Was? Jetzt?!

Ja, wir könnten uns anziehen und einfach ein bißchen spazierengehen.

Das gäbe ein riesiges Theater.

Wieso?

Weil das bestimmt nicht gern gesehen wird, wenn sich Touristen mitten in der Nacht in Peking auf der Straße herumtreiben.

Das ist doch schon lange nicht mehr so streng, sagte Helene, stand auf und ging im Zimmer auf und ab. Meine Beine tun weh vom langen Sitzen im Flugzeug, sagte sie. Komm schon.

Harry sah sie mit einem langen Blick an. Wortlos griff er dann nach seinen Hosen.

Du hast keine Lust, sagte Helene.

Keine besondere.

Aber, mein Gott, wir sind in China!

Ja und?

Was, ja und? Helene wurde wütend.

Du hast doch gesehen, wie es draußen aussieht. Wie in jeder sozialistischen Großstadt.

Dann können wir ja wieder fahren, wenn du schon alles gesehen hast. Sie setzte sich auf sein Bett und schlang die Arme um ihre Knie unter dem Nachthemd.

Oh, komm, Leni, jetzt mach kein Theater. Ich bin müde, ich will ins Bett.

Warum sagst du das nicht gleich? Sie stand auf.

Weil du gern Luft schnappen wolltest.

Nicht so wichtig. Sie ließ sich jetzt auf ihr Bett fallen.

Was ist jetzt? Zornig starrte Harry sie an, seine Augen blutunterlaufen vor Müdigkeit.

Künstlich gelassen sagte Helene: Du gehst jetzt einfach wieder ins Bett.

Harry drehte sich einmal um sich selbst und knurrte wie ein Hund. Gut, sagte er, dann gehen wir einfach wieder ins Bett. Wütend zog er die Hosen wieder aus, legte sich ins Bett und zog die Decke hoch.

Gute Nacht, sagte Helene, aber machte keinerlei Anstalten, sich ebenfalls wieder hinzulegen.

Was machst du jetzt? fragte Harry argwöhnisch.

Ich weiß nicht. Ich kann jetzt nicht schlafen. Vielleicht gehe ich nachher allein ein bißchen raus.

Das tust du nicht.

Tu ich doch.

Bitte, Helene. Es braucht nicht viel, und schon landest du hier in irgendeinem Gulag.

Du verwechselst China mit der Sowjetunion.

Okay, Harry richtete sich wieder auf, was ist los?

Nichts. Helene sah ihn erstaunt an. Was soll los sein?

Du hast doch irgendwas.

Nein.

Du bist böse, daß ich nicht begeisterter bin.

Helene zuckte die Achseln.

Ich bin einfach nur müde, okay?

Ja, sagte Helene gedehnt, natürlich.

Eine Weile schwiegen sie. Harry schloß die Augen, dann öffnete er sie wieder und musterte Helene, die immer noch auf ihrem Bett saß. Du frierst doch.

Geht so.

O Gott, Leni, schrie Harry, was zum Teufel ist los?

Ich weiß es nicht, sagte Helene leise.

Harry drehte sich auf die Seite, streckte die Hand nach ihr aus und zog sie zu sich herüber. Widerstrebend schlüpfte sie unter seine Decke in das schmale Bett. Eng mußten sie sich aneinanderdrücken, um nicht rauszufallen.

Deine Füße sind ja wie aus Eis, sagte er vorwurfsvoll. Er strich ihr ein, zwei Mal über ihren Rücken, kraulte ihr den Nacken. Versuchsweise ließ sie ihre Hand über seinen Bauch zwischen seine Schenkel wandern. Es war nicht wirklich ernstgemeint, sie fürchtete die Anstrengung, die mit Sex verbunden sein würde. Harry grunzte widerwillig. Sie zog ihre Hand weg.

Tut mir leid, Leni, gähnte er.

Schon gut. Eine Minute später war er eingeschlafen.

Vorsichtig pellte sie sich aus dem Laken und ging zurück in ihr eigenes Bett, das sich jetzt klamm und kalt anfühlte. Sie löschte das Licht. Die Dunkelheit traf sie wie ein Boxhieb in den Magen. Sie fühlte sich mutterseelenallein und verlassen auf dieser Welt. Tränen stiegen in ihr auf, aber sie konnte nicht unterscheiden, ob aus Lust am dramatischen Gefühl oder aus echter Bedrängnis. Sie sah sich mitten in China in einem Zimmer sitzen wie vom Himmel gefallen. Jede Bewegung, die sie in ihrem Leben unternommen hatte, erschien ihr quälend zufällig, ohne Grund und ohne Ziel. *So fließt alles dahin wie dieser Fluß, ohne Aufhalten, Tag und Nacht.* Sie hatte das Gefühl, durch den Raum zu schweben, nicht mehr zu wissen, wo oben und unten war, wo die Vergangenheit und wo die Zukunft. Angsterfüllt richtete sie sich mit einem Ruck auf und machte das Licht wieder an.

Sie wühlte in ihrer Tasche, die neben dem Bett stand, nach dem I-Ging-Buch. Jemand hatte es ihr vor Jahren, als es alle lasen, zum Geburtstag geschenkt. Helene hatte es nie angerührt, eben weil es *alle* lasen, aber als es ihr ein paar Wochen vor der Abreise nach Peking ins Auge fiel, dachte sie, es sei die ideale Reiselektüre für China. Nach nur wenigen Tagen war sie dem Buch regelrecht verfallen. Jeden Morgen warf sie ihre Münzen und betrachtete das entsprechende Zeichen als Gerüst für ihren Tag. Harry lachte sie aus und wunderte sich insgeheim. Er hatte sie für eine Rationalistin gehalten, der alles Mystische zutiefst verdächtig war. Ich glaube nicht daran, sagte sie, ich spiele nur.

Ungeduldig suchte sie die drei chinesischen Münzen, die

sie in einem Seitenfach ihres Portemonnaies aufbewahrt hatte, sie warf sie sechsmal nacheinander auf die goldene Seidendecke, atemlos schlug sie das resultierende Zeichen auf:

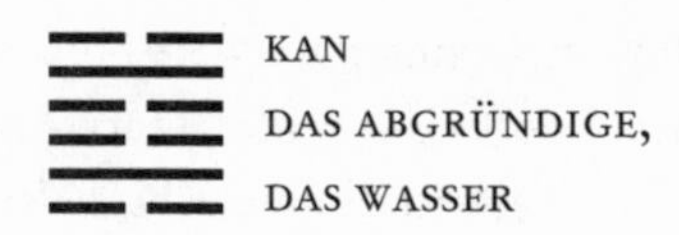

Oben das Wasser, unten das Wasser. Das wiederholt Abgründige. Wenn du wahrhaftig bist, so hast du im Herzen Gelingen, und was du tust, hat Erfolg.

Entmutigt ließ sie das Buch sinken. Sie betrachtete Harry, der mit zerknautschtem Gesicht auf dem Kissen lag. Wahrhaftig? Wir wissen doch gar nicht mehr, was das ist. Wer von uns weiß schon, was er wahrhaftig in diesem Augenblick für den anderen fühlt? Alles ist nur noch ein Meer von Erinnerungen und Hoffnungen.

Oben und unten Wasser. Zuviel Wasser, dachte sie, einfach zuviel Wasser. Sie löschte das Licht, und dann weinte sie in dem dichten Dunkel ein bißchen vor sich hin und wußte wirklich nicht genau, warum.

Auf dem Tiananmenplatz verlor Helene fast die Gruppe, weil sie sich nicht von ein paar Kleinkindern losreißen konnte, die an den Händen ihrer Mütter hingen wie rotbackige Äpfel. Überall liefen diese dick verpackten Kinder herum mit ihren glänzenden schwarzen Haaren, die wie

Kappen auf den runden Köpfen saßen. Neugierig starrten sie aus dunklen Knopfaugen die Fremden an, dann wurden sie an der Hand ihrer Eltern wieder weitergezogen, und von hinten sah man durch einen Schlitz in ihren wattierten Anzügen die rosablau gefrorenen Popos.

Helene war von diesen Kindern weit mehr angezogen als von den Sehenswürdigkeiten Pekings, was sie sich selbst damit erklärte, daß diese Kinder einfach zum Fressen aussahen. Natürlich wußte sie Bescheid. Jede Familie durfte nur ein Kind haben, bei einem zweiten hagelte es heftige Strafen: Auf dem Land wurde immer noch zwangssterilisiert; die Chorionbiopsie, mit der man Erbschäden des Fötus früh entdecken konnte (und die Helene hatte machen wollen), war in China erfunden worden und wurde häufig dazu mißbraucht, das Geschlecht des Kindes festzustellen, um dann Mädchen abzutreiben, weil sie als nicht so wertvoll galten wie Jungen.

Sie wußte all das, sie romantisierte bestimmt nichts, sie wurde einfach nur magisch angezogen von diesen offenen, runden Kindergesichtern, die sie neugierig anstarrten wie E.T. oder Mary Poppins oder eine Mischung aus beiden. Harry aber, der sie wiederholt dabei beobachtete, wie sie Gummibärchen aus der Tasche zog – wo hatte sie die her? – und die Kinder damit lockte, machte sich Sorgen.

Eines Tages hatte Helene ein Probebaby mit nach Hause gebracht, das Kind einer Freundin, die mit einer Grippe im Bett lag und der Helene angeboten hatte, das Wochenende über auf ihr Kind aufzupassen. Ein Akt der Nächstenliebe, erklärte Helene Harry strahlend und küßte dem Kind den flaumigen Kugelkopf.

Er wußte es besser: Er sollte sehen, wie wunderbar es doch war, ein Kind in der Wohnung herumbrüllen zu haben, von ihm diktiert und unterjocht zu werden.

Aber das Kind brüllte nicht. Es zeigte sich von seiner liebenswürdigsten, charmantesten Seite. Nach einer halben Stunde schon streckte es seine fetten Ärmchen nach ihm aus, und er nahm es, skeptisch zwar, als verberge sich in seiner Windel eine Bombe, auf den Arm. Und dann roch er es auch: diesen betörenden Babyduft nach Penatencreme und Karottenbrei, und darunter diese überwältigende Frische von neuem, unverdorbenem Leben. Ein Mädchen, Lina mit Namen.

Lina, flüsterte Harry zärtlich in das makellose Ohr des Babys. Er konnte seine eigene Verwandlung kaum fassen. Stolz wie frischgebackene Eltern gingen sie mit Lina in den Zoo, sahen ihr zu, wie sie auf wackeligen, krummen Beinchen auf die Tiere zulief, bei jedem begeistert Hopphopp rief, gackernd lachte, possierlich wie ein kleines Äffchen Popcorn aß.

Helene und Harry saßen auf einer Bank, rückten näher aneinander, Harry nahm Helenes Hand. Staunend nahmen sie wahr, wie ein glatzköpfiges kleines Mädchen sie plötzlich in ganz und gar wunschlose, normale Menschen verwandelt hatte. Mit einemmal waren sie so wie die anderen, und was ihnen bisher als so bedrohlich erschienen war, schmeckte jetzt süß und verlockend. Sie waren keine Rotlichtsünder mehr.

Vertrauensvoll tappte Lina an ihrer Hand nach Hause, widerstandslos ließ sie sich in dem Autokindersitz, den Helene von der Mutter vorsorglich mitbekommen hatte, festschnallen, brav aß sie ihren Brei und zum Nachtisch Apfelscheibchen. Dann gähnte sie, rieb sich mit beiden Händchen die Augen, Helene und Harry wechselten einen wissenden Blick wie erfahrene Eltern, und Harry stand auf, um im Gästezimmer das Reisebettchen von Lina aufzuschlagen.

Helene zog sie aus, küßte ihren Babybauch, konnte nicht aufhören, mit ihren Haaren Lina im Gesicht zu kitzeln, was sie jedesmal mit ihrem hinreißenden Gegacker quittierte. Sie zog ihr ihren Schlafanzug mit kleinen braunen Bärchen an, erzählte ihr eine Geschichte, der Lina staunend mit verständnislosem himmelblauem Blick lauschte, schließlich trug sie Lina zu ihrem Bettchen und wollte sie behutsam hineinlegen. Und mit einemmal verwandelte sich Lina. Sie krallte sich an Helenes Hals fest, öffnete den Mund weiter, als es physisch möglich schien, und schrie, als wolle man sie abstechen. Und so schrie sie weiter. Die ganze Nacht. Außer sie wurde auf Harrys Arm im Trab durch die Wohnung geschaukelt. Und nur auf Harrys Arm. Helene akzeptierte sie nicht mehr, brüllte nur um so lauter und schlug mit ihren Ärmchen auf sie ein, wenn sie versuchte, sie zu berühren.

Helene war erst gekränkt, dann wirklich verletzt, dann wütend, dann – um etwa drei Uhr morgens – raste sie vor Zorn. Wir bringen sie zurück, schrie sie, jetzt sofort!

Ein Akt der Nächstenliebe, sagte Harry seufzend mit Lina auf dem Arm und wagte es, einen Moment lang stehenzubleiben, was sofort zu erneutem bestialischem Gebrüll führte. Gehorsam drehte er sich um und trabte den Flur hinunter.

Helene kochte sich Kaffee, denn sie konnte schlecht ins Bett gehen und Harry mit dem Monster allein lassen. Mit schmerzendem Schädel sah sie im Fernsehen Pornofilme und Gemüseschneiderverkaufsprogramme bis fünf Uhr früh, während Harry im Hintergrund auf und ab trabte. Mit Schrecken mußte Helene feststellen, daß ihre Geduld weit begrenzter war als seine und ihr Zorn unkontrollierbar und sogar gefährlich. Ich bring dich um, dachte sie wieder und wieder, du kleines Aas.

Um sieben Uhr früh endlich schlief Lina auf dem Bauch von Harry ein, der mit ausgestreckten Armen und Beinen auf dem Teppich lag, wie von einer Kugel getroffen.

Sie brachten Lina unter fadenscheinigen Erklärungen früher als geplant zu ihrer fiebernden Mutter zurück. War sie brav? wurden sie gefragt, und sie nickten eifrig und machten sich schnell aus dem Staub wie zwei aus dem Knast entlassene Strafgefangene.

Ein paar Tage später fand Harry in der Zeitung eine Notiz über einen amerikanischen Psychotherapeuten, der eine süße und ganz realistisch aussehende Babypuppe für junge Mädchen entwickelt hatte, um sie zur Empfängnisverhütung zu bewegen. Diese Puppe gab in unregelmäßigen Abständen zu jeder Tag- und Nachtzeit einen gellenden Sirenenton von sich, der sich nur dann abstellen ließ, wenn man an der Puppe mehrere Handgriffe vornahm. Nach nur wenigen Nächten waren die Mädchen davon überzeugt, daß sie mit Hilfe von Pille und Kondom ein friedlicheres Leben führen würden.

Wieso ist die Puppe nur für junge Mädchen? fragte Helene. Harry sah hinter der Zeitung auf. Wahrscheinlich, weil sie weniger Fantasie haben als Männer, sagte er. Sie sind leichter biologisch manipulierbar.

Ach ja? sagte Helene. Sie sahen sich an, und beide erinnerten sich in diesem Moment an den wunderbaren, betörenden, die Sinne verwirrenden Geruch von Linas Nacken.

Zwei Monate später wurde Helene schwanger.

Wie bekommt man in China einen Platz im Flugzeug? fragte Helmut, der Reiseleiter, munter und sah in die Runde seiner müden Reisenden. Also, alle Passagiere stellen sich vor dem Flugzeug auf, der Pilot pfeift auf einer Trillerpfeife, die Passagiere müssen einmal um das Flugzeug rumlaufen, dann die Gangway hoch ins Flugzeug rein. Und wer dann einen Platz hat, der hat. Wer nicht, der nicht. Ist wirklich passiert. Reise nach Jerusalem auf chinesisch.

Alle lachten höflich. Helmut verschränkte zufrieden seine Hände hinter dem Kopf. Wenn er nur alle bei Laune hielt, gäbe es später keine Regreßansprüche, dann hätten alle das Gefühl, etwas erlebt zu haben, trotz achtstündiger Wartezeit auf dem Flughafen von Peking. Er fühlte sich wie ein Gärtner mit der Gießkanne, der Urlauber mußte nur bereit sein, den Samen aufgehen zu lassen. Bei fast allen hatte er auf dieser Reise Glück, einer recht homogenen Gruppe von zwölf Leuten zwischen dreißig und fünfzig, vier Paare, die sich alle leidlich vertrugen, und vier Alleinreisende.

Helmut mochte Alleinreisende lieber, sie waren zugänglicher als Paare, weil sie auf ihn angewiesen waren. Er war ihr Beschützer. Er stand auf und ging um seine Gruppe herum wie ein Schäferhund um seine Herde. Seine schwarzen Schafe waren ohne Frage Helene und Harry, die sich ihm entzogen, sich gern ein wenig von der Gruppe absentierten, nicht recht mitzogen. Die gab es immer. Sie kamen sich besser vor als der Rest, individueller, anders, besonders eben.

Helmut klopfte Harry auf die Schulter, weil er instinktiv wußte, wie sehr ein Mann wie Harry solche Gesten haßte. Na, sagte Helmut jovial, wie geht's?

Harry sah ihn gequält an: Hätte man nicht vorher beim Flughafen anrufen können? Sein Ton war nüchtern, bemüht, nicht vorwurfsvoll zu klingen. Ja, sagte Helmut, das hätte ich tun können. Aber ich hätte nur die Auskunft bekommen, daß alles nach Plan geht. Was bedeutet, daß alles, wie immer, nicht nach Plan gehen wird.

Hm. Harry wandte den Blick von ihm. Und Herr Wang?

Herr Wang kann da auch nicht mehr machen als ich, erwiderte Helmut freundlich und sah sich nach Herrn Wang um, der an eine Säule gelehnt dastand und stoisch in die Ferne blickte. Wahrscheinlich schlief er mit offenen Augen. Diese Technik beherrschten viele Chinesen. Sie waren ständig übermüdet, aber ließen sich das niemals anmerken. Am Abend, wenn der Bus in Peking wieder am Hotel hielt, fuhr Herr Wang zweieinhalb Stunden mit dem Fahrrad nach Hause.

Wenn man bedenkt, was wir in diesen zwölf Stunden alles hätten anschauen können, sagte Harry. Helene drehte sich zu ihm um und lächelte. Heute früh hast du noch gesagt, wie gern du einen Tag Pause einlegen würdest. Harry grunzte.

Helmut nickte Helene dankbar zu, aber sie wandte sich bereits wieder ab und sah den alten Damen aus den USA zu, die laut schnatternd wie eine Herde Gänse durch den Flughafen liefen, völlig unbeeindruckt davon, wie fremd sie auf die Chinesen wirkten, die ihnen mit offenem Mund nachstarrten.

Helene wäre zu gern aufgesprungen und hätte sich ihnen angeschlossen. Sie wollte raus aus ihrer Gruppe, in die sie sich eingesperrt fühlte wie in eine gräßliche Familie.

Zusammen hatten sie alle Sehenswürdigkeiten abgeklappert, die Ming-Gräber, die Verbotene Stadt, das Geburtshaus von Mao, den kleinen alten Stadtkern Pekings, das Baihuadalo, das größte Kaufhaus Pekings, in dem es Rolexuhren und Plüschpandabären gab, aber kein einziges Mal hatte Helene bisher das Gefühl gehabt, wirklich in China zu sein. Es kam ihr vor, als betrachte sie es nur wie durch ein Fernrohr von einem etwas näheren Standpunkt aus als von zu Hause.

Nur das Essen schien ihr wirklich authentisch, und inzwischen sah sie schon am Vormittag ungeduldig auf die Uhr. Pünktlich um zwölf Uhr gab es jeden Tag ein fantastisches Mittagessen mit mindestens sechs Gängen und um Schlag sechs das Abendessen.

Jeden Tag wurden sie von Herrn Wang in ein anderes wunderbares Restaurant geführt, in dem allerdings fast immer nur Ausländer saßen, und zum Abschluß ihrer fünf Tage in Peking gab es natürlich die Große Pekingente mit allein sieben Entengerichten aus Entenfüßen, Entenzunge, Entenherz, bis als letztes die hauchdünne, krosse Haut zusammen mit kleinen Pfannkuchen und geschnittenem Lauch aufgetragen wurde.

Helene war im siebten Himmel. Sie hatte sich angewöhnt, sich, wenn nur irgend möglich, neben Herrn Wang zu setzen, der ihr geduldig die poetischen Namen der einzelnen Gerichte und ihre Abfolge nach Ying- und Yang-Komponenten erklärte. Von ihm lernte sie wenigstens drei chinesische Wörter: *schesche* für danke, *kampei* für Prosit und *nihau* für guten Tag, und sie erfuhr, warum er ein seltsam buckliges Pflaster am Ohr trug, unter dem sich harte Erbsen verbargen. Die seien als Akupressur gut gegen seine Herzbeschwerden, die er sich durch seinen Beruf zugezogen habe.

Durch uns, meinen Sie, sagte Helene, durch uns Touristen. Herr Wang lächelte sanft. Er war gutaussehend, vielleicht Mitte dreißig, vielleicht auch älter, das war schwer zu schätzen, er trug seine Haare kurz geschnitten und stachelig wie ein Igel, Helene hätte ihm gern einmal drübergestrichen, für einen kurzen Moment konnte sie sich auch mehr vorstellen.

Sie sah hinüber zu Harry, der schweigend in sich hineinaß, er wirkte verlassen und ein wenig melancholisch, so daß Helene versuchte ihm zuzuwinken, was er aber nicht bemerkte. Wer ist dieser Mann da drüben, dachte sie, und warum glaube ich, mit ihm mein weiteres Leben verbringen zu müssen?

Kennen Sie das I Ging? fragte sie Herrn Wang. Das Buch der Wandlungen?

Herr Wang schüttelte verständnislos den Kopf. Helene holte das *I Ging* aus ihrer Tasche und zeigte es ihm. Amüsiert blätterte er darin herum. Alter, dummer Aberglaube, sagte er abfällig und holte nun seinerseits ein Buch aus seiner schwarzen Aktentasche, die er ständig mit sich herumschleppte. Freuds Traumdeutungen. Stolz erklärte Herr Wang: Freud ist immer noch verboten, aber wir kümmern uns nicht mehr darum. Alles wird sich ändern. Mao ist ein Verbrecher. Er hat uns abgeschnitten von der Welt.

Alle starrten ihn an, Helmut mit geöffnetem Mund, die Stäbchen in der Luft. Herr Wang lächelte mutig.

Kampei, sagte Helene.

Ihren ›Hochzeitstag‹ verbrachten Harry und Helene in Xi'an, einer chinesischen Kleinstadt von ›nur‹ neun Millionen Einwohnern. Müde und zerschlagen wachten sie in einem kahlen Hotelzimmer ohne jeden Charme auf, ein sozialistischer Plattenbau, wie er häßlicher nicht sein konnte.

Sie hatten beide keine Lust auf ihren Hochzeitstag, aber natürlich konnten sie das nicht zugeben, und so verbrachten sie den Tag mit gezwungener Zärtlichkeit, die sie beide als unecht empfanden. Sie drängten sich im Bus auf der Fahrt zur Terrakottaarmee eng aneinander, nahmen sich immer wieder bei der Hand, lächelten sich grundlos zu, gaben sich bei jeder Gelegenheit kleine Vogelküsse und waren unglücklich.

Die tönerne Armee des Kaisers Qui Shihuangdi, die ihn auch im Jenseits vor Feinden schützen sollte, war eher enttäuschend. Zu oft schon hatten sie Fotos und Fernsehberichte von ihr gesehen, in der sie weitaus größer und überwältigender gewirkt hatte als in Wirklichkeit. Dennoch hatte Helene das Gefühl, wenigstens die Erinnerung an diesen Tag könnte irgendwann bewegend sein, wenn sie als Andenken eine von den vielen kleinen Replicas der Armee kaufen würden, die an großen Ständen auf dem Parkplatz angeboten wurden.

Was meinst du, fragte sie Harry, lieber einen Bogenschützen oder ein Pferd?

Oh, ich weiß nicht, Liebling, antwortete Harry unschlüssig. Er sagte heute oft Liebling zu ihr, das fiel ihr auf. Nimm doch einfach das, was dir besser gefällt.

Ich weiß aber nicht, was mir besser gefällt. Deshalb frage ich dich.

Harry nahm nacheinander die kleinen Tonfiguren in die Hand. Es war ihm völlig gleichgültig, ob sie eine kauften oder nicht. Ich glaube, mir gefällt der Bogenschütze.

Und mir das Pferd, sagte Helene prompt.

Dann nimm doch beide.

Wir müssen sie dann bis Shanghai und Guangzhou und Guilin und Hongkong schleppen, sagte Helene. Bei dem Gedanken an die lange Tour, die noch vor ihnen lag, wurde ihr fast schlecht vor Widerwillen. Sie nahm das kleine Pferd in die Hand. Seinen Schweif konnte man abnehmen. Ob das beim Original auch so war?

Dann nimm eben keins, sagte Harry und lächelte gekünstelt.

O Gott, Harry! rief Helene wütend aus und stampfte mit dem Fuß auf. Sie sahen sich an wie zwei Boxer, die nicht miteinander im Ring sein wollen, aber keine Wahl haben.

Ehrlich gesagt, ist es mir ziemlich wurscht, ob du jetzt einen Bogenschützen oder ein Pferd kaufst, sagte Harry.

So wie dir alles wurscht ist, erwiderte Helene bitter und stellte das Pferd wieder hin. Dann eben nicht.

Das habe ich nicht gemeint.

Natürlich hast du das gemeint. Helene wandte sich ab und sah die staubige Landstraße entlang, auf der sich buntgekleidete Touristengruppen entlangbewegten wie eine endlose, gefräßige Raupe.

Scheiße, sagte Harry hinter ihrem Rücken. Er zupfte an ihrem Mantel. Sie machte eine unwirsche Bewegung.

Er zupfte abermals. Sie drehte sich wütend nach ihm um, aber es war gar nicht Harry, sondern ein winziger Junge, der etwas rief, was klang wie *maikasecksen*. Immer wieder *maikasecksen, maikasecksen.*

Helene lachte, der Junge ließ ihren Mantel nicht los, sie sah auf zu Harry, der näher gekommen war. Was will er? fragte sie ihn. Harry zuckte die Achseln.

What do you want? fragte Helene den Jungen. Ernst sah er sie aus tiefschwarzen Augen an. *Maikasecksen.*

Michael Jackson! rief Harry. Der Junge nickte eifrig und grinste jetzt über das ganze Gesicht. *Meikasecksen.*

Er will Musik von Michael Jackson.

Oh! Helene schüttelte bedauernd den Kopf. Wir haben keine Musik von Michael Jackson.

Enttäuscht sah sie der Junge an, dann ließ er ihren Mantel los und lief weiter zum nächsten Bus, der auf den Parkplatz fuhr. Die Türen öffneten sich, und die schwarzen Amerikanerinnen vom Flughafen Peking quollen heraus. *Maikasecksen,* rief ihnen der Junge entgegen.

In einem DimSum-Restaurant aßen sie dreiundzwanzig verschiedene kleine Knödelarten, die in riesigen Bambuskörben gedämpft wurden. Nie zuvor, glaubte Helene, hatte sie etwas Besseres gegessen, und das tröstete sie vorübergehend über ihren verkorksten Hochzeitstag hinweg. Harry hatte aufgegeben. Mit undurchdringlicher Miene saß er da und gab vor, der trägen Konversation zu folgen. In Wirklichkeit, so wußte Helene, war er in seinen eigenen kleinen Kosmos geflohen, den sie sich silbrigglänzend und vollkommen leer vorstellte, wie eine perfekte Designerhülle ohne Funktion, einen Raum ohne Vergangenheit, Gegenwart und Zukunft, ohne Körper und Gefühl. Dort saß er unbeweglich stundenlang, dort ging es ihm gut.

Helene wurde leicht übel, verstohlen öffnete sie unter dem Tisch den obersten Knopf ihrer Jeans. Ohne Harry anzusehen, stand sie auf und sagte zu Helmut, ich würde gern ein paar Schritte draußen auf und ab gehen, bevor wir weiterfahren.

Helmut sah auf seine Uhr. Eine halbe Stunde, sagte er, aber nicht den Bus verpassen. Gequält lächelte Helene. Natürlich nicht. Herr Wang rief laut: Sie ist immer pünktlich. Harry schlürfte seine Suppe und sah nicht auf.

Draußen senkte sich eine eisblaue Dämmerung über die Betonwüste der Innenstadt. Auf der staubigen, von Plattenbauten gesäumten Hauptstraße rauschten die Fahrräder wie ein Sturmwind an Helen vorbei. Sie wußte nicht, wohin sie sich wenden sollte, weil alles gleich aussah: Schließlich ging sie in eine schmale Gasse neben dem Restaurant, in der die Küchenabfälle in großen Bergen auf der

Erde lagen, es roch nach Kohl und gekochtem Hackfleisch. Dampf stieg aus der offenstehenden Küchentür in dicken Schwaden nach draußen, und Helene sah in die Küche, in der weißgekleidete Frauen mit Haarnetzen auf dem Kopf Bambuskörbe über riesige Woks mit kochendem Wasser setzten und mit langen Stäbchen die kleinen Knödel wendeten. Sie riefen sich gegenseitig laut mit keifenden Stimmen etwas zu, was wie Befehle klang, aber in Helenes Ohr klang chinesisch immer irgendwie keifend.

Keiner schien sie zu bemerken. Als jemand sie am Arm faßte, schrak sie zusammen und hätte fast aufgeschrien. Es war Harry.

So etwas würde ich gern mehr sehen, sagte Helene.

Ich auch, seufzte Harry überraschend. Helene sah auf die Uhr. Wir haben noch fast fünfundzwanzig Minuten, sagte sie, komm.

Sie gingen die schmale Gasse weiter, vorbei an kleinen Häusern mit geschwungenen Dächern. Die Türen standen überall offen, man konnte in schwach gelb erleuchtete Zimmer hineinsehen. Ein alter Mann saß unbeweglich in einem Sessel, eine Frau beugte sich über eine Nähmaschine, ein Kind saß an einem Tisch und schrieb etwas in ein Heft. Niemand schien sie zu bemerken.

Helene griff nach Harrys Hand. Sie lächelten sich an wie zwei Verschwörer, ihre schlechte Stimmung schien vergessen.

Von ferne hörte man Stimmengewirr, und als sie um die Ecke bogen, befanden sie sich mitten in einem kleinen Wochenmarkt. Helene strahlte. Genau das hatte sie die ganze Zeit gesucht. Neugierig wurden sie jetzt gemustert, unverhohlen angestarrt, manche kicherten. Zwei alte Frauen, die eine Art Tracht trugen, rissen bei ihrem Anblick die Augen auf, riefen laut etwas und schlugen sich mit der Hand auf den Mund.

Langsam und freundlich lächelnd gingen Harry und Helene vorbei an zu Bergen aufgehäuften Kohlköpfen, an kleinen Garküchen; ein Mann röstete ein paar Kastanien auf einer Eisenplatte, ein anderer verkaufte ein paar Wurzeln und rosa Pillen auf einem umgedrehten Karton, es gab Eier zu kaufen, gerupfte Hühner, Kisten mit Entenküken, lange, graue Unterwäsche und ganze Stände mit Armeebekleidung.

Vor einem grünen Armeemantel mit Pelzkragen blieb Harry stehen. Der würde gut zu meiner Mütze passen, sagte er grinsend.

Oh, Harry, das meinst du doch nicht ernst?

Nur mal anschauen.

Er öffnete den Mantel, der mit grüner Seide gefüttert und wattiert war. Ein junger Mann kam hinzu und nickte eifrig, machte eine Geste, Harry solle ihn doch mal überziehen. Harry sah sich zweifelnd nach Helene um, war aber bereits aus seiner Lederjacke herausgeschlüpft. Er zog den Mantel über und drehte sich stolz. Ein paar Leute, die stehengeblieben waren, lachten.

Warum willst du unbedingt aussehen wie ein chinesischer Rotgardist?

Ich friere mir den Hintern ab in diesem Land. Ich will es warm haben, das ist alles.

Du willst aussehen, als wärst du beim Langen Marsch persönlich dabeigewesen.

Ach, Blödsinn.

Der Verkäufer kam mit einem Spiegel angerannt und hielt ihn Harry vor.

Steht mir doch gar nicht schlecht.

Ich finde es politisch unmöglich, sagte Helene streng und fand gleichzeitig, daß Harry der Mantel tatsächlich gut stand. Aber vielleicht war es gar nicht der Mantel, der ihr an ihm gefiel, sondern sein jungenhaftes Strahlen, das sie an andere Zeiten erinnerte.

Alle tragen Armeeklamotten, wandte Harry ein, nicht nur die Soldaten. Das stimmte. Es schien für viele eine billige Winterbekleidung zu sein. Schau doch mal die Knöpfe an, rief Harry begeistert.

Sie trat nah an ihn heran und begutachtete die goldfarbenen Knöpfe, auf die ein großer Stern und ein chinesisches Schriftzeichen eingraviert waren. Dann kauf ihn dir halt, sagte sie lächelnd und reckte ihm ihr Gesicht entgegen, wenn er dich so an deine glorreiche Vergangenheit erinnert.

Nicht, murmelte er, in China küßt man sich nicht auf der Straße.

Ist mir wurscht. Sie küßte ihn leicht auf die Lippen, als sie jemanden an ihrem Mantel zupfen spürte. Du hast recht, flüsterte sie, ich werde bereits ermahnt. Sie drehte sich um, hinter ihr standen zwei Frauen in mittlerem Alter, die den Saum von Helenes Mantel zwischen den Fingern prüften, ihn hin und her drehten und aufgeregt schnatterten.

Als sie Helenes Blick bemerkten, nickten sie ihr freundlich zu, ließen aber ihren Mantel nicht los, sondern unterhielten sich angeregt weiter, wahrscheinlich über Plastikfäden und schlampige westliche Verarbeitung.

Wenn ich ihnen erzählen würde, daß dieser Mantel viertausend Mark gekostet hat, würde sie auf der Stelle der Schlag treffen, dachte Helene, die brav stillhielt wie ein Pferd, bis die beiden Frauen ihren Mantel losließen und sich dann einfach von ihr abwandten.

Jetzt gehen sie nach Hause und nähen sich einen Armani-Mantel, kicherte Harry. Beeil dich, sagte Helene, wir haben nur noch acht Minuten. Vielleicht nehmen sie unser Touristengeld gar nicht, überlegte Harry. Wieviel? fragte er den Verkäufer. *How much?*

Der Mann sagte etwas, was sie nicht verstanden. Er wiederholte es einige Male, und als sie immer noch verständnislos die Achseln zuckten, schrieb er schließlich ein paar chinesische Zeichen auf ein Stück Pappe.

Harry holte sein gesamtes Touristengeld aus der Tasche und hielt es ihm entgegen, der Mann schüttelte den Kopf. Helene kramte ihres aus ihrer Tasche und legte es dazu, da lächelte der Mann, nahm alles und schüttelte dann beiden lange und fest die Hand.

Im Laufschritt eilten sie am Markt vorbei zurück zu der kleinen Gasse, aber sie konnten den Eingang nicht mehr finden, da einige Stände schon zusammengepackt hatten und jetzt alles anders aussah als vorher. Es war bei den Küken, rief Helene im Laufen.

Hier sind aber keine Küken mehr, schrie Harry.

Erstaunt blieben die Leute stehen und sahen ihnen nach.

Hier, hier ist es, rief Harry und lief in eine dunkle Gasse hinein.

Nein, ganz bestimmt nicht! Helene versuchte, ihn zurückzuhalten, aber er brüllte nur: Komm! Hier ist es! und rannte voran, daß die Schöße seines Armeemantels flatterten.

Im Laufen sah Helene auf die Uhr, es blieben ihnen nur noch wenige Minuten. Die Gasse machte einige unverhoffte Schlenker, an die sich Helene nicht erinnern konnte, aber Harry bog unbeirrt um immer neue Ecken, und Helene folgte ihm. Er hatte immer schon den besseren Orientierungssinn gehabt. Aber so weit konnte das Restaurant doch gar nicht weg sein. Schließlich wurde Harry langsamer, blieb stehen, und keuchend mußte er eingestehen, daß er sich verlaufen hatte.

Na prima, schrie Helene wütend, ich hab gewußt, daß es hier falsch ist.

Harry sah auf die Uhr. Der Bus fährt jetzt gerade ab.

Doch nicht ohne uns. Die werden schon warten.

Hilflos sahen sie sich um. Harry stand der Schweiß auf der Stirn. Er öffnete seinen Mantel und fächelte sich Luft zu. In der Dunkelheit der kleinen Gasse bewegten sich schemenhaft Menschen, die sie sicherlich beobachteten.

Harry nahm Helene am Arm und ging zurück. An der ersten Kurve schon konnten sie sich nicht erinnern, woher sie gekommen waren. In alle Richtungen liefen schmale gewundene Gassen, und alle waren mit einemmal dunkel, nirgendwo waren jetzt noch Fenster und Türen geöffnet wie noch vor wenigen Minuten.

Rechts, keuchte Helene.

Bist du sicher?

Ja, ganz bestimmt.

Sie liefen eine Weile nach rechts, bis ihnen klar wurde, daß auch dieser Weg nicht aus dem Labyrinth hinausführte.

Wir müssen jemanden suchen, der Englisch kann, japste Helene.

Und was fragen wir ihn dann?

Wo die große Straße ist. Die kann ja nicht weit sein.

Hello! riefen sie in die dunklen Straßen vor ihnen. *Hello! Does anybody speak english? Hello?*

Niemand antwortete. Harry fing an zu lachen.

Was lachst du?

Jetzt sind wir endlich unsere verdammte Gruppe los.

Gehen sie dir auch so auf die Nerven? fragte Helene ungläubig.

Diese Heilpraktikerinnen aus Lüneburg würde ich am liebsten erwürgen. Du auch?

Im Bus hätte ich der mit den roten Haaren am liebsten von hinten auf die Birne gehauen, damit sie endlich aufhört, ihre blöden Fragen zu stellen.

Und ich könnte schreien, wenn die Zahnärztin noch einmal fragt, ob auch wirklich kein Hund im Essen ist.

Harry brüllte vor Lachen. Weil sie einen Pudel hat...

Der Lilli heißt.

Sie wollten sich ausschütten vor Lachen. Schließlich fragte Helene: Was machen wir jetzt?

Harry hörte auf zu lachen. Ich weiß es nicht, sagte er nüchtern. Er zog seinen Mantel aus. Der heizt wie ein Ofen.

Vielleicht hätte ich mir auch einen kaufen sollen, sagte Helene ironisch, die Nacht wird ziemlich kalt werden.

Weißt du den Namen von unserem Hotel?
Nein.
Geld haben wir auch keins mehr.
Hello! rief Helene abermals, *hello!* Wo sind plötzlich alle?
Wo seid ihr, neun Millionen Chinesen von Xi'an? rief Harry.
Vielleicht sind schon alle im Bett. Herr Wang hat mir erzählt, daß Chinesen früh ins Bett gehen und früh aufstehen, sagte Helene.
Ach, Herr Wang, wiederholte Harry bedeutungsvoll, der arme Herr Wang wird jetzt sehr traurig sein.
Du bist blöd.
Würdest du etwas mit Herrn Wang anfangen, wenn ich nicht dabei wäre?
Hör auf mit dem Blödsinn. Mir wird kalt.
Warum? Diese Gelegenheit ist so gut wie jede andere, über unser desolates Liebesleben zu reden. Würdest du?
Was sollen wir denn jetzt tun?
Findest du unser Liebesleben desolat?
Ich will jetzt nicht darüber reden. Ich will hier raus.
Raus aus China?
Oh, Harry, sei nicht so blöd. Ich habe keine Lust, die ganze Nacht hier herumzuirren.
Es wird uns nicht viel anderes übrigbleiben. Vielleicht müssen wir für immer in China bleiben.
Helene ging weiter. Einen uralten Mann mit einem Bündel auf dem Rücken fragte sie, ob er englisch könne. Er grinste sie zahnlos an. Harry folgte in einigem Abstand. Findest du unser Liebesleben desolat? rief er laut.

Ja, schrie Helene zurück, daß es von den Steinwänden hallte.

Harry lief ein paar Schritte, um sie einzuholen. Er faßte sie an der Schulter. An wem liegt's?

An uns beiden. Wir können da jetzt auch nicht viel dran ändern. Meinst du, die fahren einfach ohne uns weg?

Ja. Was sollen sie sonst tun? Uns mit einer Hundertschaft suchen lassen?

Ehepaar an ihrem Hochzeitstag in China verschollen, sagte Harry im Ton eines Nachrichtensprechers.

Wir sind nicht verheiratet.

Würdest du gern?

Was?

Heiraten.

Warum fragst du mich das ausgerechnet jetzt?

Warum nicht?

Weißt du, daß ich langsam Angst bekomme? Wir haben keine Adresse, kein Geld, keinen Paß, gar nichts. Das liegt alles im Hotelsafe.

Ich höre Fahrradklingeln. Harry reckte den Kopf und lauschte angestrengt. Das muß die große Straße sein.

Sie liefen in die Richtung, aus der das Klingeln kam. Inzwischen war es so dunkel geworden, daß sie mehrmals stolperten, fast hingefallen wären, wenn sie sich nicht an den Händen gehalten hätten. Immer wieder foppte sie der Richtungsverlauf der kleinen Gassen, so daß sie mehrmals umdrehen und wieder zurückgehen mußten, um sich dann von neuem auf das ferne Klingeln zuzubewegen. Helene stellte sich vor, wie sie gleich aus den düsteren Gassen auf eine breite, erleuchtete Straße kommen würden wie aus einem Wald auf eine Lichtung. Aber das Klingeln wurde schwächer und schwächer, je weiter sie auch gingen.

Helene ließ sich auf ein kleines Mäuerchen sinken. Ich kann nicht mehr, stöhnte sie. Harry hockte sich neben sie. Vielleicht sollten wir einfach warten, bis es wieder hell wird, sagte er.

Und hier sitzen, bis wir erfroren sind?

Komm. Harry öffnete seinen Mantel, schlüpfte aus einem Ärmel und legte ihr die Hälfte um. Dieser Mantel wurde für solche Gelegenheiten erfunden.

Wir können froh sein, daß wir ihn haben.

Wenn du nicht so lange wegen diesem blöden Mantel...

Ist ja gut, schrie Harry wütend, ich bin schuld. Ich bin, wie immer, an allem schuld.

Wieso wie immer?

Wie ich an deinem ganzen Leben mit mir schuld bin!

Das habe ich ja wohl auch ein bißchen mitentschieden.

Ja, sagte Harry jetzt leise, aber du hast es dir anders vorgestellt.

Ich weiß nicht. Ich habe es mir eigentlich gar nicht vorgestellt.

Aber jetzt ist es so, wie wir es uns beide nicht vorgestellt haben, sagte Harry.

Ja, sagte Helene leise. Was sollen wir tun?

Was tun? Das hat Lenin sich schon gefragt. Ich weiß es nicht.

Ich auch nicht.

Stumm saßen sie da und starrten in das schwarze Loch vor ihnen. Helene rückte näher an Harry heran. Er knöpfte den Mantel um sie beide herum zu. Dann sagte

Helene: Ich will ein Kind, ein Haus am Meer, eine große Karriere, eine Wohnung in New York, vier Kinder, vier Hunde, vier Katzen und einen Bauernhof, Weltreisen mit dir und allein sein und lesen.

Siehst du, sagte Harry, das will ich alles auch. Vielleicht keine vier Katzen. Er machte eine Pause. Weißt du, was das Schreckliche ist? Daß unsere Möglichkeiten schon fast alle vorbei sind. Wenn wir Glück haben, werden wir vielleicht noch ein Kind bekommen, noch ein paarmal wegfahren in unserem Leben, und dann plötzlich wird einer von uns beiden allein sein und mehr lesen können, als ihm lieb ist.

Ich weiß nicht, ob ich wirklich noch mal schwanger werden will, sagte Helene. Ich habe das letzte Mal nicht gewußt, ob ich ein Kind will oder nicht, und als es dann weg war, habe ich es gewußt. Und jetzt weiß ich es wieder nicht mehr. Und du?

Oh, ich weiß auch nicht. Ich weiß nur, daß es ziemlich absurd ist, daß wir uns inmitten von Milliarden von Chinesen Gedanken über unsere Fortpflanzung machen, findest du nicht?

Ich möchte nicht eines Tages bereuen, daß ich kein Kind bekommen habe.

So wie ich es wirklich bereut hätte, wenn ich diesen tollen Mantel nicht gekauft hätte.

Helene boxte ihn unter dem Mantel. Alles mußt du immer ins Lächerliche ziehen.

Grinsend sagte Harry: Ich glaube, ich möchte einfach nichts von mir auf dieser Erde zurücklassen. Ich möchte lieber verpuffen wie eine Seifenblase.

Das klingt so traurig, sagte Helene.

Harry zuckte mit den Schultern. Wenn ich Pech habe, komme ich immer wieder zurück.

Oh, seufzte Helene, du liebst das Leben nicht. Ich würde gern immer wiederkommen.

Harry zog sie näher an sich heran. Glaubst du da dran?

An Wiedergeburt? Ich weiß nicht. Eher an Einstein. Ist doch eh alles dasselbe.

Harry küßte sie in den Nacken. Kennst du den Witz von dem buddhistischen Mönch, der in Amerika einen Hotdog bestellt und sagt: *Make me one with everything.*

Versteh ich nicht.

Harry stöhnte. *Make me one. With everything.*

Ich versteh's immer noch nicht.

Mach mich eins mit allem.

Ach so. Helene kicherte und drückte sich an ihn. Sein Atem blies ihr ins Ohr. Er schleckte an ihrem Ohrläppchen und atmete ein wenig schneller. Helene rieb ihr Hinterteil an seinen Schenkeln. So fließt alles dahin, wie ein Fluß, ohne Aufhalten, Tag und Nacht, flüsterte sie.

Ich sehe keinen Fluß, sagte er in ihr Ohr.

Der Satz ist schrecklich, findest du nicht?

Nö, finde ich nicht. Er bestätigt meine Theorie, daß es ziemlich wurscht ist, wie man sich entscheidet.

Das finde ich eben so schrecklich. Sie löste sich von ihm.

Harry seufzte. Wo hast du den Satz denn her?

Aus dem I-Ging-Buch.

Vielleicht sollten wir das *I Ging* fragen, wie wir aus diesem Labyrinth wieder herauskommen.

Ich hab's dabei. Helene knöpfte den Mantel auf, um sich besser bewegen zu können, und zog es aus ihrer Tasche. Sie gab Harry die drei chinesischen Münzen, die sie in ein Stück Papier gefaltet und zwischen die Seiten gelegt hatte.

Geld! rief Harry. Dafür bekommt man mindestens ein Bier. Oder drei Meter im Taxi.

In welchem Taxi? fragte Helene kühl. Und wohin? Na, los, wirf die Münzen. Mit einem leichten ›ping‹ fielen die Münzen auf die Mauer. Helene beugte sich über sie, aber es war zu dunkel, sie konnte nichts erkennen. Hast du Streichhölzer?

Harry durchstöberte die Taschen seiner Lederjacke und holte ein Streichholzbriefchen hervor.

Hotelstreichhölzer! rief Helene aufgeregt.

Tatsächlich. Die habe ich heute früh eingesteckt, einfach nur, weil sie hübsch aussahen. Hotel Luxor, Xi'an.

Jetzt haben wir einen Namen und eine Adresse!

Wir müssen nur noch hier rausfinden.

Ja, sagte Helene nüchtern.

Was sagt denn das *I Ging*?

Helene riß ein Streichholz an, beleuchtete die drei Münzen, schlug das dazu gehörende Zeichen auf und las vor:

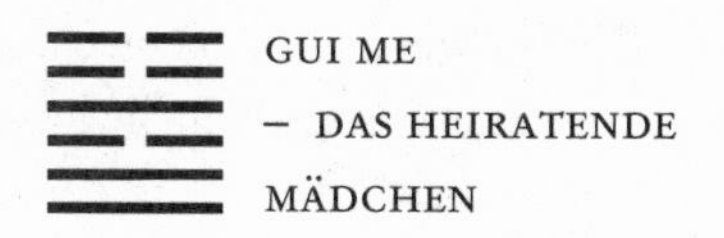

Oberhalb des Sees ist der Donner: das Bild des heiratenden Mädchens. So erkennt der Edle durch die Ewigkeit des Endes das Vergängliche.

Na, prima, stöhnte Harry, das bringt uns sehr viel weiter.

Wie spät ist es? fragte Helene. Ihre Stimme klang dünn.

Nur noch ungefähr neun Stunden bis Sonnenaufgang, erwiderte Harry, holte Helene zurück in den Mantel und zog sie eng an sich. Ihr Körper wurde weich.

Komm schon, sagte sie leise, davon wird uns warm.

Helene zog ihr Kleid hoch. Wenn sie uns erwischen, kommen wir in ein Umerziehungslager, kicherte sie.

Willst du ein heiratendes Mädchen sein? flüsterte er in ihr Ohr.

Meinetwegen, sagte sie, wenn du willst, will ich auch.

Midea 1575

Meine einzige Tochter heiratet. Natürlich niemanden von dieser Welt, nein, für Anna muß es schon etwas Besonderes sein. Francesco sagt, ich darf so nicht reden. Er hat dem Kind schon immer alles und jedes geglaubt

Als wir vor einigen Monaten hörten, daß sie Wundmale empfangen haben soll, warf Francesco sich sofort auf seine rheumatischen Knie und dankte dem Herrn.

Gott verzeih mir, daß ich eine Zweiflerin bin, aber ich kenne meine Tochter.

Warum hat zum Beispiel der Propst, der Anna siebenmal besucht und aufs genaueste untersucht hat, keine offizielle Verlautbarung von sich gegeben?

Die Schwestern reden nicht gern darüber.

Als ich Anna selbst besuchen wollte, um das Wunder in Augenschein zu nehmen, hieß es, sie könne mich nicht empfangen, sie sei versunken in ihre Liebe zu Ihm und wolle nicht gestört werden. Vielleicht hatte sie ganz andere Gründe, mich nicht sehen zu wollen, die sie besser kennt als jeder andere.

Und die Mutter Oberin, die ich nach ihrer Meinung zu Annas Wundmalen befragte, lächelte mit schmalen Lippen und zuckte kaum wahrnehmbar die Achseln. Ich schwöre, sie hat die Achseln gezuckt.

Ich weiß auch nicht, warum ich Anna immer im Verdacht habe, zu schwindeln.

Aber was hätte sie denn davon, wenn sie sich das alles nur ausgedacht hätte? fragt mich Francesco.

Er fürchtet für meine Seele, weil ich zweifle.

Midea, beschwört er mich, denk doch an all die Schmerzen, die Anna sich schon als Kind auferlegt hat, nur um Seiner würdig zu sein. Midea, hast du denn vergessen, wie sie schon mit sieben Jahren nächtelang gebetet hat, wie sie nicht geschlafen, nichts gegessen hat? Wie sie sich die Haare abschnitt und nur noch in einem alten Sack herumlief?

Nein, natürlich habe ich all das nicht vergessen. Und noch heute, Jahre später, überkommt mich heiße Wut, wenn ich daran denke. Oft genug habe ich Anna geschüttelt, habe geschrien und getobt, wenn sie einfach nur so dasaß, stumm und lächelnd, und sich selbst zerstörte – für Ihn.

Ich glaube an Gott, aber ich glaube nun einmal nicht, daß er große Freude daran findet, wenn ein hübsches junges Mädchen sich so verstümmelt; den Körper, den Er ihr geschenkt hat, verhungern läßt, bis er aussieht wie ein Gerippe, nur um Ihm zu gefallen. Und nicht mir.

Oft genug hatte ich das Gefühl, daß Anna all das nur tat, um mir nicht zu gefallen.

Warum sollte sie das denn tun? hat Francesco immer kopfschüttelnd und völlig verständnislos gefragt, wenn ich versucht habe, mit ihm darüber zu reden. Warum, weiß ich auch nicht, ich weiß nur, daß sie es tut.

Ihren Vater hat sie immer vergöttert, mit mir hat sie

immer gekämpft. Erst wie ein kleines Kätzchen, halb im Spaß, später wie eine ausgewachsene Löwin, die mich am liebsten zerfetzt hätte, wenn sie gekonnt hätte, das habe ich in ihren Augen gesehen, o ja.

Heute heiratet sie also, am 26. Mai 1575, am Tag der Heiligen Dreifaltigkeit.

Vor fünf Tagen ließ sie nach mir schicken, ich solle sofort nach Pescia kommen, sie müsse mit mir sprechen.

Ein winziges, blasses Mädchen von adliger Herkunft, Alpais mit Namen, versorgt meine Tochter wie eine ergebene Dienerin. Sie führte Anna in den Besuchsraum, stützte sie bei jedem Schritt, denn wegen der Wundmale an ihren Füßen könne Anna nur humpeln, erklärte sie mir.

Ich sah meine Tochter, und unwillkürlich schossen mir die Tränen in die Augen. Sie sah aus wie ein räudiges Tier, das Gesicht eingefallen, die Haut gelb wie Pergament, vertrocknetes Blut auf dem Kopf, die Hände umwickelt mit blutigen Binden. Aber sie lächelte. Immer dieses Lächeln, das bei mir nur Wut erzeugt, anscheinend allein bei mir.

Sie legte ihre Hände in den Schoß und erzählte mir mit gesenktem Blick und leiser Stimme, ja, es sei wahr. Er sei ihr vor zwei Tagen, am Pfingstmontag erschienen und habe verkündet, Er wolle sie in einer Woche heiraten, am Tag der Heiligen Dreifaltigkeit. Meine Tochter.

Sie hörte keinen Augenblick auf zu lächeln, während sie berichtete, was Er ihr aufgetragen hatte. Ich möchte, daß du für eine prächtige Ausstattung unserer Hochzeit sorgst, habe Er gesagt. Ich möchte, daß der Altar mit einem himmelblauen Tuch geschmückt ist, die rechte Seite mit roter und die anderen beiden Seiten mit grüner Seide. Den Boden soll ein Teppich aus roten und weißen Rosenblüten bedecken. Für dreiunddreißig große Kerzen soll gesorgt werden und für ein Kreuz mit Seinem Bild, für Blumen aller Art und Farben und zwölf Kissen aus goldgewirktem Stoff.

Anna machte eine Pause. Als sie weitersprach, flüsterte sie nur noch. Mein Herr hat zu mir gesagt: Anna, du wirst alles ganz genau so machen, wie ich es dir jetzt sage. An unserem Hochzeitstag wirst du alle Nonnen und Novizinnen im Haus zusammenrufen und eine Prozession anführen; du wirst das Kruzifix vorantragen, alle Schwestern sollen eine brennende Kerze in der Hand halten. Wenn du die Prozession beginnst, wirst du nicht wissen, wohin du gehen und was du sagen sollst, aber ich werde durch dich sprechen, durch deinen Mund werde ich sprechen. Kleide eine der Novizinnen, die dir am liebsten ist, als Engel und gib ihr einen Platz in der Mitte der Prozession. Im Chor werden drei Stühle stehen, gegenüber vom Altar, und auf ihnen werden der Propst, dein Vater Francesco und deine Mutter Midea sitzen, aber sie sollen bescheiden gekleidet sein...

Anna verstummte, hob den Blick und sah mich ruhig an.

Hast du der Mutter Oberin schon davon erzählt? fragte ich vorsichtig.

Oh, sagte Alpais, die ich gänzlich vergessen hatte, ich habe sofort die Mutter Oberin und die Äbtissin gerufen, mitten in der Nacht, gleich nachdem Anna die Vision hatte, und am nächsten Tag haben wir Pater Ricordati, Annas Beichtvater davon erzählt...

Ich wartete ab, aber die beiden sahen mich nur erwartungsvoll an. Und? fragte ich schließlich, und mein Herz schlug, als wolle es mir aus der Brust springen. Es kam, wie es kommen mußte, obwohl ich es noch bezweifelte, als ich es bereits gehört hatte.

Sie haben uns aufgetragen, nach Kräften zu helfen, daß alles so stattfindet, wie Er es durch Anna verkündet hat, flötete Alpais strahlend.

Anna zupfte mit den Fingern an den Binden über ihren Wundmalen. Bitte erzähl es niemandem draußen, sagte sie.

Ich bin nach Hause gewankt, als hätte man mir ein Holzscheit über den Kopf geschlagen. Ich schwöre, ich habe niemandem außer Francesco etwas gesagt, aber schon am nächsten Tag wußten alle in Vellano Bescheid.

Sie überschütteten uns mit Hochzeitsgeschenken, sie brachten Tücher in allen Farben, ganze Körbe voll Blumen, Kerzen, so dick, daß man sie mit einer Hand nicht mehr umspannen konnte, Kissen in allen Größen und Stoffen, der Schneider Roberto Cicutti bot an, mir umsonst ein Kleid aus dem feinsten Stoff anzufertigen, und dazu Beinkleider für Francesco und einen Mantel, am Saum besetzt mit Hermelin. Für mein Kleid schlug er Seide aus Tribelat und rosa Brokat aus Griechenland vor, bestickt mit Tiermotiven aus Perlen, vielleicht mit Goldfransen an der Borte, ganz nach meinem Geschmack.

Ach, wie gern ich mich herausgeputzt hätte, es ist doch immerhin die Hochzeit meiner einzigen Tochter, und wie schwer es mir gefallen ist, all diesen Prunk abzulehnen und statt dessen mein altes braunes Tuchkleid mit dem weißen

Leinenkragen aus der Truhe zu holen. Einen Augenblick lang habe ich sogar überlegt, ob ich nicht das Kleid von Cicutti unter meinem schwarzen, abgetragenen Mantel tragen könnte, ich gebe es offen zu, ich habe derlei Gedanken, ich bin ein leichtes Opfer für alle Versuchungen dieser Welt.

Da niemand, auch Anna nicht, weiß, wann die Hochzeitszeremonie beginnen wird, nehmen wir schon in aller Früh auf den drei Stühlen gegenüber vom Altar Platz, und allein der Anblick des Propstes, eines großen, rappeldünnen, bleichen Mannes, der mich unpassenderweise an einen Spargel erinnert, läßt mich in Schweiß ausbrechen, so aufgeregt bin ich.

Wer hätte jemals gedacht, daß Francesco Pirelli, Gerber aus Vellano, und seine Frau Midea einmal neben dem Propst von Pescia zu sitzen kämen?

Der Propst nickt uns knapp zu, wendet sich ab und zeigt uns von da an nur noch seinen Rücken. Wahrscheinlich steigt ihm Francescos scharfer Gerbergeruch unangenehm in die Nase, den auch das Rosenwasser, mit dem Francesco sich heute gewaschen hat, und all der Lavendel, den ich ihm in kleinen Säckchen unters Hemd genäht habe, nicht vollständig übertünchen können.

Die Stühle mit goldfarbenen Kissen, die der Propst gestiftet hat, sehen bequemer aus, als sie sind. Es ist kalt und feucht. Francesco, dem in der Kälte schnell die Glieder anfangen zu schmerzen, rutscht schon nach kurzer Zeit unruhig hin und her, nach drei Stunden Warterei keucht er vor Schmerzen und muß kurz aufstehen und sich die Füße vertreten, wofür er sich mehrmals beim Propst entschuldigt, aber der nickt wieder nur knapp, ohne Francesco anzusehen.

Nach fünf Stunden beginnt mein Magen laut zu knurren, und die Äbtissin, die unten in der ersten Reihe sitzt, sieht mich strafend an. Ich kann nichts dafür, ich bin gewöhnt, um diese Zeit zu essen, ich habe nie gut fasten können, mir wird schwach ums Herz, wenn ich nichts esse.

In der sechsten Stunde kann ich nur noch an eine anständige heiße Brotsuppe denken und an sonst gar nichts mehr, da greift Francesco plötzlich nach meiner Hand und packt sie so fest, daß mir ein kleiner Schrei entfährt.

Und dann höre ich es auch, ich höre die Stimme meiner Tochter, sie singt *Veni creator spiritus*, und dann sehe ich sie. Sie führt die Prozession an, wie Er ihr befohlen hat, sie trägt ihr Habit, gleich hinter ihr geht Alpais, in einem weißen Kleid, sie ist also der Engel. Anna hält ein großes Kruzifix in der Hand, sie sieht heute ganz anders aus als letzte Woche. Ihr Gesicht glüht, ihre Haut ist rosig, sie humpelt auch nicht mehr so schlimm. Um ihre Hände sind frische, leuchtendweiße Binden gewickelt. Sie führt die Prozession zum Altar, verbeugt sich dreimal und kniet nieder.

Francesco wischt sich verstohlen über die Augen.

Leise singt Anna weiter, ich kann kein Wort verstehen. Lange kniet sie so da, ihren Blick aufs Kruzifix gerichtet, ihre Lippen bewegen sich, aber jetzt hört man gar nichts mehr. Sie sackt in sich zusammen, und es wird ganz still.

Lange Zeit geschieht überhaupt nichts. Die Äbtissin knetet ihre Hände im Schoß. Der Propst atmet tief ein und aus, das höre ich ganz genau. Die Mutter Oberin kneift ihre schmalen Lippen zusammen.

Ich verspüre die altbekannte rote Wut in mir aufsteigen, was bildet Anna sich eigentlich ein? Ich muß mich am Stuhl festhalten, um nicht zu ihr zu eilen, sie am Arm zu packen, hochzuzerren und zu rufen: Steh auf, Anna, jetzt ist es genug!

Mit unbewegtem Blick starrt sie vor sich hin, jemand hüstelt. Und immer noch geschieht nichts. Rein gar nichts. Die Äbtissin räuspert sich. Der Rücken des Propstes spannt sich.

Weil ich meine Tochter nicht ohrfeigen kann, fange ich an zu beten. Ich bitte Dich, Herr, verzeih ihr, flüstere ich wieder und wieder mit wachsender Inbrunst.

Mit einemmal streckt Anna ganz langsam ihre rechte Hand aus, und ein strahlendes Lächeln überzieht ihr Gesicht. Sie küßt ihren Ringfinger, und dann fängt sie mit einer Stimme an zu sprechen, die ich nicht als die Stimme meiner Tochter wiedererkenne, laut und tief krächzend. Ich erschrecke fast zu Tode und verkralle mich in Francescos Arm.

Folgende Worte kommen aus dem Mund unserer Tochter: Die große Pein, die ich eure Schwester Anna Pirelli erleiden ließ, sollte euch die Vortrefflichkeit meiner Braut zeigen, aber ihr habt eure Augen und Herzen verschlossen. Ihr wolltet die Wunder nicht sehen, die ich in meiner Braut bewirkte. Ich tat das nicht für sie, sondern für die Rettung all eurer Seelen. Ich schicke euch heute Anna Pirelli, meine größte Dienerin, die ich auf dieser Welt habe, denn sie lebt mit meinem Herzen.

Anna verstummt. Es ist so totenstill in der Kirche, als wäre sie leer.

Francesco zittert am ganzen Leib.

Ich sehe Anna, und ich weiß auch nicht, was es ist, aber ich kann mich gar nicht recht freuen über Sein Herz in der Brust meines Kindes, denn mit dieser seltsamen Stimme ist mein Kind nicht mehr mein Kind.

Ich wollte doch immer nur, daß sie einfach mein Kind ist wie alle anderen auch. Aber das war sie wohl wirklich nie.

Francesco hat von dem Tag, an dem sie geboren wurde, behauptet, Anna sei etwas Besonderes. Ein Zwilling hätte sie werden sollen, manchmal denke ich, diese Schwester, ihr so ähnlich wie ein Spiegelbild, hätte Anna retten können. Aber was rede ich von retten! Jetzt, in diesem Moment. Gott, verzeih mir.

Dieses kleine Bündel Mensch lag neben mir, noch ganz blutverschmiert und blau im Gesicht. Ich hörte die Hebamme von ferne schwatzen, ich sah meine Tochter zum ersten Mal. Und ganz so, wie ich bei Stefano gleich wußte, daß er ein gleichmütiges, ruhiges Kind sein würde, und bei Ricardo, daß er besonders empfindsam und anhänglich werden würde, wie ich bei allen Kindern, die gestorben sind, sofort mehr Angst verspürt habe als bei den anderen, so spürte ich bei diesem Kind einen fast furchterregenden, eisernen Willen, und ich wußte, daß wir keine zärtlichen Freunde werden würden.

Ich glaube nicht, daß es der Teufel ist, der mir diese Gedanken einflüstert: Ich kann nicht glauben, daß Gott sich ausgerechnet mich, Midea Pirelli, ausgesucht hat, um dieses Wesen auf die Welt zu bringen, an dem Er seine Wunder zeigen will.

Ich bin so alltäglich wie das Gras, das unter meinen Füßen wächst, wie das Wasser, das den Arno hinunterfließt, und ich wollte, ich wäre auch so unschuldig und rein. Nein, ich bin kein gutes Gefäß für Seine Herrlichkeit, und wie könnte es dann meine Tochter sein?

Annas Leib zuckt wie ein Fisch, den man an Land geworfen hat, die fremde Stimme meldet sich wieder und sagt: Hört mir zu, ihr Sünder. Ich will, daß die Zeichen meiner Passion an meiner Braut deutlicher in Erscheinung treten als je zuvor. Ich will, daß alle, die in diesem Kloster leben, diese Zeichen sehen und Kraft daraus schöpfen, und denen, die ihre Augen und Herzen vor meinen Zeichen verschließen, werde ich Verzweiflung und Tod schicken. Und wenn ihr glaubt, daß meine Braut Stolz und Eitelkeit ergriffen hat, dann denkt daran, daß nicht sie es ist, die sieht, spricht und hört, sondern ich es bin, ich selbst, und ich will mich ihrer bedienen, wann immer es mir gefällt.

Oh, ich kann nichts für meine Gedanken. Ich weiß nicht, woher sie kommen. Ich gestehe, daß mir durch den Kopf schießt: Anna, überspann den Bogen nicht! Übertreib es nicht! Es reicht!

Und ganz so, wie sie immer meinen Ermahnungen zum Trotz gehandelt hat, legt Anna jetzt den Kopf in den Nacken, und die Stimme dringt noch lauter und klarer aus ihrem Mund: Ich habe meine Braut zu einem Spiegel für euch alle gemacht und möchte, daß meine Braut Herrscherin über alle anderen Schwestern sei und daß alle nicht nur gut, sondern absolut gut sein sollen. Und denen, die das nicht sein wollen, werde ich den Teufel senden, um sie zu versuchen, so daß sie voller Verzweiflung das Kloster verlassen werden.

Die Stimme reißt ab, Annas Augen sind weit aufgerissen und blicken in die Ferne. Alle haben den Atem angehalten. Anna bewegt sich nicht. Stille. Ich sehe zur Äbtissin, sie ist kalkweiß.

Plötzlich fällt Anna in sich zusammen, als sei alles Leben aus ihrem Körper gewichen, und schlägt mit dem Kopf hart auf den Boden. Ich drücke Francesco, der schon aufspringen will, nieder.

Alpais kommt Anna zu Hilfe, sie stützt sie, mühsam rappelt sich Anna auf, sie sieht sich um, als wisse sie nicht, wo sie sich befinde. Alpais nimmt ihre Hand, und wie im Schlaf bewegt Anna sich aus dem Chor.

Bin ich die einzige, die bemerkt, daß sie die ersten Schritte überhaupt nicht humpelt? Sie wird langsamer, dann dreht sie sich um, schüttelt Alpais ab wie eine Fliege. Jetzt humpelt sie wieder, vorsichtig setzt sie einen Schritt vor den anderen, als ginge sie über dünnes Eis. Sie kommt zurück zum Altar, aber anstatt dort erneut niederzuknien, geht sie auf den Propst zu, nimmt seine Hand aus seinem Schoß und küßt sie mit gesenktem Blick, dann macht sie dasselbe mit Francesco und dann mit mir.

Ihre Hand ist glühendheiß, ihre Lippen sind feuerrot, wie geschminkt. Sie hält meine Hand, und einen winzigen Moment lang hebt sie den Blick und sieht mich an.

Ihre Augen funkeln. Sie funkeln wie früher. Wie sie immer gefunkelt haben, wenn sie sich mir widersetzt hat.

Der Vater der Braut

Auf der Treppe will ich noch umkehren, aber da ist es schon zu spät. Meine Ex-Frau Karin öffnet die Tür, schlägt die Arme unter und sieht mir entgegen, bis ich endlich mit wild klopfendem Herzen vor ihr stehe. Mein Herz hat nach vier Stockwerken immer geklopft. Abend für Abend habe ich mein wie verrückt pochendes Herz an ihre Brust gedrückt, am Anfang voller Erregung und Sehnsucht, am Ende wie ein *Football*-Spieler beim *sac.* Aber sie gab nicht nach. Immer stand sie da, so wie sie jetzt auch dasteht. Als brächte ich eine frohe Botschaft. Das Glück. Bis zur letzten Sekunde unserer Ehe stand sie so da.

Sie haucht mir einen Kuß auf die Wange und zieht mich in die Wohnung. Daß du es tatsächlich geschafft hast, sagt sie, tritt einen Schritt zurück und betrachtet mich wie ein Bild in einem Museum.

Wir haben uns fast fünf Jahre nicht mehr gesehen. Keine Ahnung, was sie denkt. Alt ist er geworden. Er sieht nicht gut aus. Zum Glück bin ich nicht mehr mit ihm verheiratet. Gut sieht er aus. Immer besser, je älter er wird. Ein Jammer, daß ich nicht mehr mit ihm verheiratet bin.

Sie lächelt ein wenig, und auch dieses Lächeln bleibt mir ein Rätsel. Ist es wehmütig oder froh? Ich auf jeden Fall fühle beides gleichzeitig, und davon wird mir schwindlig, fast ein wenig übel, als hätte ich Heringe mit Marmelade gegessen oder Kuchen mit Bratensoße.

Es riecht anders, als ich es in Erinnerung habe. Das verwirrt mich mehr, als wenn die Wände umgestrichen und alle Möbel ausgetauscht wären.

Wonach riecht es hier?

Karin zuckt die Achseln. Vielleicht der Weihrauch, sagt sie lakonisch und nimmt mir den Mantel ab.

Welcher Weihrauch?

Sie antwortet nicht. Mein Blick fällt auf Annas Turnschuhe, die sie, wie immer, unter die Garderobe gepfeffert hat. An diesem vertrauten Anblick werde ich mich den ganzen Abend über festhalten. Etwas, das genau so geblieben ist, wie es immer war, die stinkenden, abgelatschten Turnschuhe meiner Tochter, sie werden mir Halt geben, die Turnschuhe der Braut.

Jetzt komm schon. Karin zieht mich am Arm ins Wohnzimmer, und da sitzen sie alle, die ich nie wieder sehen wollte, wie die Krähen um den Adventskranz herum. Sie sehen mich mit kalten Augen an und knabbern Adventskekse. Meine Schwiegermutter, eine alte Grille im Seidenkleid, mein Schwager, ein vierschrötiger Mensch mit rotem Kopf, Stationsarzt im Schwabinger Krankenhaus, Elke, Karins beste Freundin, die Karin während der Trennung beriet und der ich meine astronomischen Unterhaltszahlungen zu verdanken habe.

Auf der Couch sitzen zwei junge, etwas verwirrt aussehende Menschen in karierten Hosen und überdimensionalen T-Shirts, die Karin mir als die besten Freunde unserer Tochter vorstellt, die aber höchstens aussehen wie sechzehn. Vielleicht kann ich ihr Alter aber auch nicht mehr richtig schätzen, weil ich mit jungen Menschen jetzt kaum noch etwas zu tun habe und sie sich seitdem wie mit Lichtgeschwindigkeit von mir entfernt haben. Manchmal bedauere ich das.

Wo ist denn Anna?

Sie zieht sich um, sagt Karin eilig.

Und der Bräutigam? Ich habe ihn noch nie gesehen. Weiß nur, daß er Ivo heißt und Taxi fährt.

Ich kann mir meine Tochter beim besten Willen nicht als Braut vorstellen. Aber wenn ich ehrlich bin, kann ich sie mir überhaupt nicht anders vorstellen als das Kind, das sie war, als ich gegangen bin. Ein spindeldürres Kind mit strohblonden Haaren, das sich weigerte zu essen, um nie, nie erwachsen werden zu müssen und so wie wir.

Wir haben uns selten gesehen seit der Scheidung vor sechs Jahren. Ab und an gab es verklemmte Gespräche in Restaurants, ein paarmal hat sie mich in der neuen Wohnung besucht. Zu Eva, meiner neuen Freundin, fand sie keinen Draht – oder wollte keinen finden. Sie wurde mir fremd, meine Tochter, sie bekam eine schlechte Haut, wurde dick, als sie endlich wieder normal aß, sehr dick, fett, fast monströs, so daß ich irgendwann das kleine, dünne Mädchen, das ich kannte, nicht mehr wiederfand.

Bei unserem letzten Treffen vor einem halben Jahr saß ich einer dicken, jungen Frau mit wilden, rötlich gefärbten Haaren gegenüber, die mich entsetzlich langweilte und irgend etwas von einer Ausbildung als Shiatsu-Masseuse in Holland faselte und von dem Glück, mit anderen Menschen in Kontakt zu sein. Ich nickte und lächelte höflich, wie man nur bei Leuten lächelt, die man sich am liebsten auf den Mond wünscht. Meine eigene Tochter, die ich nur einmal im Jahr sah! Erschreckt fragte ich sie irgend etwas Belangloses, da richtete sie sich kerzengerade auf, sah mich mit den Augen ihrer Mutter an und sagte klar und deutlich: Ich möchte nicht wie du immer woanders sein, als ich bin.

Wie meinst du das denn, um Himmels Willen?

Ihr Blick verlor seine Härte, ein rosa Schimmer überzog ihre teigigen Wangen, sie fummelte an der Kerze herum, die auf dem Tisch stand. Du... du bist irgendwie nie richtig da, murmelte sie. Und als du damals gegangen bist, haben wir es gar nicht so recht gemerkt, weil du vorher, als du noch da warst, auch nie wirklich da warst.

Jetzt bin ich also da, Anna, ich bin hier, obwohl ich das angesichts dieser jämmerlichen kleinen Hochzeitsgesellschaft bereits heftig bereue.

Karin drückt mir ein Glas Punsch in die Hand, gleichzeitig öffnet sich die Tür zum Schlafzimmer, und Anna kommt in einem braunglänzenden Kleid auf mich zugesprungen wie ein riesiger Medizinball, umarmt mich so heftig, daß ich den Punsch fast verschütte, und deutet begeistert auf einen kleinen, dünnen Mann, der schüchtern und mit gesenktem Kopf hinter ihr steht.

Das ist Ivo! ruft sie, löst sich von mir und legt einen ihrer dicken Arme um den kleinen Mann. Freut mich, sagt er. Er hat eisblaue Augen in einem grauen Mausgesicht. Von nahem wirkt er jünger. Vielleicht fünfundzwanzig. Er trägt einen Anzug mit zu breiten Schultern und ein grün schillerndes Hemd.

Meine Familie konnte leider nicht kommen, aber sie haben einen Schinken geschickt, sagt er und lächelt unsicher.

Jetzt laß doch den Schinken, lächelt Anna und sieht mich unverwandt an. Sie wartet, daß ich ihr ein Zeichen gebe, daß mir ihr Mann gefällt, daß der dünne, blasse Ivo aus Sarajevo genau der Richtige für sie ist. Ich kann nicht. Ich senke den Kopf, und als ich ihn wieder hebe, habe ich ein künstliches Lächeln aufgesetzt, daß sie sofort als solches erkennt.

Enttäuscht wendet sie sich ab. Ich wechsle einen Blick mit Karin. Sie zieht die Augenbrauen hoch und hebt leicht die Hände. Sie hätte mich vorbereiten können auf Ivo. Kein Wort hat sie gesagt, aus purer Bosheit hat sie kein Wort über ihn verloren.

So, sie klatscht in die Hände, alle bitte austrinken. Wir müssen los. Nach Karlsfeld brauchen wir mindestens eine halbe Stunde.

Die Kirche ist in Karlsfeld?

Der Tempel, verbessert sie mich lächelnd.

Wieso der Tempel?

Ach, sagt Karin leichthin, habe ich dir das gar nicht erzählt? Ivo und Anna heiraten buddhistisch.

Aha.

Alle sehen mich an, als hätte *ich* etwas Seltsames gesagt. Ich wende mich an Ivo. Sie sind Buddhist?

Nö.

Und du, Anna, bist du neuerdings Buddhistin?

Nein, sagt Anna, eigentlich nicht.

Mir wird leicht schwindlig, das mag an dem Punsch liegen. Und wieso heiratet ihr dann buddhistisch?

Das würde ich auch gerne mal erfahren, krächzt meine Schwiegermutter aus dem Hintergrund.

Och, sagt Anna, weil ich ja nicht getauft bin und Ivo Moslem ist, können wir nicht in der Kirche heiraten, und nur auf dem Standesamt, fanden wir auch irgendwie doof.

Ah ja, lächle ich belämmert in die Runde.

Und die Buddhisten waren mir schon immer sympathisch, fügt Anna hinzu. Ja, sagt Ivo und trinkt seinen Punsch in einem Zug aus.

Wir fahren vor den anderen her im Taxi. In Ivos Taxi. Darauf hat er bestanden. Karin sitzt vorne, Anna und ich hinten. Darauf hat Karin bestanden. Der Vater der Braut solle doch bitte schön neben der Braut sitzen. *Der Vater der Braut.* Einen winzigen Moment lang fühle ich mich tatsächlich wie Spencer Tracy in dem gleichnamigen Film. Fast ein bißchen stolz. Aber dann sehe ich meine dicke Tochter, die so viel Platz einnimmt, daß ich mich dicht ans Fenster quetschen muß, und den dünnen Hecht am Steuer, der ihr Mann sein will, und die müden roten Rosen, die irgend jemand zur Feier des Tages in die Löcher vom Armaturenbrett gesteckt hat, und mein ganzes bißchen Stolz fliegt wie eine Fliege zum Fenster hinaus.

Karin dreht sich zu mir um und lächelt mich aufmunternd an, so wie sie mich immer angelächelt hat, wenn etwas Unangenehmes vor uns lag. Zum letzten Mal beim Gerichtstermin unserer Scheidung.

Ivo schaltet aus Versehen den Taxameter ein. Ivo, sagt Anna zärtlich und legt ihm von hinten die Hand auf die Schulter.

Ivo lacht kurz auf wie eine Hyäne, schaltet den Taxameter wieder aus und sucht im Rückspiegel Annas Blick, erwischt jedoch meinen. Seine eisblauen Augen erinnern mich an die Augen von Polarhunden.

Anna nimmt die Hand von seiner Schulter und malt Kringel auf die beschlagene Scheibe neben sich. Sie hat immer irgend etwas auf die Autoscheiben gemalt mit ihren verschmierten, fettigen Kinderpfoten. All die endlosen Autofahrten mit einem kreischenden Baby in seinem Kindersitz, später das Geblök der Kindermusikkassetten, dann ein muffiger, magersüchtiger Teen-ager, all diese vergeblichen Fahrten ins Glück. Und dann wieder ein strahlendes, braungebranntes Kind, das in Jeans und T-Shirt auf mich zustürzt und an mir hochspringt wie ein Hund, und eine lächelnde Frau, die uns dabei zusieht. Ein vor Freude glucksendes Baby, das ich hoch in die Luft werfe, hoch, hoch, hoch, so hoch, daß Karin vor Schreck ganz blaß wird, und das Glück, dieses Glück, immer wenn dieses sabbernde, quiekende Baby wieder auf mich zufliegt, als käme es direkt aus dem Weltall.

Ich suche nach Annas Hand auf dem Sitz und drücke sie. Eine weiche, große Hand, die mir völlig unbekannt ist. Erstaunt dreht sie mir ihr rundes Gesicht zu, und mit einer plötzlichen Bewegung legt sie ihren Kopf auf meine Schulter. Schwer lastet er auf mir, es ist nicht besonders bequem.

Du hast zu mir Kristallstraße gesagt, ganz sicher, behauptet Karin.

Nein, Diamantstraße, jammert Anna, es war die Diamantstraße. Ivo, sag doch auch mal was.

Es war irgend so ein Edelstein, sagt Ivo.

Wir irren in unserer kleinen Kolonne im Halbdunkel durch eine heruntergekommene Wohnsiedlung weit vor der Stadt. Unter den Teppichstangen zwischen den Häusern liegt Schnee. Hinter den quadratischen Fenstern stehen Weihnachtspyramiden und leuchten mattgelb vor sich hin. Zum dritten Mal biegen wir von der Smaragdstraße in die Rubinstraße.

Es ist schon nach fünf, jammert Anna, der Lama ist bestimmt schon da.

Der Lama?

Ja, der Lama der Kalmücken kommt extra für uns.

Der Lama der Kalmücken?

Karin dreht sich zu mir um und verdreht die Augen. Ich drehe ebenfalls die Augen gen Himmel. Die Verschwörung der Eltern gegen ihre Kinder. Dieser kleine Moment stillen Einverständnisses zwischen Karin und mir macht mich unversehens glücklich. Ich hebe die Hand, um sie ihr auf die Schulter zu legen, lasse es dann aber doch sein.

Laß uns noch einmal zurückfahren zur Opalstraße, schlage ich vor, und von vorne anfangen.

Ivo fragt über Funk seine Kollegen an. Keiner weiß Bescheid. Ist das nicht in Karlsfeld? brüllt eine Frau mit Kölner Einschlag aus dem Funkgerät, da gibt's 'ne ganze Ecke, da heißen alle Straßen wie Juwelen, und die Häuser sind der letzte Dreck.

Wir finden das nie, stöhnt Anna und greift jetzt nach meiner Hand.

Als wir zum fünften Mal durch die Rubinstraße fahren, steht ein stämmiger Mann in einem seltsamen roten

Umhang mit nackten Oberarmen bewegungslos vor einem Haus im Schnee.

Da ist er! ruft Anna aufgeregt. Der Lama! Halt an! Halt doch an!

Von einer asiatischen Frau mit Schürze werden wir freundlich angehalten, uns in dem winzigen Flur die Schuhe auszuziehen.

Mit unseren dicken Wintermänteln sind wir uns gegenseitig im Weg, wir schubsen und schieben und flüstern aufgeregt wie eine Schulklasse. Ivo holt einen Kamm aus seiner Hosentasche und fährt sich damit durch die Haare. Er legt dabei seinen Kopf schräg wie früher mein Vater.

Verwundert stelle ich fest, daß ich tatsächlich eine Familienähnlichkeit an Ivo entdeckt habe, da werden wir aufgefordert hereinzukommen in die winzige Zweizimmerwohnung, von der das Wohnzimmer eine Art Wartezimmer und das Schlafzimmer der Tempel ist. Meine Schwiegermutter geht barfuß vor mir so vorsichtig über den Teppich, als fürchte sie versteckte Tellerminen.

Ich drehe mich nach Anna um, will ihren Arm nehmen – so macht man das doch, als Vater der Braut. Im Kopf höre ich sogar die richtige Musik dazu: Taatatata – taatatata. Aber Anna lächelt nur und faßt Ivo fest bei der Hand. Ihre Augen glänzen wie als Kind, wenn sie endlich das Weihnachtszimmer betreten durfte.

Vor einer Art Schrankwand mit verschiedenen goldenen Buddhas stehen brennende Butterlämpchen und Schalen voller Obst und Weihnachtskeksen. Selbst ein Schokoladenweihnachtsmann ist dabei. An den Wänden hängen bunte Bilder, überhaupt ist alles sehr bunt und heiter. Die

Teppiche haben leuchtende Farben, rote Kissen liegen im Raum verstreut, goldgelbe Tücher hängen über einem Podest, auf dem jetzt der Lama sitzt. Er ist klein und dick, sein runder Schädel geschoren, sein Alter kaum zu schätzen. Vierzig? Siebzig? Seine Ausstrahlung ist ebenso heiter wie seine Umgebung und würdevoll zugleich. Lächelnd bedeutet er uns, uns ebenfalls zu setzen. Die Brauteltern in der zweiten Reihe, die anderen dahinter.

Mit krachenden Knochen lasse ich mich auf ein rotes Kissen nieder, während Karin sich neben mir elegant auf die Fersen kniet. Ich bin gespannt, wie lange sie diese Position aushält.

Daß ich so was noch erleben darf, sagt meine Schwiegermutter hinter mir.

Dem Brautpaar weist der Lama zwei goldene Kissen in der ersten Reihe zu. Anna wirft sich sofort schwer wie ein Elefantenkalb nieder, während Ivo stehenbleibt und sich etwas betreten umsieht. Freundlich nickt ihm der Lama zu.

Ich glaub, ich komm nicht runter, sagt Ivo schüchtern und deutet auf sein Knie. Schußverletzung. Krieg. Er zuckt die Schultern, grinst.

Oh, Anna rappelt sich wieder auf und bietet ihm ihren breiten Rücken dar. Entschuldige.

Ivo winkt ab, stützt sich auf ihren Rücken und senkt sich langsam mit ihr zu Boden, wobei er das eine Bein anwinkelt, das andere weit von sich streckt.

Er trägt Socken mit eingestricktem Spielkartenmuster. Ich kann seinen Fuß nicht sehen. Vielleicht hat er sogar eine Prothese, dieser kleine, dünne, jämmerliche Taxifahrer, der Mann meiner Tochter, der bereits in einem Krieg war, während ich noch nicht mal bei der Bundeswehr war.

Da sitzt also mein künftiger Schwiegersohn Ivo, der Kriegsteilnehmer und Taxifahrer direkt vor mir, sein Rücken so schmal wie der eines Zwölfjährigen, und daneben meine mächtige Tochter, zukünftige Masseuse, und der Lama wirft in einer großen Geste seinen roten Umhang über die eine nackte Schulter, kichert und sagt in fließendem Deutsch: So, dann fangen wir mal an mit der Trauung, die es bei uns Buddhisten gar nicht gibt. Er kichert abermals. Ich kann Sie nicht trauen, aber ich kann Ihnen einen Glückssegen geben.

Einen was? flüstert hinter mir meine Schwiegermutter, die immer gegen mich gewesen ist und bis zur letzten Minute versucht hat, ihre Tochter davon abzubringen, einen Sportreporter aus Hannover zu heiraten. Einen Glückssegen, flüstert Karin zurück.

Jeder Mensch möchte glücklich sein. Ich möchte Sie beide bitten, dem anderen bei seinem Streben nach Glück immer behilflich zu sein, sagt der Lama zu dem Brautpaar. Und gleichzeitig sollten Sie den Samen des Glücks in sich selbst bewässern, damit es wächst und gedeiht. Und was ist der Same des Glücks? Er macht eine Pause und sieht uns alle der Reihe nach an, seine Augen sind wach und scharf. Er wandert mit seinem Blick über Anna und Ivo zu Karin und schließlich zu mir. Der Augenblick. Der gegenwärtige, bewußt erlebte Augenblick. Wenn Sie essen, essen Sie. Wenn Sie schlafen, schlafen Sie. Wenn Sie heiraten, heiraten Sie.

Seine Augen blitzen. Wieder lacht er. Mehr sagt er nicht.

Zumindest nicht auf deutsch. Er rezitiert irgend etwas auf tibetisch mit vielen *chös* und *lös* und *pas*, ganz tief aus seinem Bauch heraus kommen diese Töne, als hätte er eine Trompete verschluckt. Meine Beine schlafen ein, mühsam zerre ich sie unter mir hervor und lege sie wie zwei Stöcke in eine andere Richtung.

Auch Karin hat Mühe, ihren eleganten Fersensitz beizubehalten. Unruhig rutscht sie von einer Pobacke auf die andere, aber Ivo und Anna vor uns rühren sich keinen Zentimeter von der Stelle.

Ganz langsam kriecht Karins Hand über den himmelblauen tibetischen Teppich auf meine zu, bis wir uns an den Händen halten und gemeinsam auf den vertrauenerweckenden breiten Rücken unserer Tochter starren.

Haben Sie vielleicht ’ne Zigarette, fragt mich Ivo, als wir aus dem Haus kommen. Er trägt den weißen Segensschal über seinem grauen, schweren Mantel. Ich sehe jetzt sein leichtes Humpeln. Der Schnee knirscht unter unseren Füßen. Hast *du*? verbessere ich ihn.

Ne, sagt Ivo.

Ich meine, du mußt mich duzen, ich bin doch jetzt dein Schwiegervater. Ich klopfe ihm ungelenk auf den Rücken und hole die Schachtel Zigaretten aus meiner Tasche.

Wie hast du’s gefunden? fragt mich Ivo. Sein Gesicht leuchtet im Feuerschein der Zigarette orange auf. War doch ’ne gute Idee, oder?

Ja, sage ich.

War doch schön, oder?

Ja.

War doch verrückt, oder?

Ja.

Und schön.

Ich glaube, du darfst jetzt nie mehr eine Mücke totschlagen – es könnte deine reinkarnierte Großmutter sein, sage ich. Wir lachen beide und beobachten Anna, die mit beiden Händen im Schnee wühlt.

Ich wollte einfach was, an das ich mich mal erinnern kann, sagt Ivo, legt den Kopf schief und fährt sich wie mein Vater langsam über die Haare, und da kommt Anna lachend mit offenem, wehendem Mantel auf uns zugelaufen und wirft ihren Schneeball hoch in die Luft, hoch, hoch, hoch und wir alle verfolgen seinen Flug und fragen uns, wen von uns er treffen wird.

›*Satisfaction*‹

Wie im Märchen waren seine Haare in den letzten Wochen grau geworden. Grau und seltsam strohig, so als sei alles Leben aus ihnen gewichen. Achim sah sich kaum noch im Spiegel an, rasierte sich nicht mehr. Ein heimlicher Schwur: Ich werde mich erst wieder rasieren, wenn... Sein Bart war dunkler als seine Haare, so als hätte er die Entwicklung der Dinge nicht mitbekommen.

Am meisten haßte er das Aufwachen. Er wachte *in* einen Alptraum hinein auf und nicht wie früher *aus* einem Alptraum. Die Gewißheit, nur mit dem Träumen aufhören zu müssen, um dem Horror ein Ende zu bereiten, gab es nicht mehr.

Unwillig schlug Achim die Augen auf. Mit einem leichten Stöhnen nahm er das Gewicht auf seiner Brust wahr, das angstvolle Zittern im Innern seines Körpers. Er war all das inzwischen gewohnt, und dennoch glaubte er in der ersten Sekunde seines Erwachens jeden Morgen wieder, alles sei heute anders, so wie früher, alles sei wieder gut. Manchmal konnte er sich kaum noch an ›früher‹ erinnern, obwohl es erst acht Wochen her war. Er verstand jetzt nicht mehr, warum er früher nicht glücklicher gewesen war. Er bereute seine dumpfe Ignoranz, seine Unempfindlichkeit dem eigenen Glück gegenüber.

Aus Erfahrung wußte er, daß er jetzt schleunigst aufstehen mußte, um einen winzigen Vorsprung vor der Macht seines Schmerzes zu behalten, der wie eine gigantische Flutwelle bereits auf ihn zurollte und ihn an manchen Tagen völlig unter sich begrub. Er stand auf, stieß sich, wie jeden Morgen, den Kopf an der Dachschräge, weil er immer noch glaubte, zu Hause zu sein, sich nicht an das winzige Mietzimmer gewöhnen konnte oder auch nicht wollte. Nein, an nichts wollte er sich gewöhnen, nicht an dieses Zimmer, nicht an diese Stadt, nicht an Evas Zustand. Gleichzeitig wußte er, daß er sich ergeben mußte.

Müde zog er sich an, seine Knochen bleischwer. Die Jeans rochen muffig, das Hemd hatte einen grauen Streifen am Kragen. Er konnte die Energie nicht aufbringen, in einen Waschsalon zu gehen, zu nichts konnte er sich aufraffen.

Vorsichtig öffnete Achim die Tür, um zu sehen, ob das Bad frei war. Er hatte wenig Lust, Gabi, der fetten, einsamen Studentin von gegenüber, zu begegnen. Sie wohnte mit einem riesigen Hund in einem winzigen Zimmer und lauerte ihm gern auf, um mit ihm eine Unterhaltung anzufangen. Sie duzte ihn und nannte ihn bei seinem Vornamen, Achim, als sei er ein Kommilitone. Er kannte bereits ihr halbes Leben, wußte, wie schwer sie es mit ihrem Tiermedizinstudium hatte, daß ihre Eltern ihr den monatlichen Unterhalt gekürzt hatten und sie sich kaum noch das Chappi für ihr Riesenvieh leisten konnte, daß sie Mitglied einer christlichen Sekte war und alles für eine Prüfung Gottes hielt.

Eine Prüfung Gottes, dachte er, während er unter der

Dusche stand und das warme Wasser ihm über das Gesicht lief – eine Prüfung für wen? Für Eva oder für mich? Für uns beide? Zwei auf einen Streich? Wofür werden wir geprüft? Warum?

Da war es wieder, das Wort, vor dem er sich fürchtete. Er durfte dieses Wort nicht denken. Mußte diesen fünf Buchstaben den Zutritt zu seinem Gehirn verbieten, aber es war schon zu spät. Wie ein blitzschnell wirkendes Gift hatte es sich bereits in seinen Blutkreislauf ergossen.

Warum wir? Warum ist Eva nicht eine Sekunde, eine Zehntelsekunde, eine Hundertstelsekunde früher oder später über die Kreuzung gefahren? Hätte er sie noch einmal geküßt, bevor sie aus dem Haus ging, hätte sie ihren Schlüssel vergessen, wie so oft, sich noch einmal schnell die Lippen nachgezogen, hätte er sich nur ein wenig länger die Zähne geputzt und das Waschbecken blockiert, oder ein wenig kürzer…

Wütend schlug er den Kopf an die hellgelben Fliesen. Immer wieder dieselbe Gedankenkette, in die ihn das Wörtchen ›warum?‹ unweigerlich hineinlotste wie in ein Labyrinth, aus dem es keinen Ausweg gab.

Die lange, öde Strecke vor dem häßlichen Neubau, in dem sich sein Zimmer befand, bis zur U-Bahn rannte er, wie jeden Morgen. Die feuchte, kühle Morgenluft strömte angenehm durch seine Lungen, er trabte vorbei an grauen Fassaden, langweiligen Schaufenstern, durch häßliche dunkle Arkaden aus Waschbeton, quer durch einen öden Innenhof mit einem desolat wirkenden kleinen Spielplatz.

Die Stadt, in die es sie verschlagen hatte, war häßlich und traurig, sie bot keinerlei Trost.

Bei Tchibo, kurz vor der U-Bahnhaltestelle, trank er wie jeden Morgen eine Tasse Kaffee, in einem kleinen Zeitungsladen kaufte er die Zeitung ihrer Heimatstadt, die in immer weitere Ferne rückte, immer fremder und unerreichbarer schien.

Stumme, häßliche Menschen hockten unter Tage auf grellgrünen Plastikbänken und warteten mit gesenkten Köpfen auf die U-Bahn wie auf den Höllenhund, der sie in die Unterwelt führen würde.

An manchen Tagen verspürte er Mitleid mit ihnen, einmal sogar, ganz am Anfang, hatte er deutlich ihren Schmerz gespürt wie den eigenen, den Kummer jedes einzelnen, keiner schien ohne Last, fast hätte er ihnen zurufen wollen: Ich bin jetzt einer von euch, ich verstehe jetzt, wie es sich anfühlt, niedergedrückt zu werden wie von einer riesigen Hand, die einen im Nacken packt und nicht mehr losläßt. Meist jedoch verabscheute er sie für ihre Stumpfheit, ihre herabgezogenen Mundwinkel, ihre Bitterkeit im Blick, ihre Aggression gegen alle, die glücklicher schienen als sie selbst.

Die U-Bahn fuhr ein, mit knappen, exakt abgemessenen Bewegungen stieg er ein, steckte seine Fahrkarte in den Entwerter und setzte sich auf den ersten freien Sitz gleich neben der Tür. Ihm gegenüber saß ein Mann in seinem Alter, etwa Anfang vierzig, mit einer breiten Tätowierung um den Hals, langen, grauen Locken, einem riesigen Schnauzer und wässrigen Augen hinter der goldgeränderten Brille. Er trug eine nietenbesetzte Lederjacke, seine dünnen Beine steckten in einer hautengen, schwarzen Lederhose, an den Füßen hatte er Cowboystiefel aus Schlangenleder.

Seine Freundin reichte ihm aus einer Plastiktüte eine

Dose Bier, die er mit einer von riesigen Türkisringen geschmückten Hand wortlos entgegennahm. Sie war mindestens zwanzig Jahre jünger als er und halb so groß. Auch sie trug ebenfalls eine schwarze Lederjacke, dazu knallenge Jeans, wie sie eigentlich schon längst aus der Mode waren. Ihr ungeschminktes, blasses Gesicht wirkte müde und leicht aufgedunsen. Mit einer kleinen Bürste fuhr sie sich wieder und wieder durch die dünnen, schlecht gefärbten blonden Haare.

Ich möchte wissen, wann sie anfangen zu spielen, sagte der Mann.

Sie fangen an, wenn sie anfangen, erwiderte das Mädchen mit schwerer Zunge. Gib her, sauf nicht alles allein. Sie griff nach der Bierdose, nahm einen großen Schluck, gab sie ihm wieder zurück und bürstete weiter ihre Haare.

Ich möchte wissen, wie lange sie uns schmoren lassen, fing der Mann wieder an.

Das Mädchen richtete ihren verschwommenen Blick auf Achim. Er ist abhängig von den Stones, sagte sie. Noch zehn Stunden bis zum Konzert, und er ist schon total durchgedreht.

Achim erinnerte sich, die Poster vom Rolling-Stones-Konzert in der Stadt gesehen zu haben: die *Voodoo Lounge Tour.* Auf dem Plakat war ein seltsames, gelbes Wesen mit schwarzen Punkten auf rotem Grund abgebildet.

Schieb noch 'n Bier rüber, sagte der Mann, und das Mädchen griff in die Plastiktüte und gab ihm eins.

Wir hätten gut den Zug um vier nehmen können. Was machen wir jetzt in dieser Scheißstadt? Ey! Sie boxte den Mann mit dem Ellbogen in die Rippen. Er grinste.

Das Mädchen wandte sich wieder an Achim. Totale Mattscheibe, sagte sie und machte eine Bewegung mit der Hand vor ihrem Gesicht, abhängig von den Stones. Total abhängig.

Achim stand auf, weil seine Station gekommen war, er nickte den beiden zum Abschied kurz zu. Das Mädchen reagierte nicht, der Mann hob die Hand zum Peace-Zeichen, und bevor er es sich versah, machte Achims Hand dasselbe.

Der Mann grinste, Achim ließ eilig und wie ertappt die Hand sinken und ging zur Tür, zusammen mit etlichen anderen, die Plastiktüten mit Obst und Zeitschriften trugen, die ewiggleichen hilflosen Mitbringsel für die Kranken.

Wie eine Schafherde trotteten sie miteinander auf den riesigen Betonklotz zu. Vor der Tür saßen ein paar Patienten und rauchten, manche hingen am Tropf oder saßen im Rollstuhl. Sie trugen Sweatshirts mit idiotischen Aufdrucken wie KEEP OUT oder HAPPY BEACH. Manche hatten weiße Venenstrümpfe an den Beinen, das waren frisch Operierte, soweit kannte Achim sich inzwischen aus.

Er zählte die Schritte bis zum Aufzug, bei einer geraden Zahl würde es Eva besser, bei einer ungeraden schlechtergehen. Bei siebenundfünfzig stand er vor den zerkratzten Aufzugtüren, aber da mußte er noch drei Schritte zur Seite treten, um einen Pfleger mit einem Krankenbett vorbeizulassen, sechzig, er atmete auf. Und wenn auch noch der Aufzug mit dem eingeritzten FUCK YOU ALL über der Stockwerksanzeige als erster kommen würde, würde es ihr ganz, ganz bestimmt heute bessergehen. Und tatsächlich, er stieg genau in diesen Lift, und von Stockwerk zu Stockwerk wuchs seine Hoffnung. Gleichzeitig schüttelte er den Kopf über seinen kindischen Aberglauben.

Eilig ging er an den Betten vorbei, die auf dem Flur standen und Banderolen mit den Aufschriften REIN und UNREIN trugen. Er nickte den Schwestern im Stationszimmer kurz zu, sie kannten ihn bereits, er brauchte sich nicht mehr anzumelden, das erfüllte ihn mit Stolz, so als gehöre er dazu, sei einer der ihren. Dabei wollte er doch nichts sehnlicher, als nie mehr hierherkommen zu müssen.

Er zog seine Jacke aus, griff routiniert in den Wandschrank, holte einen hellgrünen Kittel heraus, streifte ihn über, hielt seine Hände unter den kleinen Spender mit Desinfektionsflüssigkeit, öffnete die schwere Tür zur Intensivstation und wurde plötzlich langsamer. Sein Herz schlug angstvoll, tief atmete er durch, bevor er mit einem gezwungenen Lächeln um die Ecke bog und in Evas Zimmer ging.

Sie lag am Fenster, ihr Zimmernachbar hatte schon wieder gewechselt. Alle verschwanden nach wenigen Tagen, wurden auf die Normalstation verlegt, nur Eva blieb. Einmal war sie schon kurz davor gewesen, die Normalstation erschien inzwischen wie das gelobte Land, fast hätte man sie ziehen lassen, da bekam Eva erneut Fieber.

Sie lag hinter einem provisorisch aufgehängten Bettlaken, gab es hier eigentlich keine Trennwände? das fragte sich Achim zum hundertsten Mal.

Er hörte das Pumpen der Beatmungsmaschine, bevor er sie sah. Tiefe Enttäuschung breitete sich in ihm aus wie eine dunkle Farbe. Also doch wieder die Maschine.

Eva lag mit ausgebreiteten Armen und Beinen auf dem Rücken, sie war nackt, verschiedene Elektroden auf ihrer Brust führten wie Tentakel zu den Überwachungsmonitoren. An den Händen hatten die Kanülen der Infusionen häßliche gelbgrüne Blutergüsse verursacht, ihr linkes Bein war von den vielen Injektionen bis weit über die Hüfte schwarzblau angelaufen, ihr ehemals praller, noch fast junger Körper sah jetzt aus, als sei er bereits im Stadium der Verwesung. Die Haut hing faltig von ihren Armen und Beinen, ihr Po war völlig verschwunden, was Achim jedesmal wieder erstaunte und entsetzte. Wo waren diese beiden festen Hügel geblieben, über die er so gern gestrichen hatte, die er geküßt und liebkost hatte? Ebenso ihre Brüste, die früher genau in seine hohle Hand gepaßt hatten, klein, aber straff. Jetzt lagen sie schlaff und faltig auf ihrem Brustkorb, wie zwei leere Tüten. Ihr Gesicht war um Jahrzehnte gealtert, ihre Haare wirkten stumpf und schütter, ihr Hals war so dünn geworden, daß er kaum noch ihren Kopf zu tragen imstande schien.

Aus der Entfernung sah sie schlimmer aus als aus nächster Nähe, das wußte Achim bereits, deshalb ging er eilig auf sie zu und gab ihr einen flüchtigen Kuß auf die Wange. Ihre Haut fühlte sich kalt an, viel zu kalt. Jedesmal wieder erschreckte ihn diese Kälte. Er zog das Laken über ihren nackten Körper.

Eva, sagte er, ich bin's. Ihre Augenlider flatterten wie müde Schmetterlingsflügel. Er nahm ihren dürren Arm und streichelte über die faltige Haut. Prompt piepte der Monitor.

Schwester Elke kam und stellte ihn ab. Guten Morgen,

sagte sie fröhlich, so ein Mist, was? Jetzt war sie doch schon zwei Tage runter von der Maschine…

Sie sah Achim vorwurfsvoll durch ihre Brille an. Sie schielte ein wenig und betonte das auch noch durch ihren eisblauen Lidschatten, den sie genau abgestimmt auf ihren blauen Kittel Tag für Tag trug. Die Haare hatte sie zu einem steifen Zopf gedreht, der bei jedem ihrer energischen Schritte in den Birkenstocksandalen wippte. An ihrem Kittel trug sie ein buntes, aus Fimo geformtes Namensschild. Achim mochte sie, sie war spontaner und direkter in ihren Äußerungen als die anderen Schwestern, und manchmal brauchte er genau das.

So ein Mist, wiederholte er leise. Elke klopfte ihm auf die Schulter. Sie war schon einmal runter, sie wird wieder runter kommen. Was, Frau Waller, rief sie laut, bald geht's wieder allein!

Eva öffnete kurz die Augen und wandte leicht ihren Kopf, sah Achim an, unter dem Beatmungsschlauch verzog sich ihr Gesicht. Vielleicht zu einem Lächeln, das ließ sich nicht genau sagen.

Sie muß aber auch wollen, sagte Elke, und damit ging sie aus dem Zimmer.

Du mußt wollen, sagte Achim leise, hast du gehört, du mußt auch wollen. Eva gab ein Grunzen von sich.

In Achim stieg unvermutet Zorn auf, wie eine Welle heißer Lava, die in sein Gehirn schwappte. Sie will einfach nicht, dachte er wütend, sie läßt mich hängen. Wenn sie, verdammt noch mal, wollte… aber sie will nicht. Warum auch? So bekommt sie ja alles, was sie jemals wollte. Aufmerksamkeit rund um die Uhr. Sie ist im Mittelpunkt, und ich bin ihr Gefangener. Ich habe kein Leben mehr. Es gilt nur noch ihrs. Nur ihr Leben ist wichtig. Sonst gar nichts mehr.

Während er hilflos seinen Gedanken ausgeliefert war und sich gleichzeitig für sie schämte, tastete Eva mit ihrer Hand nach seiner. Hilflos wanderte sie in kleinen Kreisen über das Bettlaken, bis sie Achims Hand schließlich gefunden hatte. Wie Spinnenarme kletterten ihre dünnen Finger über seinen Handrücken, und Achim mußte an sich halten, um nicht unwillkürlich seine Hand unter der ihren wegzuziehen.

Ich les dir was vor, sagte er schließlich und zerrte die mitgebrachte Zeitung aus seiner Jacke. Was willst du hören? Politik? Eva schüttelte den Kopf. Sport? Nein. Lokales? Auch nicht. Feuilleton? Wieder schüttelte Eva den Kopf. Was, auch das Feuilleton nicht? Normalerweise las er ihr jede noch so langweilige Theater- oder Filmkritik vor, denn Eva interessierte sich für Kunst – ganz im Gegensatz zu ihm.

Gar nichts? Eva nickte andeutungsweise. Die Seite drei? Nein. Vermischtes? Was willst du denn?

Unter enormer Kraftanstrengung drehte sich Eva auf die Seite und deutete mit einer Hand schwach auf die bunte Beilage mit den Sonderangeboten des Sommerschlußverkaufs, die herausgefallen war und auf dem Laken lag.

Und so las Achim vor: Damenpullover mit langem Arm, 100% Baumwolle, in Aubergine, Schokolade, Sand, nur 49,90. – Bedruckte Sommerkleider im Sarongstil, nur 79,90 – Damenslips, Tangapaßform, in Weiß, Fleischfarben, Schwarz, drei Stück für 19,90.

Ruhig hob und senkte sich der Kolben der Beatmungsmaschine, Achim war bemüht, sich dem keuchenden Rhythmus der Maschine anzupassen und in ihrer unerschütterlichen Regelmäßigkeit Trost zu finden.

Frotteehandtücher, Dreifachschlinge, in vielen Farben, nur 7,90. – Leggings, gemustert oder einfarbig, 20% Baumwolle, 80% Helancyl 29,90.

Er las die Texte wie alte keltische Inschriften oder buddhistische Sutras, die Wörter bedeuteten ihm nichts. All diese Gegenstände gehörten zu einer Welt, aus der sie herausgefallen waren und die sie nicht mehr brauchten. Weder Sommerkleid noch Mikrowellenherd noch Bohrmaschine.

Eva schien eingeschlafen zu sein. Ihr Pulsschlag auf dem Monitor hatte sich verlangsamt. Achim sah auf die Uhr, es war kurz vor zwölf, der Essenswagen müßte schon dasein.

Er verließ die Intensivstation und holte aus dem Essenswagen das Tablett mit Evas Namen. Die Küche wußte offensichtlich nicht, daß Eva noch kein einziges Mal seit ihrer Einlieferung imstande gewesen war, selbständig zu essen. Achim sah das Tablett mit Evas Namen noch über Wochen, Monate, Jahre in dem eisernen Container stehen, gleichgültig, ob sie inzwischen entlassen oder gestorben war.

Er trug das Tablett in den Aufenthaltsraum, in dem schon etliche andere Angehörige das Essen ihrer kranken Verwandten gleichgültig in sich hineinstopften, man grüßte sich knapp.

Achim hob die Styroporhaube vom Teller, eine warme Wolke von Essensgeruch entwich, in blaßgrauer Soße schwammen zwei Klopse, daneben ein Berg blaßgelber Kartoffelbrei, ein Schälchen mit in Essig abgesoffenem Salat, ein eingetüteter Keks zum Nachtisch. Anfangs hatte Achim sich heftig über das Krankenhausessen aufgeregt, angeekelt den Teller von sich geschoben; inzwischen war er froh, daß es heute keine Blutwurst gab. Stumpf starrte er auf eine HÖR ZU, die vor ihm auf dem Tisch lag und mehrere Wochen alt war.

Er aß alles auf, selbst den Keks, trug das Tablett zurück und ging zurück zur Intensivstation. Die beiden dicken, alten türkischen Putzfrauen, die aussahen wie Zwillinge, lange, dunkle Zöpfe hatten und einen kleinen, tätowierten Halbmond auf der Stirn, nickten ihm freundlich zu. Sie waren immer da, wechselten nicht die Schicht wie die Schwestern und Ärzte, sie waren ein Fixpunkt in seinem neuen Leben, und am liebsten hätte er sie gefragt, wie sie Evas und seine Zukunft beurteilten. Wahrscheinlich wäre ihre Auskunft auch nicht vager ausgefallen als die der Ärzte, die sich in acht nahmen, nicht die Achseln zu zucken.

Achim setzte sich wieder an Evas Bett. Sie schlief immer noch. Ihr Gesicht war so schmal geworden, daß er sie manchmal nicht erkannte. Er wußte nicht, wer diese Frau war und was sie miteinander verband. Sie waren wohl irgendwann glücklich gewesen, aber er konnte sich an kein Detail, keine Situation erinnern, die dieses Glück wirklich deutlich gemacht hätte.

Vielleicht waren sie nie glücklich genug gewesen?

Die Vergangenheit erschien ihm so wenig greifbar wie die Gegenwart, er wußte nicht mehr, wie das eine oder das andere ausgerechnet ihnen widerfahren war. Nichts ergab sich zwangsläufig oder logisch aus dem Vorhergegangenen, außer der Tatsache, daß Eva genau zu dem Zeitpunkt, als ein Auto in die Gentzstraße einbog, auf dem Fahrradweg die Elisabethstraße überquert hatte.

Dieser Knotenpunkt war die einzig logische Verquickung, die Achim finden konnte. Daß er jetzt hier an ihrem Krankenbett saß und kein anderer, daß es sein Kummer war und nicht der eines anderen, daß er meinte, in seinem Innersten getroffen zu sein, all das war Zufall.

Ich geh dann jetzt, rief ihm Schwester Elke fröhlich zu.

Ist Ihre Schicht schon zu Ende? Achim war verwirrt.

Hab die Nachtschicht getauscht. Heute spielen die Stones, da will ich unbedingt hin.

Evas Augenlider flatterten, sie öffnete die Augen.

Das hat sie gehört, sagte Elke. Die Stones sind in der Stadt, rief sie laut, als sei Eva taub. Die Rolling Stones!

Wir haben früher viel die Stones gehört, sagte Achim lahm.

Denke ich mir, sagte Elke. Sie sind doch die Generation. Meine Mutter hört heute noch nichts anderes.

Ihre Mutter? Wie alt war Elke? Wie alt die Mutter?

Aber ich finde sie auch klasse, obwohl das schon so alte Knacker sind, fuhr Elke fort. Also dann, tschüßchen, und drücken Sie uns die Daumen, daß es nicht regnet.

Achim nickte ihr hinterher, aber sie drehte sich nicht mehr um. Die Ablösung kam, eine kleine, vietnamesische Schwester, die sehr laut sprach und dennoch sehr schwer zu verstehen war.

Sie sah nur kurz um die Ecke und entfernte sich gleich wieder, hier gab es nichts zu tun, sagte ihr Blick.

Soll ich dir von den Stones vorlesen? fragte Achim Eva, die jetzt mit geöffneten Augen auf der Seite lag und vor sich hinstarrte.

Er verrenkte seinen Körper auf dem kleinen weißen Hocker, legte seinen Kopf neben ihren, sah ihr in die Augen, und für Sekunden vergaß er ihre spitz gewordene Nase, ihre trockene faltige Haut, die strähnigen Haare, sah nur ihre Augen, und da erkannte er sie wieder, wie sie noch vor kurzem gewesen war, und damit auch, wie er selbst einmal gewesen war.

Er sah, wie sie an einem Samstagvormittag wie diesem in ihrer sonnigen Küche saßen und Capuccino aus ihrer neuen Espressomaschine tranken, er las den Sportteil, sie das Feuilleton, ab und an lasen sie sich gegenseitig eine besonders seltsame Notiz laut vor, später würden sie vielleicht zusammen ins Bett gehen, vielleicht auch nicht. In der Pizzeria um die Ecke äßen sie wahrscheinlich zu Mittag, später dann würde er zu einem Fußballspiel gehen und sie eine Freundin besuchen. Am Abend sah er sie zusammen den Kühlschrank durchstöbern und mit Wurstbroten in der Hand gemütlich vorm Fernseher sitzen.

Je länger er in der Aufzählung eines Tagesablaufs in ihrem normalen Leben fortfuhr, um so leerer und sinnloser kam ihm dieses Leben vor, wie das Leben eines anderen, aber doch nicht seins. War das, was er vermißte, nur die Abwesenheit von Schmerz? Und was hatte dieses Leben für Eva bedeutet? War es schon all das Glück gewesen, auf das sie jemals zu hoffen gewagt hatte, oder hatte sie gewartet wie er? Gewartet worauf? Auf noch mehr Glück?

Hinter ihm räusperte sich jemand. Achim richtete sich

auf. Dr. Pietsch stand am Bettende und bedeutete ihm mitzukommen.

Widerwillig und mit klopfendem Herzen folgte ihm Achim. Pietsch war braungebrannt und muskulös, weshalb Achim ihn heimlich Muscle Man nannte. Er hatte für jeden Arzt einen Spitznamen, damit nahm er ihnen ein wenig von der ungeheuren Macht, die sie über ihn hatten, weil sie die Boten guter wie schlechter Nachrichten waren. Alles verkrampfte sich in ihm zu einem unförmigen, dicken Klumpen, er war nur noch dieser Klumpen. Mit höchster Anspannung beobachtete er Dr. Pietsch, jede noch so kleine Bewegung schien ihm verräterisch, allein die Tatsache, daß Pietsch jetzt auf seine weißen Clogs starrte, als er anfing zu sprechen, ließ sein Herz sinken.

Nie würde er vergessen, wie der Arzt ihm, als Eva noch im Operationssaal lag, berichtete, Evas Verfassung sei stabil, und dabei ein ganz klein wenig errötete. Da wußte Achim bereits Bescheid. Schlechte Nachrichten.

Ich wünschte, wir hätten bessere Nachrichten, begann Pietsch – fast atmete Achim auf, der schlimmste Teil war geschafft –, uns belastet das auch sehr, fuhr Pietsch fort.

Du Arschloch, dachte Achim, du kleines braungebranntes Arschloch, es belastet *dich?*

Die Lungenbläschen wollen sich einfach nicht öffnen. Dazu ballte Pietsch beide Hände zu Fäusten und öffnete sie dann. Dazu kommen die schlechten Blutwerte, für die wir einfach keine Erklärung haben.

Wie war der HB heute früh? fragte Achim. Fast bewunderte er seine eigene Professionalität. Vor acht Wochen hatte er nicht gewußt, was ein HB-Wert überhaupt ist.

6,4 antwortete Pietsch prompt. Er richtete jetzt seinen Blick direkt auf Achim. Mit der Frage nach dem HB hatte Achim ihm signalisiert, daß er sich an medizinische Details halten durfte und nicht psychologisch werden mußte. Ich habe vier weitere Transfusionen für heute nachmittag angeordnet. Kollege Heitmann weiß Bescheid.

Sind Sie heute nachmittag nicht da? fragte Achim.

Nein... ich... ich... stotterte Pietsch, und zum ersten Mal sah Achim, daß Pietsch deutlich jünger war als er, höchstens Anfang dreißig. Ich gehe heute zum Stones-Konzert, sagte er, und unwillkürlich überzog ein breites Grinsen sein Gesicht, das er schuldbewußt schnell wieder verschwinden ließ.

Viel Spaß, sagte Achim trocken.

Danke. Pietsch machte einen halbherzigen Versuch, ihm die Hand auf die Schuler zu legen, bremste sie dann aber in der Luft ab, winkte ungelenk und verschwand.

Achim sah Eva eine Weile beim Schlafen zu. Schwester Karin, eine sanfte, kleine, androgyn wirkende Frau mit kurzem Haarschnitt, die ihm vor Wochen eine Kassette mit Walgesängen für sein seelisches Gleichgewicht gegeben hatte, stellte sich neben ihn. Sie roch stark nach Desinfektionsmittel. Sie müssen Geduld haben, sagte sie leise zu Achim, ganz viel Geduld.

Meinen Sie, es wird jemals wieder anders? fragte Achim und wußte doch, daß er solche Fragen nicht stellen durfte. Zu gefährlich waren die möglichen Antworten. Und prompt erstickte er fast an der Hoffnungslosigkeit, die in ihm aufstieg, als Schwester Karin wenig überzeugend sagte: Bestimmt.

Ich muß raus, brachte er zwischen den Zähnen hervor, uhr mit dem Fahrstuhl nach unten und ging eine Weile lurch den Nieselregen im Krankenhausgarten spazieren. hm war übel. Einen älteren türkischen Patienten in einem leganten Mantel über dem Pyjama bat er um eine Zigaette. Der Mann gab ihm sofort eine und nickte ihm zu, ohne zu lächeln. In dieser kurzen Geste lag mehr Trost, als r in den ganzen letzten Tagen bekommen hatte.

Dankbar nickte er zurück, und eine Zigarettenlänge ang hatte er Hoffnung. Sie wird bald die Beatmungsmachine nicht mehr brauchen, sie wird noch eine Weile auf ler Intensivstation liegen, dann wird sie auf die B-Seite erlegt werden, ganz, ganz langsam wird sie sich erholen, vir werden viel Geduld brauchen.

Ja, sagte er entschlossen laut vor sich hin, wir werden es chaffen. Du weißt selbst, daß es da nichts zu schaffen gibt, lüsterte sein Gehirn, du glaubst an eine Zukunft, weil du iicht anders kannst, weil du dich nicht mit den Tatsachen confrontieren kannst. Sie wird sich nie mehr erholen.

Er setzte sich im Regen auf die Bank und fing an zu heuen. Hätte die Sonne geschienen, hätte er es nicht getan, so iber waren die Tränen auf seinem Gesicht von Regentropen nicht zu unterscheiden. Er weinte ganz pragmatisch. Er wußte inzwischen, danach würde es ihm ein klein weiig besser gehen.

Als er wieder zu Eva ins Zimmer kam, hingen bereits lie roten Blutbeutel am Infusionsgerät. Er versuchte, ich auf die regelmäßigen Tropfen, die aus dem Beutel in len Infusionsschlauch und in den Körper seiner Frau ropften, zu konzentrieren, alles andere zu vergessen, nur

noch diesen Tropfen zu sehen, bis er selbst zu dem Tropfen wurde. Er fiel über seinem unverwandten Starren au
den roten Tropfen und den ständigen Rhythmus in ein Dö
sen, in dem ihm die Intensivstation erschien wie ei
Traum, aus dem er nicht mehr erwachen konnte. Als seie
Eva und er in einen tiefen Schlaf gefallen, seit sie auf de
Kreuzung angefahren worden war, als träumten sie seit
dem denselben Traum.

Gehen Sie doch nach Hause, sagte Schwester Karin. Si
wacht die nächsten Stunden bestimmt nicht auf, und wen
irgendwas ist, kann ich Sie ja anrufen.

Er nickte matt. Seit einigen Wochen hatte auch er ei
Handy, um für die Station immer erreichbar zu sein. Aus
gerechnet er, der sich über den Wahn, immer erreichba
sein zu wollen, oft genug lustig gemacht hatte. Im letzte
Sommer noch hatte er sich über die vielen jungen Männe
am Strand in Italien amüsiert, die ostentativ ihr Handy ne
ben sich auf dem Handtuch liegen hatten. Die Luft war er
füllt vom ständigen Gepiepe dieser Dinger; es gab eine
Service, las Achim in der Zeitung, der einen anruft, nur un
heiß begehrt zu wirken. Und jetzt hatte er selbst so ei
Ding in der Tasche, und er fürchtete sich vor seinem Pie
pen, denn sie riefen ja doch nur dann an, wenn die Ding
schlecht standen.

Er stand auf, seine Knochen taten weh, als habe er de
ganzen Tag schwer gearbeitet. Okay, sagte er, beugte sic
über Eva und küßte sie leicht auf die kalte Stirn. Wer is
diese alte Frau, dachte er, und erbost versuchte er gleich
zeitig, diesen Gedanken zu verscheuchen wie eine lästig
Mücke.

Mit den anderen Besuchern trottete er aus dem Krankenhaus. Eine ältere Frau, an der er vorbeiging, weinte. Immer weinte irgend jemand, die Masse allerdings atmete auf, so als wäre sie aus dem Gefängnis entlassen und wieder in Freiheit. Die Abenddämmerung färbte den Himmel auf der einen Seite feuerrot, auf der anderen Seite zogen schwarze Regenwolken auf.

Die Straßenbahn, die an der Krankenhausstation noch fast leer gewesen war, füllte sich zusehends mit Stones-Fans, die auf dem Weg ins Stadion waren. Sie redeten aufgeregt durcheinander und verhielten sich wie eine Schulklasse auf einem Ausflug, obwohl sie sich nicht kannten und die meisten in Achims Alter waren. Die schwarzen Baseballmützen mit der herausgestreckten Stones-Zunge trugen sie auf ergrautem Haar oder Vollglatzen. Verkleidete Rechtsanwälte, Imbißbuden- und Kaufhausbesitzer, Ärzte, Politiker, Verkäufer und Bankangestellte, Eltern und vielleicht auch schon Großeltern – alle hatten ihr normales Leben für diesen Abend abgestreift und waren auf dem Weg zurück in ihre Jugend.

Als alle am Hauptbahnhof zu den Ausgängen drängten, stand Achim unwillkürlich auf und stieg mit ihnen aus, latschte im Pulk zur Busstation, wo Sonderbusse die Fans zum Stadion transportierten.

Es begann zu regnen, ein Aufstöhnen des Bedauerns lief durch den vollgepfropften Bus. Eine hagere Frau mit blondgesträhnten Haaren und dezentem rosa Lippenstift, die dicht neben Achim stand und die er sich als Anästhesistin vorstellte, die nach der Arbeit jeden Tag 15 km joggen ging, rief laut: *Wild horses couldn't drag me away!* Worauf fast der gesamte Bus die Zeile singend wiederholte.

Die Frau sah sich strahlend um, ihr Blick fiel zufällig auf Achim. Wo kommst du her? fragte sie ihn sachlich, als sei es ihr Job, jeden nach seiner Herkunft zu befragen.

München, murmelte Achim.

Wow, sagte die Frau, ganz schön weit weg. Achim war sich sicher, daß sie in ihrem normalen Leben niemals *wow* sagte. Er zuckte die Achseln.

Für die Stones geht man eben meilenweit, grinste die Frau. Aber in München spielen sie auch.

Achim nickte, als wisse er Bescheid. Die Frau duckte sich ein wenig, um durch die beschlagenen Busfenster zu sehen. Es regnete stärker.

So ein Mist, murmelte sie, bei jedem Open-air-Konzert, zu dem ich gehe, regnet es.

Achim versuchte sich an sein letztes Open-air-Konzert zu erinnern. Das mußte etwa zwanzig Jahre her sein, in Garmisch, Gruppen wie Colosseum hatten da gespielt, er war stolz, daß ihm überhaupt der Name einfiel. Ein Schlagzeugsolo von siebzehn Minuten legte der Schlagzeuger hin, dafür war die Gruppe berühmt, er hatte das immer eher langweilig gefunden, aber nie zugegeben. Es war eiskalt gewesen, mitten im Hochsommer, es hatte drei Tage lang durchgeregnet, die Zelte und die wenigen Klos waren schlammverschmiert gewesen. Damals war Regen und Schlamm das Synonym für Woodstock und damit für gute Stimmung gewesen. Er aber hatte drei Tage lang gefroren wie ein Schneider, war aus Ekel nicht aufs Klo gegangen, so daß er an vehementer Verstopfung litt, seine

Klamotten waren im Handumdrehen feucht und klamm. Seine Freundin, an deren Gesicht er sich jetzt nicht mehr erinnern konnte, nur noch an ihre dicken, honigblonden Haare, hatte nach einem Tag schon im Schlafsack von einem anderen übernachtet, weil es ein daunengefütterter Mumienschlafsack war, so daß er schließlich wütend noch vor dem berühmten Schlagzeugsolo zur Autobahn gewandert und nach München zurückgetrampt war.

Wie eine Herde Schafe trampelten die Fans aus dem Bus heraus und auf die Tore des Stadions zu, er mitten unter ihnen, dankbar dafür, daß er in den letzten Minuten weder ans Krankenhaus noch an Eva gedacht hatte.

Er verließ die Herde und trieb sich eine Weile unentschlossen in der Nähe der Buden herum, die Kebabs und Heiße Pfannen anboten, Crêpes und Pizzas. Warmer Essensmief trieb in großen Wolken über den Platz. Frierende junge Engländer verkauften riesige buntgestreifte Hüte, einen winzigen Moment lang war Achim versucht, sich einen Hut zu kaufen und einen richtigen Idioten aus sich zu machen. Wennschon, dennschon.

Mehrmals wurden ihm Eintrittskarten zu verschiedenen Preisen angeboten, die billigste kostete fünfzig Mark, aber er wußte nicht recht, was er wollte, und ärgerlich sah er sich selbst zu, wie er immer mehr in ein Limbo hineintrudelte. Am Ende würde er mit nassen Füßen und einem drohenden Schnupfen, ohne Hut und ohne die Stones gehört zu haben von dannen ziehen, in seinem elenden Zimmer an die Decke starren, hungrig, aber zu faul, noch einmal loszuziehen, voller Angst vor der Nacht und dem nächsten Tag.

Es begann stärker zu regnen. Einen Moment lang stand er ganz still und fühlte die Tropfen auf seinem Kopf. Dort in der Mitte, wo seine Haare dünner wurden, war es kälter und feuchter als überall sonst, bildete er sich ein, und dann sah er sich erstaunt dabei zu, wie er entschlossen auf einen der frierenden jungen Engländer zuging, auf einen riesigen rot-weiß gestreiften Hut zeigte und dreißig Mark zückte.

Grinsend gab ihm der Junge den Hut, Achim setzte ihn auf. *The perfect cat in the hat*, sagte der Junge und zeigte auf eine Zeichnung, die über einem kleinen Spiegel hing und eine Katze zeigte, die eben diesen Hut trug. Achim nickte, aber wagte es nicht, in den Spiegel zu sehen.

Vage hob er die Hand zum Abschied, drehte sich um und kaufte nur wenige Schritte weiter eine Karte für siebzig Mark von einem dicken Mann in zu kleiner Lederjacke, ohne zu handeln oder irgendein Wort mit dem Mann zu wechseln.

Langsam schob er sich mit Tausenden von Besuchern durch die aufgestellten Gatter, wurde nach mitgebrachten Bierflaschen abgetastet und dann erst ins Stadion gelassen.

Der Anblick von fast achtzigtausend Leuten, die dort bereits seit Stunden warteten, warf ihn fast um. Das hatte er nicht erwartet, so etwas hatte er noch nicht gesehen. Kurz hatte er das Gefühl, er sei derjenige, der vor all diesen Menschen auftreten müsse, um ihnen seine tragische Geschichte zu erzählen. Er sah sich auf der Bühne stehen, winzig klein, seine Stimme wurde ihm aus dem Mund gerissen und mit riesigen Verstärkern durch das gesamte Stadion gejagt: Vor acht Wochen waren wir noch ein ganz normales, glückliches Paar. Aber dann…

Über die Bühne ragte eine gigantische Stahlkonstruktion, die die Cobra genannt wurde, wie er schon vor Tagen in der Zeitung gelesen hatte. Die größte Lightshow, die es je gegeben hatte. Ihn erinnerte das Stahlgerüst eher an einen gewaltigen erigierten Penis. Er fragte sich, ob er da wirklich der einzige war.

Der Stadionboden war mit Plastikfolie bedeckt, die jetzt schon von dem Regen und verschütteten Bier ganz rutschig war. Er kaufte sich an einem der vielen Stände einen Plastikbecher mit Bier, nicht weil er durstig war, sondern weil er plötzlich unsicher wurde wie ein Teenager auf seiner ersten Party. Ratlos stand er mit dem Becher in der Hand da, Menschen mit glasigen Augen wankten an ihm vorbei, manche grinsten ihn an, und er begriff erst mit Verzögerung, daß sie es wegen seines Huts taten.

Die meisten warteten bereits seit Stunden, sie wirkten unglücklich wie nasse Katzen und sahen samt und sonders häßlich aus in ihren bunten Sportklamotten. Ein paar Eltern waren mit ihren halbwüchsigen Kindern gekommen, die gelangweilt in die Runde blickten, die kleineren sprangen in die Pfützen, Regenhäute wurden entrollt, Plastikplanen über Köpfe gehalten, in unregelmäßigen Abständen wurde gepfiffen und geklatscht, aber auf der Bühne waren nur ein paar Roadies zu sehen, die irgendwelche Kabel anschlossen.

Achim wanderte an den Absperrungen zur Tribüne einmal quer durchs Stadion, um einen guten Platz zu erhaschen, sah dann aber ein, daß es einerlei war, die Stones würden in keiner Position größer als sein kleiner Finger sein.

Schließlich blieb er stehen. Seine Einsamkeit traf ihn unvorbereitet wie ein Hammer. Es war eine ganz neue Einsamkeit, anders als die muffige Einsamkeit als Teenager, die heroische, fast euphorische Einsamkeit als Rucksacktourist in Südamerika, anders als die klebrige, weinerliche Kneipeneinsamkeit, anders als alles, was er kannte. Diese Einsamkeit war eiskalt, sie ließ sein Innerstes erstarren, sie machte ihm unmißverständlich klar, daß sie ihn nie wieder ganz verlassen würde.

O Gott, stöhnte er laut auf, was niemand weiter beachtete. O Gott, hilf uns.

Seine Verbindung zu Gott war nicht die beste, das letzte Mal hatte er wahrscheinlich an seiner Konfirmation gebetet, und jetzt wußte er nicht mehr recht, wer dieser Gott eigentlich war, den er anflehte. Einmal, ganz am Anfang, als der Schock noch ganz frisch war, war er in die Krankenhauskapelle geflohen und hatte wie ein Kind gehofft, daß in seiner größten Not Gott schon zu ihm sprechen würde. Ganz allein saß er dort, ein fast vierzigjähriger, ganz gut aussehender Mann, der geglaubt hatte, es allein zu schaffen, und jetzt, bei der ersten großen Krise in seinem Leben, wimmernd angerannt kam. Eine Weile hatte er gewartet, das bunte Licht betrachtet, das durch die modernen Glasmosaike in den Raum strömte, die ordentlich ausgerichteten Stuhlreihen, die leere Kanzel, die gestapelten Gesangbücher, und als nichts geschah, Gott beharrlich schwieg, hatte er laut in die störrische Stille hinein gesagt: Okay. Ich habe verstanden.

Nur kurze Zeit später saß er mit vor Angst schweißnassen Händen im Sprechzimmer des Professors. Er war ein hagerer älterer Mann mit einem seltsam sinnlichen Mund und himmelblauen Augen, der vor sich auf dem Schreibtisch eine kleine Röntgenaufnahme des gesamten Skeletts eines Menschen herumschob und ihm versuchte klarzumachen, daß die Chancen für Eva nicht gut stünden, man aber dennoch nie wissen könne.

Achim wurde übel, und er beugte sich vor, um den Würgreiz zu unterdrücken, dabei geschahen gleichzeitig zwei Dinge: Er verstand, daß das kleine Skelett auf der Röntgenaufnahme seine Frau Eva war, und gleichzeitig schoß ein Lichtstrahl durch einen scheußlichen Kristallaschenbecher – wahrscheinlich das Geschenk eines dankbaren Patienten – und warf sein buntes Prisma direkt auf Achims Knie. Das Licht war haargenau dasselbe wie in der Krankenhauskapelle, und Achim verstand es in diesem Augenblick als Zeichen. Es war ihm in diesem Augenblick ganz klar und einleuchtend. Es befahl ihm, verdammt noch mal zu hoffen, und es gab ihm die Kraft, sich zu erheben, dem Professor zu danken und aufrecht aus dem Zimmer zu gehen.

Später dann wunderte er sich über seine Bereitwilligkeit, eine Lichtbrechung in einem Aschenbecher mit seiner todkranken Frau in Beziehung zu setzen, und er verachtete sich dafür, daß er nicht aus sich selbst heraus imstande war zu hoffen, sondern einen Kristallaschenbecher dazu brauchte.

Die Menge um ihn herum geriet mit einemmal in Aufruhr. Sie bewegte sich wie ein unruhiges Meer und drängte nach vorn, er wurde angerempelt und verlor fast den Halt, bis schließlich auch er begriff, sich auf die Zehenspitzen stellte, auf der Bühne ein kleines Männchen in einer roten Jacke erblickte, der auf deutsch und hunderttausendfach verstärkt, so daß es in achtzigtausend Bauchhöhlen wummerte, rief: Willkommen in der *Voodoo Lounge*! Gleichzeitig wurde eine riesige Leinwand über der Bühne erleuchtet, und er war es wirklich: Mick Jagger. Dünn und drahtig wie eh, mit den schmalen Hüften eines Teenagers, die Haare immer noch voll und dunkel, wahrscheinlich gefärbt. Aber Achim war dennoch froh, Jagger mit Glatze hätte er nicht ertragen. Die Leute rissen die Arme hoch, und auch Achim war versucht, es ihnen nachzutun, aber das Bier in seinem Plastikbecher schwappte ihm auf die Füße, also ließ er es.

Die anderen kamen auf die Bühne, Keith und Ron und Charlie, und schon ging es los. *Not fade away* war der erste Song, und Achim sah Eva mit ausgestreckten Gliedern auf ihrem Krankenhausbett liegen, und bitter dachte er: Eva, hör gut zu.

Aber als Keith Richards dann mit seiner obligatorischen Zigarette im Mundwinkel gelangweilt die ersten Riffs spielte, sah Achim Eva plötzlich vor sich, wie sie einen jungen, braungebrannten Arm nach dem Autoradio ausstreckte und es lauter drehte, weil die Stones gespielt wurden, so laut, daß das Blech wummerte. Und wie sie lachte und mit der Faust im Takt gegen das Dach schlug, wie sie zusammen durch die Nacht fuhren, von München durch die Schweiz Richtung Spanien, und sie ihren Kopf in seinen Schoß legte und schlief, er mit der einen Hand lenkte und ihr mit der anderen den Kopf kraulte und stolz dachte: Ja, das ist es. *With one hand on my baby and the other one on the road.* Von wem war das noch mal? Egal. In der Früh hielten sie in Annecy in Frankreich und stolperten ins erste Café, tunkten begeistert ihr erstes Croissant in ihren ersten Milchkaffee und kamen sich jung, wild und schön vor, unbesiegbar und unverletzlich.

Jagger sang von Begierde und Sex, sprang herum wie ein Derwisch, und gab sich alle Mühe, die Zeit vergessen zu machen, seine eigene wie Achims und Evas, und das klappte auch alles ganz gut. Bis er sich an eine blutjunge, bildhübsche Backupsängerin in einem hautengen Gummioutfit heransang, seinen dünnen Körper eng an ihren drückte, sie ihm mit langen Krallen über das enge T-Shirt fuhr und schließlich, natürlich nach Drehbuch, Anstalten machte, ihm das Hemd vom Leib zu reißen. Sie zerrte es noch bis über den Bauchnabel, Achim sah die Augen der Frauen in seiner Nähe, all der Apothekerinnen, Anästhesistinnen, Unterwäscheverkäuferinnen und Tiermedizinerinnen bereits aufleuchten, aber da wandte sich Jagger im letzten Moment ab, und es war allen gleichzeitig schmerzlich bewußt, warum: Mit über fünfzig zieht man sich auf der Bühne eben nicht mehr so gern aus. Die Zeit blieb zäh wie Teer auch an den Stones hängen, und Achim biß unwillkürlich die Zähne zusammen.

Auf der riesigen Videowand lief jetzt ein verschrammtes Schwarzweißvideo, alle Stones sahen um Jahre jünger aus. Ach ja, früher, dachte Achim nostalgisch, und es dauerte einige Zeit, bis er begriff, daß es nur ein technischer Trick war und daß das Video weiterhin die Gegenwart übertrug, nur eben in Schwarzweiß, auf alt getrimmt.

Dieses ironische Eingeständnis an die eigene Vergangenheit, aber auch daran, daß dieser Moment jetzt und hier auch schon wieder Vergangenheit wurde, daß jede Situation unweigerlich Erinnerung wird, erleichterte Achim mit einemmal. Eva, Liebling, dachte er, alles wird vorübergehen, irgendwie wird es vorbeigehen. Es wird nichts so bleiben, wie es ist.

Es goß jetzt in Strömen, sein Hut hatte sich bereits vollgesogen wie ein Waschlappen und hing ihm schwer und naß vom Kopf. Der Regen kroch ihm in die Knochen, er zitterte, aber es war ihm leicht ums Herz, zum ersten Mal seit Wochen konnte er wieder atmen. Und als jetzt Mick Jagger *I can't get no satisfaction* anstimmte, heulte Achim zusammen mit achtzigtausend Leuten begeistert auf, er war mit einem Schlag wieder zwölf Jahre alt, und seine Mutter wurde rot, als er sie bat, ihm den Text zu übersetzen. Sie wandte sich ab und öffnete den Kühlschrank, und er war siebzehn und zweiundzwanzig und achtunddreißig, und nie hatte er den zweiten Satz verstanden: *I can't get no coo reaction? No good action?* Immer hatte er mitgesungen, nie verstanden, was das heißen sollte.

Aber jetzt plötzlich verstand er es, zum allerersten Mal in seinem Leben verstand er. *I can't get no girl in action.* Lachend machte er ein paar Tanzschritte.

Eva, rief er laut, es heißt: *I can't get no girl in action!* Er drehte sich und tanzte mit ihr, so wie sie es unzählige Male gemacht hatten. Er schloß die Augen und amüsierte sich über ihre kleinen Knickse, die sie immer machte, und wie sie die Arme über den Kopf hob und schüttelte und die Haare wild hin und her warf. *I can't get no*, grölte er laut, *satisfaction, no, no no!*

Und da sah er plötzlich Pietsch, nur wenige Schritte von ihm entfernt, in einer giftgrünen Regenjacke und tropfnassen Jeans. Er sah aus wie fünfzehn trotz Glatze. Selbstvergessen und mit seltsam zuckenden Bewegungen à la Joe Cocker spielte er die Luftgitarre.

Während Achim ihn noch anstarrte, hörte er ein leises Piepen, das aus seiner Brust zu kommen schien, als hinge er selbst an einem der Monitore in der Intensivstation und als habe sich seine Lage dramatisch verschlechtert, schließlich fiel es ihm ein: das Handy!

Sein Körper erstarrte mit einem Schlag, als sei er schockgefroren. Mit zitternden, nassen Händen fummelte er das Handy aus seiner Brusttasche. Er verstand kein Wort, schmerzhaft bohrte er sich den Finger ins andere Ohr: Was? Wie bitte?

Ihre Frau, schrie ihm jemand ins Ohr. Ihre Frau!

Ja, sagte Achim leise, was ist mit ihr?

Sie atmet wieder! rief die Stimme. Sie atmet wieder allein!

Achim ließ das Handy sinken, seine Hände kribbelten, als sei er vom Eis in die warme Stube gekommen.

I CAN *get my girl in action,* sagte er leise, bevor der Applaus über ihn hinwegdonnerte.

Doris Dörrie im Diogenes Verlag

Liebe, Schmerz und das ganze verdammte Zeug

Geschichten

Vier großartige, liebevolle, traurige, grausame Geschichten: *Mitten ins Herz, Männer, Geld, Paradies.* Geschichten von befreiender Frische.

»Doris Dörrie ist eine beneidenswert phantasiebegabte Autorin, die mit ihrer unprätentiösen, aber sehr plastischen Erzählweise den Leser sofort in den Bann ihrer Geschichten schlägt, die alle so zauberhaft zwischen Alltag und Surrealismus oszillieren. Ironische Märchen der 80er Jahre – Kino im Kopf.«
Der Kurier, Wien

»Ihre Filme entstehen aus ihren Geschichten.«
Village Voice, New York

»Was wollen Sie von mir?«

Erzählungen

»Es ist vollkommen gleichgültig, ob Sie Doris Dörrie in der Badewanne, im Intercity-Großraumwagen, im Lehnstuhl oder in der Straßenbahn lesen, nur: Lesen Sie sie! Lassen Sie sich nicht irre machen von naserümpfenden Kritikern, diese sechzehn Short-Stories gehören durchweg in die Oberklasse dieser in Deutschland stets stiefmütterlich behandelten Gattung.« *Deutschlandfunk, Köln*

»Vor allem freut man sich, daß Doris Dörrie den eitlen Selbstbespiegelungen der neuen deutschen Weinerlichkeit eine frische, starke und sensible Prosa entgegenstellt.« *Kölnische Rundschau*

Der Mann meiner Träume

Erzählung

Doris Dörrie erzählt die Geschichte von Antonia, die den Mann ihrer Träume tatsächlich trifft. Sie erzählt eine moderne Liebesgeschichte, eine heutige Geschichte, deren Thema so alt ist wie die Weltliteratur, eine Geschichte von der Liebe.

»Ein erzählerisches Naturtalent mit einem beneidenswerten Vermögen, unkompliziert und gekonnt zu erzählen. Der Leser beendet die Lektüre mit höchst bewußtem Bedauern darüber, daß er diese kurzweilige, unprätentiöse Erzählung schon hinter sich hat.«
Frankfurter Allgemeine Zeitung

Für immer und ewig

Eine Art Reigen

Ein überschaubarer Kreis von Personen, darunter auch das Model Antonia, im ewigen Karussell des Lebens: Man begegnet sich, verliert sich wieder aus den Augen, liebt und leidet.

»Die Dörrie ist in diesem Buch auf der Höhe ihrer Männer- und Frauencharakterstudien. Ein Buch zum Lachen und zum Weinen. Zum genießerischen Wehmütigsein und zum sinnigen Nachdenken.«
Die Welt, Bonn

Love in Germany

Deutsche Paare im Gespräch
mit Doris Dörrie

»Doris Dörrie hat die *Love in Germany* erkundet – in 13 anrührenden und saukomischen Interviews mit deutschen Paaren zwischen Mittelmaß und Beziehungswahn. Ganz normale Leute, aber alle sind mit ihren Ramponiertheiten und unverwüstlichen Liebesträumen Persönlichkeiten. Aufschlußreicher als jede Statistik.« *stern, Hamburg*

Bin ich schön?

Erzählungen

Leopold und seine junge Frau wollen es anders machen als die spießigen Nachbarn ihrer niederbayrischen Umgebung. Sie bitten die vietnamesische Asylantenfamilie Hung zu sich ins Haus, laden sie zum Tee und zum Essen ein, schenken ihnen warme Winterkleidung und ein Paar *Neue Schuhe für Frau Hung.* Doch nach ein paar Tagen kapitulieren sie vor den kulturellen Unterschieden, die trotz guten Willens unüberwindbar scheinen.
Charlotte will wieder arbeiten gehen und sucht ein Kindermädchen für ihre kleine Tochter. Aber nicht irgendeins, sondern »ich möchte einen Babysitter, der mich verehrt, nicht stört und immer verfügbar ist«. Natürlich muß sich das Kindermädchen schnell in ›gesunde Ernährung‹ und ›angstfreie Erziehung‹ einarbeiten lassen, und ein gutes Karma sollte sie auch haben. Anita, ein junges Mädchen aus Ostdeutschland, die erst seit zwei Wochen im Westen ist, macht das Rennen: *Gutes Karma aus Zschopau* und seine Folgen...
Mit liebevoll-kritischem Blick nimmt Doris Dörrie die aufgeklärte, alternative Intellektuellenszene aufs Korn.
Sechzehn tragisch-komische Geschichten, die nachdenklich stimmen, weil sie so hemmungslos ehrlich sind.

»Doris Dörrie ist eine ausgezeichnete Kurzgeschichten-Schreiberin mit der erforderlichen Prise Selbstironie und mit stilistischer Eleganz.«
Annemarie Stoltenberg/Die Zeit, Hamburg

Susanna Tamaro im Diogenes Verlag

»Dieser aufrichtige und klare Stil; diese Fähigkeit, das Leid der Schwachen und Schutzlosen zu zeichnen – sie hat es vermocht, mich zu rühren, ohne mich zu beschämen, nicht anders als es mir bei der Lektüre von *Oliver Twist* ergangen war oder bei bestimmten Seiten aus Kafkas *Amerika*.« *Federico Fellini*

Love

Fünf Erzählungen
Aus dem Italienischen von Maja Pflug

»Die Großnichte Italo Svevos hat mit ihrem Debüt sogleich ein kleines, in sich abgerundetes Meisterstück hingelegt. Fünf Geschichten von Menschen, zumeist Kindern und alten Leuten, die um Würde und eine menschengerechte Existenz ringen und doch zum Scheitern verurteilt sind.« *Bremer*

»Susanna Tamaro ist genau das gelungen, was Hunderte erfolglos versuchen, nämlich ein Buch über die Trauer zu schreiben, das ohne Klischees auskommt und auf Anklage sowie wehleidige Selbstbespiegelung verzichtet.« *Tages-Anzeiger, Zürich*

Geh, wohin dein Herz dich trägt

Roman. Deutsch von Maja Pflug

Der innige, nie abgesandte Brief einer Großmutter an ihre Enkelin: Vom Leben Abschied nehmend, vertraut die Ältere der Jüngeren ihre Hoffnungen und Gefühle an, all das, was hinter der bürgerlichen Fassade verborgen blieb, Lebenslügen und Lebenstraum. Ein Vermächtnis, ein Weisheitsbuch.

»Das Buch verblüfft durch die Leichtigkeit, mit der das Schwere verhandelt wird, durch das unerschrockene

Bekenntnis zur Überlegenheit des Gefühls. Auch durch seine vollständige Freiheit von Sarkasmus, Zynismus, Ironie. ›Gefühle‹, sagt Susanna Tamaro, ›sind heute ein stärkeres Tabu als der Sex.‹«
Doja Hacker/Der Spiegel, Hamburg

Kopf in den Wolken

Roman. Deutsch von Ulrich Hartmann

»In Ton und Gestus einer Schelmenerzählung zaubert Susanna Tamaro nicht nur den Kopf ihres jugendlichen Helden in die Wolken, sondern die ihrer Leser dazu.« *Süddeutsche Zeitung, München*

»Ein poetisches Buch vom Erwachsenwerden, Schelmenroman und phantasievolles Märchen in einem.«
Hamburger Abendblatt

Die Demut des Blicks

Lob der Anmut. Zwei Essays
Deutsch von Maja Pflug

Susanna Tamaro erzählt in diesen beiden Texten, wie sie zum Schreiben kam.

»Ihr dichtestes Stück Literatur. Ein poetischer Lebensbericht, die Geschichte eines ›stumpfsinnigen kleinen Mädchens mit sehr wenig Selbstvertrauen‹, dem es gefallen hätte, Offizier zu werden. Ein Mädchen, das mit sechs Jahren zum Einsiedler wurde und eine Leidenschaft entwickelte, die Dinge der Natur zu katalogisieren. Ein Mädchen, das sich später, anstatt über Godard zu diskutieren, lieber in eine Theatergarderobe schlafen legte, und das eines Tages beim Blick auf den schlammigen Tiber die Wörter entdeckte. Eine erwachsene Frau, die zu Kräften kam und ihre Bücher veröffentlichte. Tamaros Geschichte.« *Der Spiegel, Hamburg*

Der kugelrunde Roberto

Eine Kindergeschichte
Deutsch von Maja Pflug

»Immer, wenn Roberto sich allein fühlt, und das kommt oft vor, erliegt er dem lockenden Ruf seines einzigen Freundes, des sprechenden Kühlschranks. Roberto futtert, was er nur greifen kann. Zum Entsetzen der Mutter…
Ein wahrhaft verrücktes Abenteuer, von Schlaf und Träumen erzählend, von Eßlust und Eßsucht, von Mut und Bewährung, von Liebe und Toleranz – ein Trost für alle Dicken, ein launiges Plädoyer für das Recht, so zu sein, wie man ist.« *Darmstädter Echo*

Der Zauberkreis

Ein Märchen für große und kleine Kinder
Mit Bildern von Tony Ross. Deutsch von Ulrich Hartmann

Was passiert, wenn hundert Elefanten ein Jahr lang nur Bohnen fressen? Und wenn sie dann alle zusammen von einem Trampolin herunterspringen? Es kommt zur kosmischen Pupserei, die sich Seine Speckige Ferkeligkeit Wabbel I. ausgedacht hat, um die letzten Gegner hinwegzufegen, die sich seinem Vorhaben widersetzen: Alles will er mit seinen gigantischen Bildschirmen, seinen Hyper-Mega-Supermärkten, Wolkenkratzern und Parabolantennen bevölkern und die Natur zubetonieren. Doch Rick, ein kleiner Findling, der in der liebevollen Obhut einer Wolfshündin und eines klugen Affen im paradiesischen Zauberkreis aufgewachsen ist, hat Freunde, die ihm beistehen. Im Verein mit Amalia Zwiebeldick, Akrobatin im Ruhestand, und der Katze Dodo, Königin der Müllcontainer, nimmt er es mit dem ferngesteuerten Heer Seiner Speckigen Ferkeligkeit auf.
Ein Plädoyer für menschliche Gefühle, für Wärme, Liebe und Geborgenheit in einer Welt, die von anonymen Mächten regiert zu werden droht.